Powroty
nad rozlewiskiem

Basi M., Tobie, mnie,
czyli dziewczętom i chłopakom
z tamtych lat

Małgorzata Kalicińska

Powroty
nad rozlewiskiem

ZYSK I S-KA
WYDAWNICTWO

Projekt okładki
Agnieszka Herman

Rysunki
Zviad Glonti

Redaktor
Jan Grzegorczyk

Opracowanie graficzne i techniczne
Przemysław Kida

Wydawca serdecznie dziękuje Urszuli Sipińskiej
za zgodę na wykorzystanie piosenki *Zapomniałam*

ISBN 978-83-7506-119-2

Zysk i S-ka Wydawnictwo
ul. Wielka 10, 61-774 Poznań
tel. (0-61) 853 27 51, 853 27 67, fax 852 63 26
Dział handlowy, tel./fax (0-61) 855 06 90
sklep@zysk.com.pl
www.zysk.com.pl

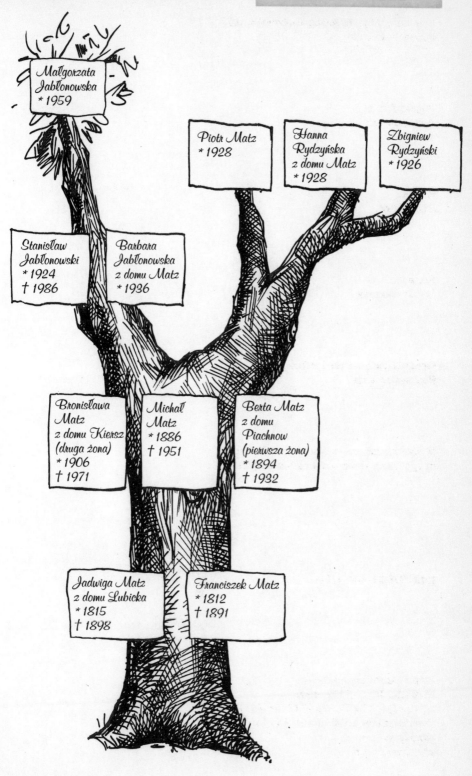

Spis treści

O tym, ile zapamiętałam…

Pamiętam, że przed naszym domem był wielki, okrągły klomb z różami i podjazd dla powozów i samochodów wokół niego. Kolumny ganku porośnięte były... zaraz, zaraz, dzikim winem? Chyba tak, bo jesienią czerwieniało i złociło się, tak mówiła zawsze Hanka.

To było ładne słoneczne popołudnie, gdy usłyszeliśmy warkot. Zajechały dwa samochody. Piotrek podskoczył do okna i krzyknął do nas:

— To Niemcy!

Bawiłam się moją lalką na dywanie, a Hania siedziała przy fortepianie i udawała, że ćwiczy. Jakubowa — nasza kucharka — cerowała skarpety Jaśkowi, chłopakowi stajennemu, i nuciła pod nosem. Druciane okulary ma od niedawna. Nie nawykła do nich. Wiszą jej na końcu nosa, a ona robi taką śmieszną minę i ceruje równiutko, ładnie. Jakubowa jest jak nasza babcia. Duża, gruba, lekko utyka i zawsze pachnie obiadem. Najbardziej lubię, kiedy jej ręce pachną szczypiorkiem, który nam sieka do kanapek.

Siedzi, na szklance ma napiętą tę skarpetkę, a dolną wargę śmiesznie wysuwa, marszczy brwi i sprawnie robi igłą gęstą siateczkę w miejscu dziury.

Teraz odłożyła robótkę, ciężko wstała i podeszła do okna.

— Ano, że Niemcy! — powiedziała nerwowo i wzięła mnie na ręce.

Miałam może pięć lat... Te słowa: „okupacja", „Niemcy", „Hitler" budziły we mnie taką samą grozę jak „smok" i „Baba Jaga", „Strzyga" i „Lucyfer". Byłam przestraszona, że widzę prawdziwych Niemców — żołnierzy. W mundurach. Bo Niemców, naszych sąsiadów, starszych państwa Roewe, znałam i lubiłam. Czasem odwiedzali tatkę i mamę. Ale czym innym byli Niemcy — nasi sąsiedzi i znajomi — a czym innym ci w mundurach... Bałam się ich, bo Hanka i Jakubowa opowiadały straszne rzeczy o wojnie, okupacji, zabijaniu i trupach.

— Piotruś — powiedziała Jakubowa. — Po co oni tu? Nie wiesz?

— Nie wiem — odparł mój przyrodni brat, wpatrując się w ganek, na który dziarskim krokiem wskoczył niemiecki oficer, i drugi zaraz potem.

Naprzeciw nim, z domu, wyszli mama i tatko. Rozmawiali spokojnie. Mama miała dłonie złożone jedna na drugą, na sukience, z przodu. Zawsze tak składała ręce, kiedy była bardzo oficjalna.

— Czego chcą?! — denerwowała się Jakubowa, trzymając mnie mocno w objęciach. Rzadko brała mnie na ręce, bo byłam już duża i nie uchodziło, żeby taką pannicę nosić, mawiała mama, ale i ona brała mnie na kolana, jak mi się śniła Strzyga...

— Otworzę okno, to usłyszymy — zaproponował Piotrek.

— Bój się Boga! Może nie potrzeba się zdradzać, że tu jesteśmy... Ty, Piotruś, idź i podsłuchaj... Patrz, idą do domu rozmawiać. Idź, dziecko!

— Nie powinno się podsłuchiwać — Piotr udawał, że żartuje, ale chyba nie było mu do żartów.

— Idź! — Jakubowej też nie było wesoło. Popchnęła go lekko w kierunku drzwi i poszła za nim, a za nią Hania i ja.

Nadawał się na szpiega jak nikt inny. Stąpał lekko i cicho. Ja chichotałam nerwowo, a Hania kładła palec na usta i syczała. Za to Jakubowa człapała tak, że wystraszyłaby wszystkich.

Właściwie to ona była Jakubaszkowa, ale dla skrótu wszyscy wołali „Jakubowa". Była naszą kucharką, nianią i jakby babcią — której nie mieliśmy.

Zatrzymaliśmy się za drzwiami, za którymi słychać było całą rozmowę mamy, taty i oficera. Rozmawiali po niemiecku. Byłam cicho i nic nie rozumiałam, za to Piotr, Hania i Jakubowa — wszystko. Kręciła głową z dezaprobatą.

— Zajmują majątek na kwaterę — szepnęła do mnie, nie do mnie?

W majątku rodziców była Jakubowa — najstarsza ze służby, a także Sabina — służąca, Wacka — dziewczyna kuchenna, taka trochę głupawa, i Rafał — lokaj, którego już wtedy nie było z nami, bo wzięli go do wojska. Niemieckiego.

Nasz majątek to piękny dom z pięterkiem, park, sad, ogród warzywny (chluba mamy) oraz stajnie tatki, obory, świniarnie, kurniki, pola orne, park maszynowy, którymi zarządzał pan Gotfryd — ekonom i prawa ręka tatki. Wiem to wszystko od mamy, z opowiadań.

Drzwi się otworzyły i weszła mama.

— Jakubowo, trzeba zawołać Wackę i Sabinę. Od dziś będą u nas kwaterować niemieccy oficerowie — sześciu — i podoficerowie — dziesięciu. Trzeba zrobić przemeblowanie i powlec pościele. Podoficerowie dadzą swoje koce. Piotrusiu, zawołaj Jaśka, trzeba przenieść nas do służbówki. Mamy na to dzień.

Zrobił się wielki rejwach, a ja nie mogłam pojąć, dlaczego usuwamy się z naszych pokoi. Przecież przyjezdni zawsze nocowali w pokojach gościnnych i na poddaszu. Pakowałam moje zabawki do wiklinowego kosza zła na cały świat.

Kwaterowanie niemieckich żołnierzy wspominałam pogodnie. Wcale nie byli straszni, nie pożerali dzieci i nikogo nie zabijali. W pomieszczeniach, które były nasze, a w których teraz kwaterowali oni, pachniało papierosami i wodą kolońską jak u tatki w gabinecie, gdy jeszcze palił fajkę. Pośrodku rozstawili wielki stół, a na nim były mapy i papiery. Widywaliśmy to przez szparę w drzwiach! Zdarzało się, że dawali mi miętówki albo częstowali kolorowymi landrynkami z metalowego pudełka. Hanka i Piotrek zawsze dziękowali, ale ja nie mogłam się oprzeć. Ten pan był taki miły, a landrynki słodkie...

Kiedyś spytali mamę, czy mogliby pograć na fortepianie, i grali tak cały wieczór. Nawet mama dołączyła, bo grali coś na cztery ręce. Jakieś polki, marsze...

Tak. Najpierw byłam zła, gdy musieliśmy się wynieść z naszych pokoi, ale później... było jeszcze gorzej. Tatko musiał pozbywać się naszego bydła, świń, koni. Pojawiły się kartki na wszystko. Już nie wróciliśmy do środkowej części domu, tylko mieszkaliśmy w dwóch, małych pokojach obok kuchni, bo tamtych salonów nie opłacało się zimą ogrzewać.

Zrobiło się biednie. „Oszczędnie" — jak mówiła mama. Bardzo mi się podobała ta oszczędność, szczególnie jak jesienią piekliśmy rydze na blasze albo podpłomyki z mąki, wody i kminku... Jakubowa robiła nam cukierki z melasy i mleka, piekła piernik, taki cudowny, mokry, z marchwią. Mieliśmy kury, więc uwielbiałam kogle-mogle i tylko rodzice czymś się zamartwiali, szepcząc między sobą lub przyjmując nocą jakichś gości po cichutku. O tych nocnych gościach nie wolno nam było pisnąć słowem. Nikomu.

Pamiętam jesienne wieczory, gdy siedzieliśmy w kuchni, do której wniesiono otomanę i fotel tatki. Wieczorami mama czytała na głos różne książki, Jakubowa szyła, cerowała albo robiła na drutach, oczywiście, jak już pozmywała po posiłku. Hanka bujała się na bujaku sama albo ze mną, a Piotr siedział przy stole i trzymał głowę opartą na swoich piąstkach. Trzymał je jedna na drugiej i patrzył w popielnik. Czasem w tym popielniku leżały ziemniaki na „drugą kolację", tak już na sam koniec wieczoru — przed snem. Później wstawaliśmy i szliśmy spać. Jakubowa gasiła światła, jak był prąd — żarówkę, jak nie — lampę naftową.

Pamiętam, że lampa miała taki żółty abażur, a Jakubowa bliznę na wielkim paluchu...

W tym czasie miałam zapalenie wyrostka, od którego mało nie umarłam, bo był ropny, a Jakubowa sądziła, że mnie boli, bo się objadłam zielonego grochu, i położyła mi na brzuchu ciepłą fajerkę w ręczniku.

Ledwo mnie uratowali w szpitalu, bo mi ten ropny wyrostek pękł od ciepłej fajerki, operowano mnie, a potem długo leżałam w domu. Później podejrzewano też u mnie gruźlicę, ale to był zwykły bronchit.

Byłam rozczarowana. Wszyscy byli tak przestraszeni, kiedy się mówiło o tej gruźlicy! Miałam nawet z mamą pojechać do Rabki albo Krynicy... A tu tylko bronchit! Wszystkie dzieci w okolicy to miały. Phi!

Zrobiło się naprawdę biednie.

Szkoły pozamykano, więc mama uczyła nas w domu, sama. Tatuś — matematyki, geografii i ekonomii uczył Piotrka i Hanię. Ja wtedy miałam wolne.

Później chyba chorowałam na szkarlatynę i znów odezwały się płuca. Każdą zimę chorowałam... Aż do tej ostatniej w naszym majątku, co to nawet się nie zaziębiłam, i Jakubowa powiedziała, że wreszcie się wychorowałam i że taka dorosła pannica nie powinna już chorować.

— Dorosła? — kpił Piotrek. — Taki kurczak i „dorosła"? Co też Jakubowa mówi? Ona wygląda jak piąte dziecko stróża! Kurczak! Kurczak! — drażnił się ze mną.

— Piotruś, nie bluźnij, dziecko! — Kucharka zawsze stawała w mojej obronie. — Tyle się dzieciak nachorował, a ty, że „stróża"! Wstydziłbyś się! — nadlatywała jak kokoszka.

Ale to krostowaty Piotrek, mój brat właśnie, czytał mi na głos Serce Amicisa. Razem płakaliśmy...

Po polsku nauczyła czytać Piotra i Hankę dopiero nasza mama, bo przedtem, kiedy tatko był żonaty z Bertą, słabo stali z polskim. Berta, choć była Niemką, mówiła po polsku, ale z silnym akcentem i niechętnie. Także jej zausznica, Frau Fetke, wiernie ją naśladująca we wszystkim. Obie do siebie i do dzieci mówiły po niemiecku.

Czemu ojciec patriota ożenił się z Niemką? Skąd Bronia w jego życiu?

To była ładna historia, którą opowiedziała mi mama, jak już mnie to zaczęło interesować — czyli kiedy byłam dorosła.

Mama mojego tatki — Jadwiga Lubicka — wydała się za Niemca w akcie patriotyzmu. Ha! Był stary i bogaty, ona uboga szlachcianka, też z dobrego domu — graniczyli majątkami. Jej mająteczek był maleńki i mizerny.

Franz Matz zestarzał się bezdzietnie, owdowiał po raz drugi, a ona jako żona odziedziczyłaby duży majątek. Tak też się stało. Dlaczego się dała wyswatać? Bo była starą panną ospowatą po czarnej ospie i lekko kulejącą. Przy tym wszystkim miała piękną duszę, mówił tatko. Działała w organizacji patriotycznej, krzewiącej polskość przez prasę i polską literaturę.

Małżeństwo Jadwigi ze starym Matzem było doskonałą przykrywką do jej działalności. Ale niezależnie od tego stworzyli stadło dobre i spokojne. Stary większość czasu siedział w bibliotece, śpiąc na fotelu. Czasem grał z kamerdynerem w szachy, ale już coraz gorzej mu szło. Był cichym, dobrym, schorowanym starszym panem, wdzięcznym Bogu za Jadwigę.

Jadwiga urodziła syna, ku uciesze starego Franza, który dyskretnie nie dochodził, kto jest prawdziwym ojcem. Jadwiga była dobrą, gospodarną żoną, dbała o niego i jeszcze dała mu potomka! Franz miał dość zjadliwej samotności, pustych pokoi i ciszy, coraz ciaśniej go otulającej.

Teraz dom pojaśniał, rozgrzał się, słychać było fortepian — od czasu do czasu — śmiech dziecka i szelest damskiej sukni.

Chłopcu dano na imię Michał. Stary go osierocił, gdy mały skończył pięć lat.

Michaś wyrósł na mądrego młodzieńca. Włosy z pszennych ściemniały mu bardzo, ale oczy pozostały błękitne. Był kształcony za granicą, znał języki i prawo. Miał służyć, zgodnie z rodzinną tradycją, ojczyźnie.

Po tym, jak zginęła tragicznie jego narzeczona, Michał z dnia na dzień posiwiał. Oszalał z rozpaczy. Nie jadł, z nikim nie rozmawiał, zapadł się w sobie. Wpłynął na niego dopiero stary pastor i Michał ponownie wyjechał. Zdobywał kolejne stopnie wiedzy. Wkrótce wezwano go do domu. Organizacja potrzebowała prawników, mądrych i przedsiębiorczych ludzi. Michał wrócił z nowym pomysłem — wstąpi do klasztoru albo wyjedzie w podróż dookoła świata. Może na misję do Afryki?

Jednak mama — wdowa po starym Matzu — postawiła przed Michałem zadanie. Podobne do tego, jakie i przed nią stanęło.

— Gdybyś, Michale, ożenił się z Bertą, córką naszych sąsiadów, wówczas przypadłaby na nią w posagu jedna trzecia majątku. Resztę chcą jej rodzice sprzedać i pojechać do starszej córki, do Wiednia.

— Z Niemką? Mamo! Poza tym stara panna i coś z głową nie tak?

Berta była zjawiskową panną. Płomiennorudą, z burzą ognistych loków nad twarzą dość bladą i nakrapianą mnóstwem piegów. Była złośliwa, intrygująca i nikt nie chciał się z nią żenić. Romansować — każdy. Była już stara. Miała swoje lata.

W karnawale na jakimś spotkaniu towarzyskim Michał poznał Bertę i nawet przyznał, że jest interesująca. Cały wieczór przegadali o poezji i muzyce. Jednak serce miał martwe. Ucieszył się więc, gdy szczerze porozmawiali przed ślubem.

Berta oznajmiła bez ogródek, że wie, iż ten ślub to tylko interes. Z rodzicami nie chce jechać do Wiednia, bo miasto ją nuży, i chce pozostać w majątku... Kocha wolność, konie, las. Na ślub zgodziła się pod warunkami:

— Nie będziesz mnie katował lekarzami. Mam już dość! Moja zausznica Frau Fetke wie, jak mi pomóc w razie ataku melancholii! Po drugie, Frau zamieszka ze mną, po trzecie, żadnych poufałości, a dzieci — tym bardziej! I wreszcie duuuużo swobody. Obiecuję nie przynosić ci wstydu, ale moje życie to moje życie!

Dziwne to były zawarowania, ale bardzo na rękę Michałowi.

Pobrali się, połączono majątki... Ich związek był dziwaczny, ale nikogo to nie obchodziło. Berta wiodła swoje życie, szepcząc po kątach ze swoją Frau, jeżdżąc konno i grając na fortepianie. Michał i matka — Jadwiga Lubicka-Matz — wspierali organizacje patriotyczne, wydawali polskie książki, nadto spotykali się z innymi Polakami. Jeździli, kolportowali, brali udział w spotkaniach, koncertach. Muzyka to był wspólny temat Berty i Michała, a poza tym wiedli dość osobne życia.

Kiedy zmarła Jadwiga, jej obowiązki spadły na Michała.

Z czasem zaczęły go dochodzić słuchy, że Berta wyjeżdża na całe dnie do pobliskiej wsi. Wszczął więc małe śledztwo.

— Bertie, kochanie, obiecałaś nie przynosić mi wstydu, a tu tymczasem zachowujesz się niedyskretnie. Jeśli roznosi cię temperament, jedź do wód, nie będzie plotek.

— Masz rację, Michale. O temperament tu chodzi, ale o przeszły. Mam taki grzech z młodości, o którym nikt nie wie. Ma dwanaście lat i mieszka na wsi u mojej niańki. Szaleję na jego punkcie. I tak będę do niego jeździć!

— Może, gdy dowiem się wszystkiego. Wiesz, jak cenię prawdę.

Berta nabrała powietrza.

— Dawno temu, we wsi, zatrzymał się tabor cygański. Pokochałam. Tak bardzo, jak tylko człowiek potrafi. Awanturom nie było końca. Jego rodzina zakazała nam spotkań. Mnie ojciec wychłostał, gdy przyłapał nas w kopie siana. Jego omal nie zabił. Miałeś kiedyś gorącą krew?

— Mów dalej…

— Odjechali. Wyłam jak zwierzę. Niedługo, bo zostawił mi pamiątkę. Rodzice wpadli w furię, ale cóż było robić? Wysłali mnie z rosnącym brzuchem do wód właśnie, ze starą niańką i Frau Fetke. Szybko je przerobiłam na swoje kopyto. Zamknęły usta. Dziecko nie zostało tam odsprzedane, tylko wróciło z niańką tu, na wieś. Ma na imię Julek.

— Chcesz go tu wychowywać? — spytał Michał poważnie.

— O Boże! Pozwoliłbyś na to?! Pozwól! Będę dla ciebie dobra, potrafię się odwdzięczyć!

— Nie potrzeba. Bądź szczęśliwa. Zajmij się domem, Julkiem i udawajmy szczęśliwą rodzinę.

Michał nie raz przeklinał w duchu chwilę, w której pozwolił Julkowi na zamieszkanie w jego domu. Pal licho fakt, że go usynowił. Plotki ucichły, jakoś się wszystko ułożyło, tylko chłopiec okazał się diablęciem. Był rozpuszczony, pozbawiony wszelkiej ogłady i karności. Kłamał, kradł i bił się, z kim popadło.

Uwaga Berty skupiła się na Julku, dzięki czemu Michał miał dużą swobodę działania.

Po wiejskiej szkole Michał zaproponował sfinansowanie gimnazjum Julka, czym zyskał jeszcze większą przychylność Berty. Szczęśliwa, okazała swą wdzięczność Michałowi tak dalece, że gdy Julek wściekły odjeżdżał do szkoły z internatem, ona właśnie poczuła pierwsze ruchy. Niebawem Michał stał się prawdziwym ojcem pary bliźniąt — Hanny i Piotra.

Berta była wściekła z powodu niechcianej ciąży, więc wymogła na Michale mamkę i niańkę.

Sama przeniosła się do prawego skrzydła domu z Frau Fetke i pokojówką, pod pozorem silnych ataków melancholii i migreny. Bliźniakami nie zajmowała się prawie wcale. Tam też wizytował ją syn, gdy przyjeżdżał ze szkół.

Szczerze nienawidził Michała, gdy ten bezskutecznie próbował go uczyć manier, kultury i karności.

Bliźniaki chowała niańka i Jakubowa. No i ojciec — oczywiście.

Minęły lata.

Berta zdziwaczała. Ewidentnie była „chora na głowę" — jak mawiano, ale w tamtych czasach nikt tego nie diagnozował, nie leczył. Na migreny chętnie brała morfinę, popadała w stany depresji i euforii...

Michał prowadził w miasteczku kancelarię prawniczą, dzieci — Hania i Piotruś — rośli zdrowo, pod okiem ojca i Jakubowej oraz guwernantek.

Na jakieś święto, chyba Boże Narodzenie, Julek, wówczas dorosły mężczyzna pracujący gdzieś w Golubiu, przywiózł żonę, Bronisławę. Ładną, ciemnooką. Berta szalała z zazdrości i ze złości. Miewała migreny i kolejne ataki szału, wreszcie popadała w melancholię. Wtedy Frau leczyła ją kroplami o mlecznej barwie. Julek trochę zmiękł, złagodniał... Do czasu.

Niestety ich przyjazd po roku, w święta Wielkiejnocy, nie był aż tak miły. Widać było, że Bronia znudziła się Julkowi, zaczął być wobec niej niegrzeczny, czasem wręcz nonszalancki. Znikał na całe dnie u matki, czasem szedł na polowanie i też go nie było cały dzień, a potem pił z chłopami we wsi.

Bronia zachwycała Hanię i Piotrusia bajkami, których znała mnóstwo, grą na fortepianie, zabawami w ogrodzie. Śpiewała, dużo się śmiała i przytulała, gdy któreś upadło, stłukło kolano czy cokolwiek. Matkowała im chętnie z braku lepszych zajęć.

Przy Julku markotniała, a on traktował ją jak służącą.

Berta była szczęśliwa, bo zawładnęła na powrót duszą syna. Rozpieszczała go i pobłażała jego zachciankom. Czasem robili sobie samochodowe wypady do Golubia, a nawet do Torunia na zakupy i „lumpy" — jak mawiała. Berta obsypywała Julka prezentami, jedli obiad w restauracji i wracali pijani, szaleni, głośni.

Nieraz Michał robił żonie wymówki. Czasem kończyły się głośną pyskówką, gdy Julek stawał w obronie matki. Michał wyrażał swoją dezaprobatę:

— Berto, mężczyzna żonaty powinien brać odpowiedzialność za rodzinę. Oznacza to, oprócz szacunku, także utrzymanie. Julku, z czego żyjecie, jeśli mogę spytać? — zwrócił się ostro do pasierba.

— Ja udzielam lekcji — wtrąciła Bronia, spuszczając wzrok.

— A ktoś cię pytał o zdanie? — krzyknął Julek.

Wieczorem Michał, wracając z gabinetu, usłyszał głośną awanturę w pokoju Julka. Bronia płakała i próbowała go uspokajać, ale na próżno.

Zdawało mu się, że usłyszał odgłos wymierzonego policzka.

Któregoś wieczoru, gdy sytuacja się powtórzyła, nie wytrzymał i wtargnął do pokoju, bo Julek wrzeszczał ordynarnie i chyba znów uderzył żonę.

Rzeczywiście leżała koło łóżka z rozciętą wargą. Michał wymierzył Julkowi krótki cios, krzycząc desperacko:

— Jak śmiesz?! Jak śmiesz?!

Potem złapał go za koszulę i jeszcze poprawił otwartą dłonią.

— Boli cię? Boli? Czujesz się upodlony? ONA tak się czuje! Tak ją właśnie boli! To jest twoja żona! Żona!!! Jak śmiesz?! Wynoś się!

Urażony Julek pobiegł na skargę do matki, a ta nie omieszkała zrobić Michałowi przy śniadaniu gorzkiej uwagi. Nic więcej, bo to jednak Michał utrzymywał ich wszystkich, po tym jak Julek stracił kolejną posadę i zgrał się w karty.

Po południu zabrała syna do miasta „na poprawienie nastroju". I tak go sobie poprawili, że wracając nocą, pijani — wpadli studebeckerem Berty do rowu. Znaleziono ich rano zakrwawionych i martwych.

Po pogrzebie Michał poprosił Bronię, żeby została w majątku, bo po pierwsze, wiedział, że nie ma ona dokąd wracać, po drugie Hania i Piotruś doskonale się czuli w jej towarzystwie.

Bronia zamieszkała w domu Michała na prawach członka rodziny, pełniąc funkcję guwernantki, gospodyni i dobrego ducha.

Była łagodna, mądra i pracowita i dom, a zwłaszcza domownicy, z miejsca to odczuli. Michał nie musiał się już troszczyć o ogród, dzieci, kuchnię…

Lubił popatrywać na nią. Lubił jej śmiech i dziecięcy zapał we wszystkim, co robiła. Jej grę na fortepianie, skupienie, gdy cerowała pończochy Hani, spodenki Piotrusia, skarpety Michała. Jakubowa pokochała Bronię całym sercem, po tym jak Bronia nacierała jej plecy kamforą i niedźwiedzim sadłem. Szczęśliwa Jakubowa zajmowała się już tylko kuchnią. Bronka zajmowała się domem sprawnie, i jedynie Fetke, zausznica Berty, mieszkająca z łaski po śmierci swojej pani w domu Michała, nie lubiła Broni, uważając, że jest ona odpowiedzialna za nieszczęście.

Frau uczyła Hanię i Piotrusia niemieckiego — gdy była trzeźwa.

Minęło lato, jesień zbliżała się ku końcowi.

Park stał się płomienny od wielkich, żółtych klonów i brązowiejących jaworów, dębów kanadyjskich — czerwonych jak krew. Opadały z głośnym pacnięciem kasztany i żołędzie, kwitły marcinki, astry, nawłocie. Ciągle jeszcze było ciepło, ale dni już stawały się krótsze, a noce zimne.

Pewnego wieczoru, gdy Michała jeszcze w domu nie było, Frau zaszła do salonu i widząc tam Bronię, spytała ostro:

— Jak długo zamierzasz tu siedzieć?! Tak naprawdę żadna to twoja rodzina, a dziećmi to ja i Jakubowa zająć się umiemy!

— Proszę? — podniosła Bronia zdziwione oczy.

— Świdrujesz tymi oczami, a wiadomo przecież, że siedzisz tu jak zły duch! Gdybyś nie zdenerwowała Julka, do tragedii by nie doszło!

— Jak pani śmie insynuować coś takiego? To on mnie uderzył, a nie ja jego!

— Widać zasłużyłaś! A teraz kręcisz tyłkiem do pana Michała, przewrotna kobieto.

— To nieprawda! — burknęła Jakubowa, która stała już od kilku chwil w drzwiach salonu z wielką konwią w ręku.

— Do kuchni! — odszczeknęła Frau Fetke.

— Zaraz, tylko podleję palmę — odrzekła dumnie Jakubowa

— To nieprawda — powiedziała spokojnie Bronia do Frau. — Proszę mnie nie obrażać!

— Masz ochotę zająć miejsce pani Berty? Tak? Wskoczyć mu do łóżka? Gzić się tam? Niedoczekanie!

Bronia zerwała się z płaczem i wybiegła do ogrodu.

Wrócił z pracy Michał. Jakubowa podała mu kolację chmurna i zgorszona. Zaindagowana opowiedziała Michałowi o całym zajściu. Na to weszła chwiejnym krokiem Frau:

— Tak! Powiedziałam tej przybłędzie, co o niej myślę — wypaliła — i powiem więcej, że ze służbą to się nie wolno spoufalać!

— Bronia to nie służba, Frau Fetke, a jeśli już o tym mówimy, to pani tu pełni rolę służebną.

Jeszcze tego wieczoru Michał wyprosił Frau z domu. Rano woźnica miał ją odwieźć na stację.

Bronia nie wracała, a Michał niepokoił się coraz bardziej. Było już bardzo późno i zimno. Nie wzięła płaszcza, pobiegła tylko z szalem.

Wiedział, gdzie jej szukać. Znał jej ścieżki. Za sadem, schodkami w dół, do jeziora, a tam plażą — do wielkiego głazu. To jej ukochane miejsce. Nieraz widział z sadu, ze skarpy, jak tam siadywała.

Biegł teraz zdyszany i… zobaczył ją skuloną na ławeczce, opartą o wierzbę. W świetle księżyca wydała się mała, drobna jak dziecko. Wtedy zdał sobie sprawę, jak mu jest bliska. Jak bardzo kocha tę śliczną ciemnooką dziewczynę. Bardzo chciał ją wziąć w ramiona i zamknąć przed złym światem! Przystanął rażony własną konstatacją.

— Stary dureń ze mnie. Mam pięćdziesiąt lat! Ona ledwie do trzydziestu dochodzi. Zaraz… dwadzieścia sześć? Siedem?… Dureń stary. Czy ona spojrzy choć na mnie? Stary dureń…

Szedł w jej stronę coraz bardziej radosny, że ją widzi, coraz bardziej przerażony tym, co odkrył. Jest za stary… Serce w uśpieniu stygło latami, a tu taki poryw!

Bronia często przychodziła w to miejsce odludne pomyśleć, popłakać, pomarzyć. Teraz poczuła głęboką beznadzieję. Dokąd ma wracać? Tu wreszcie, pierwszy raz po śmierci Julka, poczuła głęboki spokój, radość z pracy, jaką wykonywała. Polubiła Jakubową, dom i jego zapach, Hanię i Piotrusia, garnących się do jej spódnicy tak chętnie i ufnie. Była guwernantką, czasem ogrodniczka, gospodynią i nianią. Ale… rzeczywiście, może ta Frau ma rację, że nie należy nadużywać gościnności pana Michała?

— Michał — wyszeptała. — Michale…

Obudził w niej tęsknotę za czymś dobrym i nienazwanym. Czuła się przy nim taka bezpieczna! Nadto był mężczyzną pięknym i z manierami. Tak ciepło popatrywał na nią, gdy zdawało mu się, że ona nie widzi. Gdy haftowała, pisała czy rozmawiała z Jakubową. Gdy grała na fortepianie, czytała, przyprowadzała dzieci, żeby powiedziały tatusiowi „dobranoc" — czuła jego badawcze spojrzenie.

Kochała go skrycie. Nie przeszkadzały jej siwe już od dawna, lekko falujące włosy ani zmęczone, chabrowe oczy, ani wiek. Dla mężczyzny ciągle jeszcze odpowiedni, jak w duchu myślała.

Zobaczyła go teraz w oparach jeziornych, jak wyłaniał się z mgły mokrej i chłodnej. Szedł spięty, rozglądając się i szukając jej.

— Broniu! Broooniu!

Był blisko, gdy wyszła zza pnia wierzby.

Tak to opisała w pamiętniku, który mama uratowała z wojny:

Gdy go zobaczyłam tak niespodziewanie blisko, poczułam, jak serce do gardła mi skoczyło radośnie. Szukał mnie! Niepokoił się! Michał! Piękny mój, wyśniony Michał! Stanął nieporadny, wzruszony i tylko mu oczy błękitem błysnęły.

— Broneczko, żyjesz?

Spytał, jakby bał się, że poszłam się utopić!

Pachniał cygarem i lawendą… sobą, ciepłem, spokojem. Podeszłam i przylgnęłam do niego. Niech się dzieje, co chce!

Objął mnie dyskretnie, lękliwie, nieporadnie, lecz gdy chciałam się uwolnić — nie pozwolił. Nie puścił. A gdy podniosłam ku niemu głowę, nasze usta same się spotkały.

Tak słodko nikt mnie jeszcze nie całował!

Potem szepnął: „Bądź moja, Broneczko. Na wieki i przed Bogiem!"

Wyszła za niego i urodziłam się ja! Barbara!

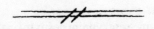

Okupacja wciąż trwała, i zdążyłam się do niej przyzwyczaić, gdy pewnego dnia zajechał pan Jürgen — przyjaciel tatki z młodości. To była zima.

Był ogrodnikiem w Pasymiu i miał rozległe kontakty. Bywał już u nas wielokrotnie. Długo rozmawiali w pokoju rodziców. Opowiadał, że ruszył front i że powinniśmy się zbierać z naszego majątku, bo jak przyjdą Ruscy — zagrabią wszystko, a jak popiją — popalą, zniszczą… Tatko oponował. Mówił, że trudno, że się to przeczeka, ale mama wpadła w panikę i przypomniała Lwów — jak stamtąd wypędzili Polaków, jak się szarogęsili, niszczyli.

Pan Jürgen prosił, żeby się jednak spakować i przyjechać do niego, do Pasymia, przeczekać ruską nawałę. Obiecał jeszcze wpaść.

Mało pamiętam z tamtych czasów. Głównie narady rodziców, szepty, lęk Jakubowej i częste hamowane łzy mamy. Wieczorami rodzice słuchali radia, po cichutku, i rozmawiali, rozmawiali bardzo poważnie.

Po nowym roku jakoś znów przyjechał pan Jürgen z innym panem i długo, nerwowo rozmawiali z rodzicami. Następnego dnia wyjechał, a my zaczęliśmy się przepakowywać, bo ten drugi powiedział, że za duży bagaż się nam zrobił, na dwie furmanki. Zrobiliśmy jeden mały wóz i wózek dziecięcy po mnie naładowany piernatami.

— Nie warto — mówił — brać konia, bo i tak zabiorą, zabiją...

A później ruszyliśmy... Przez boczną linię frontu mieliśmy iść. Piotr i tatko bardzo się tym denerwowali.

Nie wiedziałam, co to znaczy, że „ruszył front", ale widocznie było to coś strasznego.

Byłam zła.

Jakubowa zapłakiwała się już od kilku dni, ale miała zaraz pojechać na wieś do rodziny. Było zimno i ponuro. Nie rozumiałam, dlaczego opuszczamy dom.

Przecież mówiono, że to Niemcy są niebezpieczni, wywołali wojnę, zniszczyli Warszawę, a wyzwolą nas Rosjanie. To czemu uciekamy przed nimi z majątku?

— Tato? — Piotrek się srożył. — Tato, niech tatko mi wytłumaczy, dlaczego idziemy prosto w ich łapy? A nie, jak wszyscy, na zachód?

— Synu. Rozmawialiśmy. Ten pan doprowadzi nas bezpiecznie do Pasymia, do Jürgena. Tam przeczekamy tę nawałnicę i wrócimy, Bóg da, do majątku. U niego jest bezpiecznie i jednak blisko. To swój.

— Ale idziemy prosto na nich! — zapiszczał Piotr, bo właśnie przechodził mutację.

— Jednak to wyzwoliciele, nie histeryzuj!

Szliśmy jakimiś łąkami, ścieżynami leśnymi, jak zwierzęta czujące zagrożenie. Wszędzie było mnóstwo śniegu, z którego sterczały pióropusze suchych traw, czasem krzewiny jakieś... czuliśmy się jak kuropatwy uciekające przed myśliwym.

Mama opatuliła nas we wszystko. Byliśmy jak tłumoki. Nawet tatko miał na głowie czapę i szal wokół brody, jakby go zęby bolały. Nieogolony — wyglądał brzydko.

Przewodnik, znajomy pana Jürgena, prawie nic nie mówił. Nocowaliśmy w opuszczonych chatach, stodołach, lękliwie rozpalając ogień. Tylko nocami dostawaliśmy ciepłe napoje. Byłam głodna, wiecznie zmarznięta i nadąsana. Bałam się za nas wszystkich i leżąc w słomie razem z Hanką, szeptałyśmy między sobą, pocieszając się wzajemnie.

Po drodze w jakimś miasteczku usłyszeliśmy potworne dudnienie, zupełnie jak podczas wielkiej burzy i zza zakrętu wyjechały wojskowe gazy, ciężarówki z... Ruskimi. Nie zwracali na nas uwagi. Gnali, wzbijając tumany śniegu. Kilkoro mieszkańców — jak my — gapiło się na nich. Gdy się wreszcie przewalili, na końcu znów jechały samochody i wtedy wyskoczyło z nich kilku żołnierzy i podskoczyło do nas.

Przewodnik od Jürgena zagadał coś do nich po rusku, ale uderzyli go niedbale i przegrzebali nam rzeczy. Pytali o wódkę. Byli pijani. Jeden z nich rozchylił mamie szal i zerwał złoty łańcuszek, a później złapał za palec. Ojciec z furią rzucił się na niego, ale tamci podstawili mu nogę i tatko upadł. Piotrek też oberwał i spadły mu okulary, więc szukał ich po omacku w śniegu. Mama krzyknęła boleśnie i wtedy zatrąbił ich samochód. Odbiegli.

Tę noc spędziliśmy na plebanii splądrowanego kościoła. Stary ksiądz płakał co chwila, a jego gburowata, chuda gospodyni zrobiła nam gorącej zalewajki. Mamy palec okazał się złamany i ksiądz usztywnił go patyczkami i bandażami. Było nam wreszcie ciepło. Od dawna niemyci, chętnie skorzystaliśmy z łazienki.

Tyle pamiętam.

Pamiętam jeszcze wymordowaną wieś, bo podobno trzymali z wrogiem...

Wszędzie czerwone plamy na śniegu, jak podczas polowań tatki. Mnóstwo krwi, zgliszcza tlące się jeszcze i kominy sterczące złowrogo, okopcone na czarno. Ogołocony z mięsa szkielet krowy. Poznałam, bo obok leżała zakrwawiona skóra w biało czarne łaty i łeb przerąbany siekierą. Okropne...

Porozwalane pierzyny, sprzęty domowe i tam, gdzie stała kapliczka, cała niebieska, pomalowana farbką, tam stały też szubienice z trupami. Lekko się kołysały. Mama zasłoniła mi oczy i prowadziła mnie, szlochając.

Widywaliśmy popalone wsie, ostrzelane budynki, nawet trupy na wozach przygotowane do pochówku, ale szubienice?!

— Podobno kolaboranci — szepnął tatko do przewodnika. — To prawda?

— Lepiej nie wiedzieć — mruknął i popędził nas, bo zbliżała się noc.

Kolaborantów wieszali i w naszym miasteczku — gadała o tym nieraz Jakubowa z Sabiną albo mamą. Esesmani wieszali ludzi na rynku, ale Rosjanie? Za co?...

Wiecznie było mi zimno...

Później już przypominam sobie sam Pasym. Wyglądał okropnie. Popalony, wyburzony, pusty… Sprawiał wrażenie opuszczonego przez Boga i ludzi. Było już późno, szczekały jakieś wygłodniałe psy, wiało zimne wietrzysko.

Przewodnik zostawił nas, pokazał, jak iść dalej, i poszedł sobie. Z trudem odnaleźliśmy dom Jürgena.

Przywitała nas jego żona — stara i pomarszczona kobieta o czerwonych oczach.

— Witajcie, witajcie — powiedziała niemal radośnie. — Jurek leży w kaplicy. Wczoraj zmarł na serce… Mówił, że na was czeka.

Kuchnia Felicji była nagrzana, pachniało kaszą i roztopioną słoniną z puszki. Najpiękniejszy zapach świata! Suchary Jakubowej skończyły się już dawno i głodowaliśmy bardzo. Czasem w jakieś wsi ktoś się litował i dawał nam trochę mąki, którą mama gotowała na gęstą breję z solą, albo ziemniaki ohydne — przemarznięte. Słodkawe po ugotowaniu. W opuszczonych gospodarstwach trafiała się komórka z zapomnianym słoikiem jagód albo grzybków. Grzybki w occie. Jakiś absurd!

Uwielbiałam je w majątku, gdy stały w kuchni, czekając, aż Jakubowa zaniesie je na stół i postawi obok patery z wędliną, a te były okropne. Niesłone, kwaśne i szczypały w głodny żołądek boleśnie.

Najczęściej jednak nic nie było. Puste domy, komórki, spichlerze… nic!

A tu kasza!!! Felicja mimo ciężkiej straty pogodnie podała nam herbatę z ususzonej mięty i tę kaszę. W pokoju pościeliła nam prawdziwe łóżka. Tatko i mama na jednym, Hanka i ja na drugim, a Piotruś na szlabanku. Było ciepło od pieca kuchennego i błogo. Bezpiecznie.

— Umyjecie się jutro — zarządziła mama i każdemu nakreśliła krzyżyk na czole. — Da Bóg, koniec wędrówki, na ten czas — westchnęła.

Zasnęłam kamieniem.

Kilkanaście dni mieszkaliśmy u starej Felicji — wdowie po Jürgenie. Rodzice roztrząsali swoją decyzję.

— Broneczko, wybacz, to nie był dobry pomysł. Sądziłem, że Jürgen ma gotowy plan, zamysł, jak przetrwać. Zawsze był doskonały pod względem przewidywania, wiedzy i pomysłów. Nie chciałem skazywać was na exodus w niewiadome… Wszak mam przyjaciół w Monachium, Paryżu, ale i oni są uwikłani w problemy… Tam żadnego dla nas życia nie widzę. Tu jednakowoż wśród swoich jesteśmy, a da Bóg, ojczyzna wreszcie będzie wolna.

— Michale, a może tak miało być, że tracimy wszystko, ale nie siebie? Patrz — jesteśmy wszyscy z wyjątkiem Jakubowej… mamy dach nad głową, coś wymyślimy. Z Bogiem wrócimy do siebie szybciej, niż sądzisz!

Pocieszali się nawzajem, pocieszali nas — ale my byliśmy wściekli. Okropny był ten Pasym! Wcale nam się nie podobał! Mały, brzydki i bezludny… Jedzenia nie było. Żadnego!

Wkrótce Felicja znalazła dla nas mieszkanie po niemieckim piekarzu, co zmarł tuż przed zimą, a jego żona uciekła do Rzeszy. Małe, ale całe. Z ocalałym piecem.

Tam zachorowałam na świnkę i zaraz po niej na ospę wietrzną. Przeleżałam w łóżku do wiosny! Hanka opowiadała mi później, że wtedy panował straszny głód. Nie pamiętam tego, ale widać tak było.

Autobus do Warszawy
i trochę wspominków

Wszystko to przypomniało mi się teraz, gdy jechałam autobusem do Warszawy zdawać na studia. Złożyć papiery na uniwersytet.

Boże, jak ja się bałam tej podróży! Tak daleko nie jeździłam nigdy! Najdalej z mamą do Elbląga. Sama do Biskupca, do Olsztyna — proszę bardzo. Ale do Warszawy?!

— Poradzisz sobie — powiedziała mama. — Koniec języka za przewodnika. Ciotkę znajdziesz łatwo, bo to środek miasta, ta Mokotowska. A poza tym, Basiu, tam teraz wszyscy przyjezdni! No, z Bogiem, dziecko!

Nachyliłam się, żeby mama nakreśliła mi krzyż na czole, i wsiadłam do starego, rozklekotanego autobusu i teraz jadę...

Aż do Przasnysza tak wspominałam to, co pamiętam z majątku. Mało tego... Takie to zamazane, nieostre, nie po kolei. Jakieś urywki, kawałki pozszywane od Sasa. Całkiem czarne dziury, jakbym powymazywała wielkie fragmenty.

Hanka pamięta wszystko. Ma pamięć jak encyklopedia. Ja — nie.

W autobusie duszno. Z tyłu ktoś wiezie gęsi w pudle. Tylko im głowy wystają. Najpierw gęgały strasznie, to im wór na głowy wsadzili. Teraz zdjęli i gęgają, ale ciszej. Zmęczone są, jak my wszyscy.

Obok mnie kobieta z metalową bańką między kolanami. Spirytus. Na pewno!

Przecież mówią, że w Warszawie za bimber można kupić, co się chce!

Gorąco mi. Kobieta poci się ostrym potem. Zaczyna śmierdzieć, bo wszyscy już są uparowani, a okienka autobusu małe i mimo że pootwierane u góry — niewiele to pomaga. I jeszcze te gęsi.

Zamykam oczy. Lepiej odpłynąć we własne myśli...

Ciągle miałam w głowie naszą ucieczkę pod prąd, do tego Jürgena, żeby tam przeczekać... A potem wrócić do majątku. Nigdy nie wróciliśmy. Polska Ludowa zabrała nasz majątek jak swój. W naszym domu otworzono szkołę, a w służbówce — mały internat.

Wozownię przerobiono na pomieszczenia administracyjne PGR-u.

Dobrze, że uciekliśmy.

Dopiero po drodze do Pasymia, czując lęk, widząc popalone domy, okaleczonych ludzi, zniszczone życie, te szubienice, naprawdę się przestraszyłam. Nie rozumiałam, dlaczego opuszczamy nasz majątek. Skoro Niemcy nas nie pozabijali, to czemu Ruscy mają to zrobić? Zresztą ci Niemcy, co u nas kwaterowali, zachowywali się bardzo przyzwoicie. Tak mówiła mama. My tylko musieliśmy się gnieździć w skrzydle dla służby, bo służby już nie było. Porozjeżdżała się do domów, bośmy im nie płacili i po co mieli się narażać? W nieszczęściu gna się do swoich.

— Chcę do domu! — płakałam ze zmęczenia podczas wędrówki.

— Przestań! — mówiła mama. — Rozpoczynamy nowe życie! Jak rozbitkowie. Jak Robinsonowie Szwajcarscy! Widzisz, ile uratowaliśmy?! Może kiedyś wrócimy?

Patrzyłam na nią z niedowierzaniem. Jak to? Porzucamy dom, stajnie ojca, ogród, park, nasze pokoje, Jakubową, Sabińcię, Rafała, Jaśka?... I mama tak sobie to mówi, lekko?

— Mamo? Tatko jest smutny, a ty?

— Kochanie moje — mama uklękła przede mną i zawiązała mi ciaśniej szal pod szyją. Jej piękny, kaszmirowy szal... — Życie jest ważne, wiesz? Rzeczy są i zaraz ich nie ma, popatrz dookoła, a my jesteśmy! Korzenie możemy zapuścić gdzie indziej, gdzie nie ma już grabieżców, wrócił spokój. Basieńko! Rozchmurz się, rybko, będzie dobrze!

Pamiętam jej brązowe wesołe oczy, szylkretowe grzebienie we włosach, warkocze zawinięte w kok, i starą jesionkę, w którą się ubrała, żeby nie wyglądać na „panią". Ojciec, Hanka i Piotr właśnie wychodzili z lasu, do którego poszli za potrzebą, i rozmawiali lekko o wiośnie, a ja chciałam rozpaczy, darcia szat, dramatu! W końcu wojna wygoniła nas z domu!

Mama jednak nie okazywała żadnego zachwiania. Uspokajała nas wszystkich, a ojciec całował ją w rękę albo we włosy i mówił:

— Bez ciebie, Broniu, nic nie miałoby sensu! Moje serce jedyne!

— Ale mogliśmy, proszę tatki, jak wszyscy, na Zachód — wymądrzał się Piotr.

— Mogliśmy, ale tam nie mamy nikogo, a tu — choć tego Jürgena. Mamy gdzie przeczekać, żeby wrócić na swoje.

— Słyszał tatko, co ludzie mówią? Że Ruscy niczego i nikogo nie oszczędzają, że zabierają wszystko i nie oddają. A jak zrobią tu radziecką republikę?

— Nie zrobią — mruczał ojciec niepewny tego, co mówi.

Słabo to wszystko pamiętam.

Ta wędrówka w zimnie i poniewierce trwała prawie trzy tygodnie, bo czasem z powodu pobliskich walk nosa nie wystawialiśmy z miejsc popasu, choć może lepiej — z ukryć? Z tych stodół, cudzych domów, plebanii różnych.

To było wielkie, przykre przeżycie i mama często nam powtarzała: „Zapomnisz, zaleczy się serduszko, będzie lepiej!". Zapominałam szybko. Życie dziecka jest pełne ciekawostek, które umieją wypierać z pamięci złe chwile.

Felicja pocieszała nas, trzeźwo myśląca, choć stara:

— Tu, w Pasymiu — mówiła — będzie wam spokojnie i dobrze. Ruscy już poszli, został tylko komisarz. Szczytno zniszczone strasznie, panie Michale, ale Pasym się jakoś w miarę ostał, widzicie... Przeczekacie. Mnóstwo mieszkańców wywieziono, dużo ludzi wyjechało.

Właśnie jakoś wtedy, w kwietniu już czy maju, ojciec wybrał się z tamtym przewodnikiem, który nas przeprowadzał przez front do Pasymia, do naszego majątku — zobaczyć, co z niego zostało. Wrócił szary na twarzy i w kuchni upadł na podłogę. To było serce — jak stwierdził miejscowy lekarz i zalecił ojcu spokój i wypoczynek. Nasz majątek był w rękach Rosjan, zniszczony okropnie. Mieściła się tam siedziba komisarza i szkoły... O powrocie nie było mowy.

Felicja wzruszyła ramionami.

— Aleście cali i zdrowi! I nie majtacie się na sznurku z napisem „Kułak"!

Fakt...

Z miejsca się zaprzyjaźniły — mama i Felicja. Po tygodniu mieszkania u niej zajęliśmy to opuszczone mieszkanie koło cmentarza, później po dwóch latach dom, co nam go zapisał za Kaśkę kowal, który spłonął w swojej kuźni, zapiwszy się na śmierć, a wreszcie zamieszkaliśmy tu, nad rozlewiskiem, dwa kilometry za Pasymiem.

Miasteczko było bardzo wyludnione, brzydkie i rozwalone, popalone przez Ruskich. Byłam zawiedziona. No i bieda była straszna. Mieliśmy worek żytniej mąki i nic więcej. Mama z Felicją pojechała po niego daleko, aż za Wielbark, na jakąś kolonię.

Przez miesiąc jedliśmy właściwie tylko kluski z ohydnej, szarej mąki wymieszanej z otrębami. Dobre i to, inni i tego nie mieli.

— Mamo? Co dziś na obiad? — ćwierkałam, po powrocie ze szkoły, z nadzieją, że nie kluski.

— Makaron — mówiła mama wesoło.

A następnego dnia na moje pytanie odpowiadała, że kluski, i tak na przemian. Do dziś nie lubię kluch i makaronów...

Późną wiosną już było lepiej, bo pojawił się na polach szczaw, lebioda na szpinak, a w obejściach młoda pokrzywa, z której mama robiła zupę. Czasem zdobywała kilka kartofli, pasternak, kapustę. Mleko też było rzadkością. Najczęściej, jeśli już się pojawiało, to w proszku, z przydziałów. Rzadko. Zdarzały się transporty z chlebem, ale nie dla wszystkich starczało, aż wreszcie ruszyła piekarnia. Przy drodze do lasu rosły dzikie jabłonie, więc jesienią zbieraliśmy jabłka i mama robiła z nich dżem z melasą, a kompoty z mirabelek, co rosły koło kościoła.

W czterdziestym szóstym, czy jakoś tak, okazało się nagle, że nasz Pasym to wieś. Że już nie jest miastem, bo zabrali mu prawa miejskie. Pani nam to w szkole powiedziała, zaciskając usta.

Wpadłam do domu jak bomba:

— Mamo! Tatku! Pasymowi zabrali prawa miejskie! Jesteśmy wieśniakami! Czy oni powariowali?! Ślepi są czy co?!

— Basiu, nie krzycz tak — uciszał mnie tatko.

— Mamo, ale jak jest kościół i ratusz, to chyba widać, że to miasto?

— Ciiicho, serce moje! Tak już jest, a z władzą się nie polemizuje! Popatrz, tatko jest tu zwykłym chłopem, a przecież ma arystokratyczne pochodzenie. Ale o tym lepiej nie mówić! Wszak wiesz. Ważne są maniery, kultura, a nie tytuł. Dla nas to „nasze miasteczko", i już! Prawa miejskie może mu zwrócą...

I zwrócili po wielu, wielu latach.

Ludności przybywało, a więc i kolegów, i koleżanek też. Mama od razu zatrudniła się w szkole. Była bardzo dobrze wykształcona. Później przesunięto ją do świetlicy i biblioteki. Miała pracę!

Autobus zatrzymał się na kolejnej stacji. Wysiadłam, bo krzyż mnie bolał i nogi cierpły od tej podróży. Stanęłam w kolejce do toalet, śmierdzących na odległość. Już nawet maminej herbaty z termosu nie piję, żeby nie siusiać za często... Czemu wybrałam tę Warszawę?! Czemu dałam się namówić na uniwersytet? Tak daleko od domu...

Wychodek obesrany nieludzko, śmierdział i powodował mdłości. Jednak nie było innego wyjścia, bo jeszcze kawał drogi przede mną.

Gęsi w pudle chłop wystawił na zewnątrz. Były już ledwo żywe. Nie gęgały...

— Pan je napoi — powiedziała ta kobieta, co siedziała koło mnie.

— Się pani nie wtranca — burknął, paląc papierosa.

Poczułam jednak pragnienie i poszłam po herbatę. Na siedzeniu przede mną kobieta przewijała dziecko, rozkapryszone i spocone jak my wszyscy. Teraz naprawdę żałowałam, że dałam się namówić na tę biologię. Może lepsza byłaby polonistyka w Olsztynie? Autobus ruszył. Boże, jak gorąco...

Z dzieciństwa najlepiej pamiętam zimy. Może dlatego, że całkiem nie przywiązywałam uwagi do zimna? Mogłam całymi dniami biegać po mrozie i nic mi nie było. Wpadałam na chwilkę na siusiu, mama wmuszała we mnie łyk ciepłego mleka albo wodę z sokiem z brzozy, napar z bzu, i na podwórko!

Miałam na sobie wyrośnięty już, granatowy płaszcz wełniany i wielką chustę zawiązaną wokół, jak wszystkie dzieciaki. Na nogach filcowe botki po Hance. W majątku nie mogłam tak całymi dniami latać po wsi. Tu jak najbardziej!

Wkrótce nasza rodzina powiększyła się o Kaśkę, bo któregoś lata mama odebrała kowalowi pijakowi osieroconą córeczkę Kasię. Znała jej matkę — Mariannę, co się utopiła z teściową w jeziorze.

Byłam jej opiekunką, a ona moją żywą lalką. Siostrą. Po wojnie został nam wielki, żółty wózek z dykty, w którym wiozłam rzeczy, uciekając z majątku tu, do Pasymia. W tym wózku woziłam Kaśkę, lulałam do snu i spuszczałam z małej górki, ku jej wielkiej uciesze. Aż się rozwalił i zrobiliśmy z niego małą platformę do wożenia chrustu.

Nasza Kaśka późno nauczyła się mówić. Wszystkiego nauczyła się późno. Była inna niż my. Duża, z grubymi wargami i grubym głosem. Włosy miała czarne i gęste, kręcone, lśniące. Oczy wielkie i ciemne. Dobrą duszę, jak mawiała mama.

Pamiętam jeszcze ten dom po kowalu — ojcu Kaśki, w którym mieszkaliśmy w miasteczku nad jeziorem. Ciepły był, bo malutki, ale ja i tak pół dnia biegałam po dworze. Doskonale się zjeżdżało na samą taflę jeziora po ubitym śniegu z małej górki za domem, na dykcie albo podeszwach! Z nowymi kolegami biliśmy się na kule i robiliśmy wielkie bałwany. Pamiętam, że w słońcu śnieg na jeziorze błyskał ostro, chrzęścił. Jezioro ogromne, płaskie jak stół nakryty białą serwetą. Było bezpiecznie, dobrze, bo między takimi samymi jak my. Cieszyłam się, bo miałam nowe towarzystwo i wszyscy mieszkaliśmy blisko.

Latem w ogrodzie pyszniły się warzywa — mamy szczęście, pielęgnowane przez mamę, starą Felicję i małą Kasię, co jadła, krzywiąc się okropnie, rabarbar. W ogródku przed domem pojawiły się kwiaty.

Po paru latach mama sprzedała dobrze dom po kowalu i kupiła gospodarstwo nad rozlewiskiem. Dalej, za miasteczkiem pod lasem, ziemi sporo, chociaż zaniedbanej i w bardzo marnej klasie. Podmokłe łęgi i suchorośla na piachu, za domem. Może dlatego nie zabrał jej PGR?

Dom stary, z czerwonej cegły — poniemiecki, z dwiema werandami — małą od podwórka i większą od ogródka i drogi. Ta mała, z jednym schodkiem, to zadaszenie z betonową podłogą i ceglaną ścianką, taką jakby do połowy, żeby można było latem siadać na ławeczkach, obierać ziemniaki i patrzeć na obejście.

Druga, ta od drogi — to letnia weranda, też z ławeczkami. Wyższa, cała drewniana. Obok wielki orzech, ogródek i ogrodzenie. Poprzedni właściciel, co dostał przydział po wojnie na ten dom, zostawił w tym ogródku mnóstwo skrzyń, papierów i śmieci. To wszystko poprzerastało łopianami, ostem i dziką bylicą i wcale nie wyglądało na ogród. Podobno prowadził tu lewe interesy, i wreszcie rzucił to wszystko i przeniósł się na Ziemie Odzyskane. Przed wojną, mówili w miasteczku, było nad rozlewiskiem ładnie.

— Michale! Popatrz, jaki piękny widok! I ten las ogromny, będzie nam zastępował park! Dom duży, wygodny, czy może być lepiej?

Nachylała się nad ojcem siedzącym w fotelu i zaglądała mu w oczy, a on jakby nic innego nie widział, uśmiechał się melancholijnie i mówił:

— Wszystko mi jedno, Brońciu, byle z wami! — i całował mamę w dłoń.

Kilka lat później jakimś cudem mama załatwiła hipotekę na ten nasz dom. Nic nie powiedziała, że poszedł też na to jej zaręczynowy pierścionek, zegar z kurantem i taty sygnet rodowy, na który uparł się notariusz.

W prawej części domu ci szabrownicy mieli chyba magazyny. W jednym z nich był oberwany narożnik i zniszczony sufit. Tam też zostawili mnóstwo tektury, pustych skrzynek, desek, gazety i zardzewiałe gwoździe. Za to sień i lewa strona domu była dobra, i to z wielkim piecem ciągnącym się od kuchni na trzy pokoje. Dla nas — akurat! Zostawili też trochę mebli. Fotel, kredens, dwa taborety, dwa krzesła, duży stół i podstawkę z miednicą wielką jak jezioro. Szorowałyśmy je wodą z mydłem cały dzień! Później mama natarła je terpentyną i naftą i schły znów dobę.

W pokojach były dwa żelazne łóżka. Pogięte, ale dało się na nich spać. Później, w oborze, znaleźliśmy jedno, drewniane. Tatko je naprawił i po umyciu Hanka je wzięła. Materace po tamtych mama spaliła, bo mówiła, że pewnie po takich brudasach zawszone i zapluskwione. Porobiła sienniki i już! Do wielkich wsyp naładowaliśmy mnóstwo słomianej sieczki i na tym spaliśmy kilka lat, aż wreszcie na targu kupiliśmy porządne, czyste i prawdziwe materace. Pamiętam je. Wielkie i w niebieskie paski. Nareszcie wygodne, bo w sienniku zawsze robiło się zagłębienie, sieczka rozsuwała się na boki i czasem spało się na desce! Ze słomą było podobnie.

Zamieszkaliśmy nad rozlewiskiem wszyscy — moja mama Bronisława, tatko — Michał, ja — córka mamy i tatki, Hania i Piotr właściwie też, ale na krótko, bo pojechali się uczyć do Torunia, oraz nasza Kaśka.

Moja mama była niewysoka, zgrabna i szczupła, znacznie młodsza od taty. Włosy zawsze rano rozczesywała i zaplatała w warkocz, który skręcała w kok, podpinając go szpilkami i grzebieniami. Była piękna, o oliwkowej cerze i brązowych oczach, skupionych i dobrych. W kącikach — kurze łapki, bo często się uśmiechała, a wtedy oczy chowały jej się w fałdce… Od ust ku dołowi miała szramę, co dodawało jej niewątpliwie uroku. Mówiła, że to jeszcze z dzieciństwa, ale mnie stara Jakubowa, nasza kucharka w majątku, mówiła, że to Julek, jej pierwszy mąż, tak ją pchnął, że rozcięła tę wargę.

Ojciec średniego wzrostu, siwiutki i zawsze ładnie pachnący. Był pięknym mężczyzną — jak mówiła Jakubowa, wzdychając. Średniej tuszy, spokojny, mądry. Często siadałam mu na kolanach, żeby pokazać, jak pięknie czytam. Zawsze słuchał uważnie. Miał błękitne oczy pełne miłości i ciepła, kochał nas wszystkich i dbał, dokąd sił mu starczyło.

Ja raczej drobna, włosy miałam marne, krótkie, byłam szczupła i chorowita, ale żwawa i skora do psot. Moje przyrodnie rodzeństwo, Hania i Piotr — bliźniaki — już z nami właściwie nie mieszkali nad rozlewiskiem. Bardzo krótko, na początku. Jak tylko stało się to możliwe, pojechali do Torunia do szkoły, a później uczyli się na nowo powołanym Uniwersytecie Mikołaja Kopernika i mieszkali tam u dalekiej rodziny. U swoich chrzestnych. Wpadali do nas czasem, ale rzadko.

Tatko, znacznie starszy od mamy, był już w podeszłym wieku, i miał chore serce, więc mama robiła wszystko ze mną, Kaśką i starą Felicją — wdową. Nam zawsze robota paliła się w rękach.

Początkowo tylko remontowaliśmy dom. Czyściliśmy, zamiataliśmy reperowaliśmy okna i drzwi. Później mama, Felicja i ja założyłyśmy ogród. Ogrodziłyśmy go i skopałyśmy na czas przed zimą. Wypieliłyśmy też sad i mama pod okiem Feli podcięła drzewka.

— Jest sad, ogród, to z głodu się nie zginie! — mówiła wesoło babka Fela.

Dopiero później, kiedy poznałyśmy sąsiadów z lasu — młode małżeństwo Karolaków — ci pomogli nam w gospodarstwie.

Karolak oprócz pracy w tartaku hodował ze swoim ojcem konie i zajmował się ciesielką. Pani Czesia, jego żona, ciągle chodziła w ciąży. Konie były wówczas na wagę złota. Polubili się z tatkiem, bo on był wielkim znawcą i miłośnikiem koni.

— UNRRA nie musiałaby nam koni słać, gdyby Ruscy tyle ich nie nakradli! — złościł się, czytając gazetę.

W naszym gospodarstwie budynki stały, i to nawet nie poniszczone. Obora duża i ceglana, kryta dachówką — jak dom, w środku bałagan i brud, ale przecież zawsze można wysprzątać!

Stodoły już nie było, spaliła się i zostały po niej tylko fundamenty porosłe zielskiem. I ściana narożna. Znakomite miejsce do zabawy w dom! Tatuś sklepał nam daszek na czterech nogach, więc nawet w deszcz była zabawa. Był vis à vis obory niewielki składzik — gumno, jak mówiła mama. Też ceglany, bez dachu. W końcu wyburzyliśmy ścianę po stodole. Cegła była nam potrzebna do zrobienia ścianki w nowej łazience. Był i wychodek obok stodoły. Nowy, bo stary widać spłonął razem ze stodołą. Mama sarkała, że trzeba zrobić w domu normalną ubikację, bo to ciemnogród latać do wychodka. W majątku taty była łazienka i woda…

W słomie znalazłam łopatę, obuch od młotka, widły z ułamanym trzonkiem i saperkę. Prawdziwą! Poprosiłam mamę, żeby to była tylko moja łopatka, i obiecałam, że ogród będę kopać bez dąsów. I kopałam!

Początkowo bawiło mnie pomaganie przy remoncie. Później zrobił się z tego obowiązek na całe lato. Najpierw paliliśmy śmiecie. To była zabawa! Naturalnie wraz ze śmieciami piekły się ziemniaki i jedliśmy je z solą i kompotem z rabarbaru, tego wielkiego, który rozrósł się pod orzechem. Przez trzy dni bawiłam się świetnie, potem mi się znudziło.

Piotr i Hanka jeździli latem na OHP i przyjeżdżali tylko na miesiąc — do nas, do domu. Włączali się w pomoc, ale jakoś tak marnie im szło.

Autobus znów się zatrzymał, na przystanku Maków.

Popatrzyłam na zegarek. O mamo! Tyle drogi przede mną jeszcze. Wysiadłam, żeby zjeść kanapki i rozprostować się. Już pół dnia jestem w podróży i końca nie widać. Po tych kanapkach poczułam się lepiej, tym bardziej że babsko ze spirytusem przesiadło się na wolne z przodu miejsce, a koło mnie usiadła dziewczyna taka jak ja i okazało się, że też jechała do Warszawy na uniwersytet! Nie była jednak zbyt chętna do rozmowy, tylko czytała i czytała.

— Pani do Warszawy? — zagadnęłam, bo usłyszałam, jak kupowała bilet.

— Tak, do Warszawy — odparła.

— Ja również... Na uniwersytet, złożyć papiery. Na biologię! — chwaliłam się, modląc się w duchu, żeby mi powiedziała, że dobrze robię, że to doskonały pomysł, bo ja sama miałam wątpliwości.

— A... ty skąd? — przeszła dość naturalnie na „ty".

— Z Pasymia!

— A gdzie to? — zdziwiła się.

— W tę stronę, trzydzieści osiem kilometrów od Olsztyna! Miasteczko niewielkie. Najstarsze na Mazurach! Niedawno odebrano mu prawa miejskie... Ale mieliśmy swój uniwersytet! Nad Kalwą w Rudziskach! To jezioro takie! Piękne!

— Te Rudziska?

— Nie. Kalwa to jezioro, a w Rudziskach Karol Małłek otworzył uniwersytet ludowy, nastawiony na krzewienie polskości.

— Taak? — udawała zainteresowanie. — To czemu do Warszawy?

— Bo ten uniwersytet to szybko zamknęli i biologii tam nie było... Mama uważała, że powinnam w Warszawie, bo tam jest doskonały wydział i ciotkę mam na...

— Przepraszam cię, to bardzo ciekawe, ale ja muszę, muuuuszę, to doczytać!

I pochyliła się nad książką.

Szkoda, że ja nie wzięłam żadnej...

Znów zatopiłam się we wspominkach o tym, jak byłam mała i jak wszystko dookoła mnie było Wielkim Światem.

To było kilka lat po wojnie, cztery, może więcej?

W lesie odkryłam fantastyczne miejsce na zabawy w wodzie. Leśną strugę, tę, co wpływała w rozlewisko. Za młodniakiem, na leśnej polanie rozlewała się w lekkie zakole, i piaszczystą plażę. Małą, ale moją! Latem spędzałam tam z Kaśką i moimi nowymi przyjaciółmi Wandą i Wieśkiem, rodzeństwem, masę czasu.

Mieszkali w Pasymiu opodal wieży ciśnień. Pierwszego dnia szkoły usiadłam z Wandzią i tak już zostało! Ich ojciec już nie żył, gdy ich poznałam, matka nie miała pracy i ciągle rozpaczała po mężu. Przykleili się do nas i tak miałam na stałe towarzystwo. Wanda była ładną szatynką, większą ode mnie i poważniejszą. Wiesiek był szczupły, zwinny i piegowaty. Gdy skończył trzynaście lat, nagle zaczął tak ciągnąć się w górę, że można było usiąść i patrzeć, jak rośnie. Przez jedno lato spodnie zrobiły mu się ledwo do kolan... Spędzaliśmy razem właściwie cały czas i w szkole, i po. Trochę pomagali swojej mamie w obejściu, ale ona sama dawała radę i była ciągle smutna, więc woleli być u nas.

Razem robiliśmy wszystko. Lekcje i porządki, kąpiel w strudze i pielenie ziemniaków, zaganianie kur do kurnika, noszenie drewna, bieganie po zakupy i bitwy śnieżne. „Trójca nieświęta" — śmiała się Felicja.

Poszliśmy kiedyś daleko za Pasym, w stronę Elganowa, polami i pastwiskami, na pieczarki. Ja, Wanda, Wiesiek, Irenka, Zdzisiu i Franek z naszej klasy. W oddali zobaczyliśmy kępę drzew i ślady po siedlisku. Stara stodoła waliła się już ku upadkowi, a przy niej stał murowany, lichy... dom, nie dom, kurnik? Wszystko ogrodzone dookoła byle jakim płotem.

Franek, jako miejscowy, od razu powiedział:

— O, wyszlim na dom Siawianki.

— Jezu! To ona TU mieszka? — spytała Wanda przestraszona.

— A co? — dopytywałam się. — Co za „Siawianka"?

— To ta wiedźma — powiedział Franek poważnie.

— Wiedźma? No co wy? — parsknęłam.

— Ciii — Franek był poważny.

Stanęliśmy zdesperowani, zżerani ciekawością. Nie było jej widać. Drzwi zamknięte, więc chyba jej nie ma?

— Nie ma. Jak drzwi zaparte, poszła na pola albo w las, na zioła — Franek wiedział, co mówi.

Rzeczywiście było cicho, gdy podeszliśmy pod płot. Usiedliśmy zmęczeni i rozmawialiśmy o Siawiance. Podobno, tak mówili we wsi i w miasteczku, pojawiła się tu we wojnę, jak zbombardowano Warszawę. Jak uciekała z tej Warszawy, to na jej oczach zginęły od bomby jej dzieci. Pięcioro! Najmłodsze malutkie. Tak je blisko rozerwało, że wstała z kolan cała w ich krwi. Podobno wyła jak zwierzę. Ludzie ciągnęli ją dalej, na siłę. I tak lazła po Polsce i lazła, bo się jej w głowie pomieszało z tego wszystkiego, a jeszcze mówili, że podobno i męża w obozie zakatowali.

Jak tu, do Pasymia, przyszła, już była pomylona. Nigdy nic nie mówiła, tylko że jest „Siawianka".

— Chyba od warszawianki, nie? — kombinował Wiesiek.

— Ale jak ona żyje? — dopytywałam się.

— Ano sama, samiutka tak od powojnia. — Franek wczuł się w rolę informatora wszechwiedzącego i objaśniał poważnie. — Mówią ludzie, że nie chce żadnej pomocy, każdego, kto się zbliży, opluwa, a raz na miesiąc złapie dzieciaka i wysysa z niego trochę krwi, bo musi.

— Ale gadasz! — krzyknęłam. — Nikt nie pije cudzej krwi, wiesz?

— A wampiry?

— Wampir to ty sam jesteś!

Wanda stanęła na palcach i popatrzyła w dal, czy nigdzie nie widać Siawianki, ale zobaczyła co innego.

— O, ile tam pieczarek! Kto pierwszy! — pobiegli wszyscy oprócz mnie.

Zostałam pod płotem. Siedziałam i oglądałam swoje ręce. Od niedawna ja też miałam kurzajki. Jak wszyscy. Największe bąble miał Mietek z naszej klasy. Okropne, takie popękane, wielkie, na całej dłoni z osiem, a niektóre podwójne, potrójne. U mnie pojawiły się kilka tygodni wstecz. Małe, ale za to dużo. Zaczęłam je liczyć i ciągle się myliłam. Czterdzieści jeden? Czterdzieści trzy? Nagle poczułam nad sobą cień. Odwróciłam się i omal nie umarłam. Nade mną, z drugiej strony płotu, stała Siawianka. Patrzyła mi na ręce. Była lekko rozczochrana, w chustce zsuniętej na tył głowy. Ciemna, mocno opalona, oczy miała bladoszare, jakby przezroczyste, na sobie wielki, szary fartuch, taki jak magazynier w paszarni koło młyna. Patrzyła mi na ręce z jakąś troską.

Powoli dotknęła mojej dłoni. Byłam tak przerażona, że nie mogłam się ruszyć.

Pociągnęła mnie w górę i powiedziała coś w rodzaju „Oć"!

Jak we śnie przelazłam przez drut, który mi przytrzymała tuż nad ziemią, i poszłam z nią. Szła ze mną w kierunku kupy kamieni. Po co? Odwróciła się i popatrzyła na mnie tak, że z miejsca przestałam się bać. Miło tak jakoś. Nic nie mówiła. Zatrzymałam się koło tych kamieni, a ona stanęła za mną i położyła mi na głowie dłoń. Poczułam przyjemne mrowienie, jakby mi się w głowie lekko kręciło. Później uklękła przede mną i zerwała roślinę, z której łodygi wyciekł żółtopomarańczowy płyn. Wzięła moją rękę i powoli, na każdej kurzajce stawiała kroplę. Gdy skończyła, uniosła palec do góry i zamknęła oczy, a po chwili splunęła za siebie.

— Sczezną! — powiedziała dobitnie.

Jakbym się obudziła. Popatrzyłam dookoła. Moich kolegów nie widziałam. Siawianka popchnęła mnie w kierunku płota.

— Idź!

Sama poszła dziarskim krokiem do swojego kurnika i zatrzasnęła drzwi.

Stałam otumaniona. Po jakimś czasie nadbiegła moja gromada. Pokazałam im ręce pełne brązowych kropek i opowiedziałam o Siawiance.

Nie uwierzyli mi. Dopiero Wanda, po drodze do domu, szepnęła mi:

— Naprawdę ONA ci to zrobiła?

— Mówiłam ci. Tak mi się w głowę ciepło zrobiło, jak mnie dotknęła.

Mama wysłuchała wszystkiego ze spokojem. Obejrzała mi dłonie i powiedziała:

— Skoro zrobiła to prawdziwa wiedźma, muszą zginąć!

I zginęły następnego dnia. A dwie największe zlazły po trzech.

Jakieś dwa dni później mama sama wybrała się do Siawianki.

— To bardzo nieszczęśliwa kobieta. Lubi być sama. Postaraj się, żeby twoi koledzy nie rozpowiadali więcej bzdur o tym wypijaniu krwi. To wstrętne.

W szkole, na godzinie wychowawczej, pani zabroniła nam niepokoić tę kobietę. Rozmawialiśmy o nieszczęściach wojennych i ludzkich przeżyciach. Czułam, że mama maczała w tym palce! A kurzajki poznikały mi na dobre. Jaskółcze ziele do dziś rozpoznaję zawsze i umiem nim leczyć.

Moja mama była dzielna i pomysłowa. To był jakiś... pięćdziesiąty drugi rok? Brakowało wciąż wszystkiego, chociaż w Pasymiu dawno ruszyła już piekarnia, wodociągi, cegielnia i stale coś się robiło, otwierało, zaczynało. W sklepach było marnie, a i pieniędzy było mało.

Wyzbieraliśmy wszystkie gwoździe, bo było ich wszędzie mnóstwo, a najwięcej w popiele po ognisku, mama dała nam obcęgi i tym znaleźnym młotkiem prostowaliśmy je na obuchu od siekiery. Byłam dumna, bo w pudełku było ich coraz więcej, a to były czasy, kiedy nawet gwoździe stanowiły problem. Mieliśmy ich całe pudło! Czułam się taka potrzebna! Chleb czerstwy mama kroiła na kromki i suszyła na blasze, później pakowała do lnianych woreczków i wieszała na strychu.

— Jak się nie przyda, nakarmimy nim kaczki! A póki co — niech wisi! Jakubowa tak robiła i co? Przydał się nam w drodze, jak uciekaliśmy. Pamiętasz?

Pamiętam. W naszej kuchni wieczorem Jakubowa zawsze suszyła na stygnącej blasze kromki chleba. Potem chowała do lnianego woreczka i wieszała w spiżarni.

Mama na targu kupiła dwie kury, a za koguta dała kobiecie srebrną łyżkę wazową od kompletu. Kogut był piękny i groźny. Pietuszył te nasze kury, pietuszył, aż dochował się niezłego haremu!

Kury niosły się i było ich coraz więcej. Wkrótce też pojawiła się gęś i dwie kaczki. Ale poznikały nędzne resztki sreber.

Niby wychowana za młodu w mieście, później jako żona tatki w naszym majątku nauczyła się wszystkiego, chociaż była „panią", a nie służącą. Całe dnie, zanim mnie urodziła, spędzała, zapoznając się i doglądając gospodarstwa. Była jak ekonom, pan Gotfryd, który bardzo lubił mamę i pokazywał jej chętnie wszystko, nawet księgi rachunkowe. Tatko śmiał się, że wkrótce Gotfryd przestanie być potrzebny. Pamiętam, jak chodziła z sierpem na pokrzywy dla naszych kur. Jak skubała gęsi na nasze poduszki. Ja bałam się i pokrzyw, i gęsi.

Była zaradna i zdobywała różne rzeczy w sobie tylko znany sposób. Handlowała, wymieniała, wypraszała. Srebra, co je schowała w podwójnym dnie wózka, jak uciekaliśmy z majątku, poszły teraz za worki z pośladem dla kur, i mąkę dla nas. Mama musiała zawsze mieć coś w spiżarni na czarną godzinę.

Umiała nas zarazić entuzjazmem. Każde zajęcie było wyzwaniem.

Codziennie chodziliśmy do lasu po szyszki i gałęzie, które układaliśmy w zgrabne sągi — na zimę, a szyszki w papierowych workach luzem leżały w oborze na stanowiskach, zamiast krów... Krowę kupiliśmy później.

Pokoje pomalowaliśmy na biało-błękitno, kuchnię na biało. Do farby (skąd ją mama wzięła, do dziś nie wiem, ale przypuszczam, że było to zwykłe wapno z wodą) wsypała ciut farbki do bielizny i taką ledwo błękitną malowaliśmy ściany. Koło pieca, całego z kremowych kafli, mama farbkami dziecinnymi domalowała brązowe gałązki z czerwonymi owocami i zielonymi listeczkami. To chyba miała być jarzębina. Salę świetlicową w szkole też wymalowała w gałązki i liście, jeże i wiewiórki.

Znalezioną na strychu maszynę do szycia Singer nareperowała z pomocą Pawła ze sklepu żelaznego i zaczęła szyć. Już nie musiała chodzić do miasta, do kobiety, co pożyczała jej maszynę za pieniądze.

Strych podarował nam jeszcze sporo ciekawostek! Wielki baniak do wina w wiklinie, słoje i słoiki Wecka, bańki, kołyskę, zwoje sznurka, młynek do kawy bez rączki (Paweł z „żelaznego" pomógł i dorobił) i starą, drewnianą lodówkę z cynowym wnętrzem.

— Mamo! Popatrz! Jak to działa?

— Ano, kochani, w zimie służba wycinała z jeziora lub stawu wielkie kawały lodu i chowała głęboko, do ziemianki, na najniższy poziom, w słomę lub trociny. Latem wyjmowano lód, łamano i kładziono, o, tu — powiedział, uniósłszy pokrywę — a ta zimna woda i zimno lodu schładzały przez cynowe ścianki wnętrze, w którym trzymano piwo, wódkę i szampana!

Oczywiście, obiecaliśmy sobie, że będziemy w zimie wycinać lód, że wykopiemy ziemiankę... Na obietnicach się skończyło.

Wysprzątaliśmy ten nasz strych do czysta. Podłogi szorowaliśmy wodą z mydłem.

— Strych nie musi oznaczać pajęczyn i brudu! — mówiła Bronia, moja dzielna mama.

Jesienią zarządzała wyprawy do lasu na grzyby, jeżyny i maliny. Później wszystko lądowało na stole w kuchni, a my obok z kozikami, gazetami czyściliśmy te skarby długo w noc. Kapelusze osobno, nóżki osobno, małe, duże. Do octu, do suszenia, do zasolenia. Następnego dnia od rana mama gotowała zalewy i parzyła słoiki. Grzyby w słojach szły do spiżarni, a te na sznurkach suszyły się na czystym strychu. Za naszym obejściem w stronę lasu rosły wielkie kanie. Nigdzie takich nie widziałam. Stara Felicja pokazała nam, jak z nich zrobić kotlety. To był cud! Czegoś takiego nigdy dotąd nie jadłam!

Lubiłam jesienne kiszenie kapusty, bo właziłam do beczki i duździłam ją nogami. Wszyscy żartowali, że będzie śmierdząca. Tatko brał moją stopę, wąchał i mówił:

— Eeee! Wytrzymamy jakoś!

Stała później ta beczka w ostatnim pokoju-składziku. Także ogórki, w słojach. Mąka żytnia na strychu w worze, wystana w długiej kolejce i przywieziona w tym, co zostało z żółtego wózka. Jak było marnie z pieniędzmi, ta mąka i to, co zebraliśmy w lesie, stanowiło dla mamy materiał do wymyślania. Kluski z żytniej mąki, zacierka ze skwarkami i koprem, żur, który kisiła, był najlepszy na świecie, zarzutka kapuściana, zacierka na mleku z dynią. Placki pieczone na blasze. A jak zaszalały u nas kury i kaczki — jedzenie było już zawsze.

Autobus zatrzymał się na kolejnym przystanku.

— Już blisko Warszawa — odezwała się moja sąsiadka.

— Pierwszy raz będę. Nawet nie wiem, jak trafić — odezwałam się cicho.

— Pójdziemy razem, tylko skończę, przepraszam! Muszę oddać tę książkę dziś jeszcze mojej siostrze.

— Co ty tak połykasz? — spytałam w końcu.

— *Małego księcia*. Czytałaś?

— Nie.

— Fan-tas-tycz-ne — wypowiedziała to z emfazą. — Będziemy o tym gadać i gadać. To boskie! Wpadnij do mnie i siostry! Zapiszę ci adres!

— Dziękuję, muszę jutro raniutko wracać, ale może innym razem? A... pokażesz mi drogę na uniwerek?

— Pokażę, nie martw się! A jak ci na imię? Bo mnie — Malina.

— Baśka, miło mi!

Całe szczęście, że Malina wiedziała, jak i co. Na uniwersytet poszłyśmy razem. Cały czas gadałyśmy, chociaż starałam się zapamiętać drogę, żeby trafić jutro z powrotem na ten przystanek. Malina okazała się jednak straszną gadułą. Zdawała na polonistykę. Jej adres zgubiłam i już nie spotkałyśmy się tego roku. Ten nasz uniwerek okazał się sporym miasteczkiem.

Złożyłam swoje dokumenty w dziekanacie w ostatniej chwili przed zamknięciem, ofuknięta przez dosadną panią w okularach okrągłych jak u Bieruta. Później pytając i pytając, trafiłam do ciotki na Mokotowską.

Drogę do Warszawy pokonywałam jeszcze nie raz. Stała się jakaś krótsza, znajoma.

A! I zawsze brałam ze sobą, jak Malina, książkę. Oczywiście pierwsza przeczytana w podróży to był *Mały książę*.

O mojej mamie i jeszcze
o powojennym dzieciństwie...

Ona umiała wszystko. Po prostu wszystko! Nie było dla niej tajemnic. Miała taki swój „Kalendarz gospodyni", do którego dołączyła zeszyt z notatkami i wklejkami. Jak czegoś nie wiedziała, umiała znaleźć odpowiedź. Ojciec gubił się trochę, ale początkowo, zanim ruszył wodociąg, wziął na siebie noszenie wody i nawet wystrugał sobie koromysło, żeby brać po dwa wiadra od razu. Mama — czyścioszek — zużywała zawsze mnóstwo wody!

Ach! Nad rozlewiskiem była już woda w kranie! Właśnie zreperowano wodociągi i już nie trzeba było ciągać wody wiadrem ze studni, jak w domu kowala. Mama była szczęśliwa. W soboty tatuś musiał zawsze nagrzać dużo wody, bo sobota to był dzień kąpielowy. W piecu po południu już dudnił ogień, tatko podkładał drewna. Grzał się wielki gar wody. Koło pieca mama stawiała na podłodze cynową balię. Zaczynało się!

Pierwsza Kaśka, po niej ja. I zmiana wody. Teraz obie zawinięte w ręczniki siedziałyśmy na szlabanku obok pieca i schłyśmy. Ojciec rozczesywał nam włosy i czytał wiersze Tuwima. Kaśka uwielbiała Konopnicką. *Na jagody* znała na pamięć i zawsze pomagała ojcu, bucząc:

> *Każda białą sukieneczkę*
> *I czerwoną ma czapeczkę,*
> *Każda warkoczyki złote,*
> *Każda w ręku ma robotę*
> *I to samo pilnie czyni,*
> *Co i pani Ochmistrzyni.*

Schnąc, zawsze piliśmy sok z brzozy na ciepło, herbatę, jeśli była, i rozmawialiśmy, grzejąc się tacy czyści, odświętni! Później szłyśmy spać i wtedy kąpała się mama i tatko.

Kiedyśmy się wprowadzali do tego domu nad rozlewiskiem, Paweł (okropny, bezczelny cham, ale pomocna dusza) dał nam, o dziwo, nowe fajerki, klamkę i zawiasy do drzwi. Pomógł też mamie nareperować piec, a właściwie utrącony narożnik. Mama pilnie się Pawłowi przez ramię przyglądała. Dużo później, jak babci Bujnowskiej spod lasu wnuk Janek rozwalił piec siekierą, mama sama go naprawiła. Bo już umiała!

Niestety, nie tylko piec wymagał naprawy. Okazało się, że w ostatnim pokoju, tym rozwalonym, po prawej stronie domu, tam gdzie podobno kiedyś były klasy, trzeba zrobić nową więźbę. Mama westchnęła i powiedziała:

— Michale, ja tu nic nie poradzę, bez cieśli ani rusz!

Wówczas podsunęłam rodzicom pomysł:

— W lesie mieszkają Karolaki, są cieślami, i na pewno wiedzą, jak to zrobić.

Tak poznaliśmy się z naszymi sąsiadami.

Przyszedł Karolak, młody wesoły chłop, i obejrzał dach i sufit. Potem przyjechał z wozem pełnym desek, kantówek, jakichś szczap i wlazł na drabinę. Podawałam mu gwoździe i młotek, ojciec przytrzymywał materiał, i po dwóch dniach mieliśmy naprawiony dach i tylko sufit był do podklejenia tekturą, którą… spaliliśmy. Wówczas mama rozrobiła glinę, po którą poszła z babcią Bujnowską na wyrobisko, za cmentarzem, i tym wymazała deski sufitowe. Nakładała tak warstwy gliny i gazety, aż uznała, że dość. I tak była tam nasza spiżarnia-składzik. Okna były powybijane, więc je mama zabiła deskami i uszczelniła słomiankami.

Nie lubiłam pleść słomianek. Mama była nieprzejednana.

— Basiu, inaczej wejdzie mróz i przetwory popękają!

Na daszku od obory uwiązywała nam cztery rzędy sznurka, co zwisał podwójnie i nie mógł dotykać trawy (bo był papierowy i nasiąkał wodą). Później pęki słomy wiązało się tymi sznurkami tak, że powoli (strasznie powoli) powstawała słomiana, gruba mata. Tymi matami mama uszczelniała wszystko.

W kuchni w oknach mama powiesiła zazdroski — przywiozła z majątku trochę koronkowych firanek w tym żółtym wózku. Zrobiła z nich później mnóstwo różnych rzeczy — zazdroski do pokoi, a nawet zdobienia przy sukienkach, które sama nam szyła.

Ściany naszej kuchni były białe. Pośrodku stał drewniany, spory stół z surowego drewna, milion razy szorowanego szarym mydłem. Pięć krzeseł i fotel tatki. Znaleźliśmy go tu w kuchni, miał ułamaną nogę, co leżała obok, więc się ją przybiło. Fotel był zgniłozielony i jak się go trzepało, kurz buchał kłębami. Mama uprała go wodą z mydłem, więc miał lekkie zacieki, ale i tak tatko bardzo go polubił.

Pod ścianą kredens nareperowany i pomalowany przez mamę na biało. Oczywiście domalowała mu niebieskie gałązki jakby czarnego bzu, z baldachami kwiecia.

Zastawy stołowej dorobiliśmy się powoli, już tutaj, bo mama z majątku nie zabrała porcelany, zresztą już jej prawie nie było. Niemcy wzięli…

Mieliśmy jakieś skorupy, ale dopiero tu, nad rozlewiskiem, Felicja dała nam trochę swoich.

Felicja przyjaźniła się i usługiwała niegdyś starej Niemce, która umierając, zapisała jej wszystko, ta zaś sama strasznie stara, zrobiła zapis swojego dobra na mamę, bo ostatnie lata żyła z nami jako nasza babcia. Rodziny chyba nie miała. Dzieci na pewno nie, dlatego nas — mnie i Kaśkę — pokochała jak wnuczki. Nie wiem, co się stało z jej gospodarstwem. Chyba zrobiła zapis na kościół.

Mama musiała mieć kogoś do pomocy, gdy szła do szkoły. Tato był stary i umiał zrobić wszystko wkoło siebie, dbał o naszego nowego konia, o stajnię, śpiewał też Kasi i karmił ją kaszą jaglaną z mlekiem, ale nic ponadto. Ja chodziłam do szkoły, więc stara Felicja doglądała wszystkiego. Utyskiwała tylko, że „takie państwo, a konia nie mają!".

No właśnie. Nowy koń. Ojciec znał się na koniach, więc jak się zgadał z Karolakiem, ten odsprzedał mu za ojcowy sztucer źrebaka-klaczkę. Niewielką, ale ładną i z charakterem. Ojciec ożył. Wreszcie poczuł, że jest potrzebny. Więcej zachodu było ze zrobieniem wozu, ale jak Karolak obejrzał to, co zostało z naszego, machnął ręką i powiedział, że z niego zrobić można najwyżej mały wózek, taki do drewna, do pojechania na targ. Taką dwukółkę, bo jedna ośka całkiem się rozwaliła, więc żeby zrobić porządny wóz, trzeba by jechać aż do Myszyńca po nową ośkę. Oczywiście przywieźli ją stamtąd, a resztę zrobili sami. Pomagał im leśniczy Zawoja z leśniczówki, pół godziny drogi od nas.

Dłubali przy wozie okropnie długo, bo Zawoja próbował zdobyć gumowe koła, i ostatecznie kupił je za dwie bańki bimbru w Biskupcu. Od maszynowego, co pracował na kolei. W końcu na podwórku stanął wóz, piękny i lśniący nowością.

Felicja z mamą były zachwycone. Fela zaraz zaczęła namawiać ojca na kupno pługa, ale ojciec nie był na to przygotowany. Karolak powiedział, że pług pożyczy.

Pamiętam, jak Fela z mamą weszły na ten wóz i dotykały go, sprawdzając czy mocny, porządny. Mają na nim zdjęcie. Mama macha ręką, a Fela w chustce patrzy poważnie w obiektyw. W końcu to ona uczyła nas wszystkiego, co było ogrodnictwem i gospodarowaniem.

Dożyła dziewięćdziesięciu pięciu lat! Przed śmiercią jeszcze pieliła ogród. A mamie pokazała swój strój pośmiertny przygotowany zawczasu. Sukienkę czarną, wełnianą, odprasowaną, pończochy, bieliznę i buty.

— Bronia, powiedz, że pięknie będę wyglądać — prosiła mamę i mama potwierdzała poważnie:

— Będziesz wyglądać jak elegancka pani!

Pamiętam, że mnie to bardzo dziwiło, że Fela w ogóle nie bała się śmierci.

Kiedy zmarła, mama poszła ze mną do jej domu, na czuwanie. Felicja jakaś inna, żółta i skurczona, leżała na stole z podwiązaną szczęką, jakby ją bolały zęby.

Na czarno ubrane babki wkładały jej sukienkę jak lalce — podnosiły ręce, obracały nią jak kukłą. W woskowożółtych dłoniach umocowały jej gromnicę. Stałam pod ścianą i patrzyłam bez lęku.

— Nie boisz się? — zapytała któraś z babek.

— Nieee. To nasza Fela przecież!

— To dobrze, panienko, to dobrze. Musisz się nauczyć przysługi ostatniej. Jak ci nudno, to zmów *Zdrowaś Mario*. Zaraz siadamy.

Wniesiono trumnę i włożono do niej Felicję. Wyglądała niczym w pościeli, tylko że ubrana odświętnie, jak do kościoła.

Babki zaczęły zawodzić pieśni i to było okropnie nudne. Skrzekliwymi głosami ciągnęły jakieś psalmy, a mnie się wydawało, że Felicję aż korci, żeby wstać i porozganiać je wszystkie, bo ona za życia była szybka i wesoła.

— Mamo? — spytałam cicho. — Po co ja tu?

— Ciiicho. Każda matka powinna nauczyć córkę obsługi zmarłych. Taka powinność. Kto mnie przygotuje do trumny, jak umrę? Ty albo Hania, ale ona w Toruniu...

— A czemu Fela ma podwiązaną szczękę? — zmieniłam temat, bo słuchanie o śmierci mamy było czymś okropnym.

— Bo zmarła we śnie, z otwartymi ustami, a w trumnie kiepsko by to wyglądało, więc trzeba przytrzymać.

Śmiać mi się chciało, jak wyobraziłam sobie Felicję w trumnie z otwartym dziobem, jak u szpaka. Zostawiłyśmy kiwające się i zawodzące babki i poszłyśmy do domu.

Pogrzeb Felicji był dla mnie dużym przeżyciem. Nigdy wcześniej nie byłam na pogrzebie, a że Felicja nie miała nikogo, tylko nas, więc mama urządziła stypę. Był na niej pastor, ksiądz, kilka staruszek z kościoła, kum Felicji i my. Mama zrobiła pasztet z gęsi i królika, na gorąco w kruchych babeczkach, i barszcz czerwony. Do tego szarlotka z pianką, kawa, herbata, i już! Po stypie.

A w kościele, jak pamiętam, było chłodno i dopiero na dworze, gdy szliśmy za trumną, zrobiło mi się cieplej. Zastanawiałam się cały czas, co czuje stara Felicja, dochodząc do nieba. Żal jej nas? Pasymia, ogrodu, Kaśki, mamy, rozlewiska? Czy to dobrze i radośnie iść do męża? Podobno czekał na nią w niebie. Mówiła o nim, że był to „święty człowiek". I bardzo mnie to trapiło — co z jej pierwszym mężem, który ją odumarł wcześniej na gruźlicę? Też tam na nią czeka? I co, nie pobiją się obaj?!

Felicja tak kochała obu mężów, że zaniosła do fotografa swoje ślubne zdjęcie z Jürgenem i kazała dokleić Innocentego — pierwszego męża o melancholijnym spojrzeniu. Ta dziwaczna ślubna fotografia Felicji z jej dwoma mężami wisiała jeszcze do niedawna nad jej łóżkiem. Mama zapakowała zdjęcie do skrzynki z pamiątkami po niej i wstawiła na strych. Był tam album z fotografiami, koronkowa torebka balowa, owo zdjęcie, książeczka do nabożeństwa, tekturowa teczka z dokumentami i niemiecka książka o pielęgnacji ogrodu.

Teraz maszerowałam za trumną i zastanawiałam się, co to jest dusza. Mięso i kości idą do ziemi i zgniją, ale z czego jest dusza?

Kaśka nie widziała, że zakopują Felicję. Tatuś poszedł z nią alejką na spacer i rozmawiał o czymś. To znaczy mówił do Kasi, a ona słuchała. Nie zrozumiałaby tego grzebania zwłok.

— Dusza? To myśli, intencje i wartość człowieka, Basiu — odpowiedziała mi mama wieczorem, zmywając.

Słuchała radia, więc jej nie nękałam, ale to nie było dla mnie całkiem jasne. Chciałam jeszcze wiedzieć, jaki ma kształt, formę, z czego jest. Jakiś obłok? Dym? Co się z nią dzieje po śmierci? Przecież niebo jest umowne...

„Nadaliśmy kolejny odcinek powieści *Matysiakowie* na następny zapraszamy..."

PASZTET NA CIEPŁO Z GĘSI I KRÓLIKA

Mięso podzielić na podroby i resztę. Dokupić podgardla. Upiec z cebulą i marchewką, zostawiając wątrobę gęsią i króliczą jako surowe.
Do duszenia dać liść bobkowy, ziele, podlać wodą i dusić do miękkości.

Mięso oddzielone od kości przekręcić przez maszynkę przez dwa sita — zwykłe i „pasztetowe". Dodać wątrobę surową, również skręconą przez maszynkę, a także bułkę nasączoną sosem. Wetrzeć gałkę muszkatołową, tymianek, ciut imbiru, sól. Gotować dość długo w kąpieli wodnej.

Upiec na blado w foremkach kruche babeczki ze słonego ciasta, lekko tylko słodkawe. Napełnić pasztetem i podpiec jeszcze. Resztę pasztetu upiec w formie wysmarowanej smalcem lub wyłożonej wędzonym boczkiem.

SURÓWKA Z KISZONEJ CZERWONEJ KAPUSTY NA SZYBKO

W słoju ułożyć warstwami niewielkie kawałki liści kapuścianych (nie szatkować — rwać), Cienkie plastry buraka i czosnku. Odrobinę kminku. Posypać solą jak do kiszenia ogórków. Łyżka na litr wody albo rozpuścić ją w tej wodzie i zalać ciepłą. Skórka razowca przyspieszy proces kiśnięcia. Robić małe porcje.

Mama mi to dawała „na czyszczenie krwi i anemię". Dobre do wszystkiego, nawet do chleba ze smalcem!

BARDZO WAŻNA UWAGA

Pytałam mamy aż dwa razy i zawsze mi tłumaczyła, że kobiety podczas miesiączki nie powinny robić przetworów i że to nie jest ciemnogród, tylko praktyka.

U niej w domu i później, w majątku, przestrzegano tego. Jak kiedyś zrobiłam tę surówkę z kapusty, mając „babskie dni", zepsuła się, zrobił się taki kisiel z soku i musiałam ją wyrzucić.

Po śmierci Felicji zagościło u nas bogactwo nie do opisania! Dostała się nam biała pościel, kredens rżnięty, dębowy do pokoju paradnego, bieliźniarka i stół z sześcioma krzesłami. Także zielona otomana, wytarta już, ale dostojna i szkło — mnóstwo takich tam, sosjerek, cukiernic, talerzy — cała zastawa i sztućce. A! Serwantka, cała ze szkła, i wielki cud techniki — radio!
Ojciec był szczęśliwy i odtąd całymi dniami, gdy wracał z obory, słuchał wszystkiego — wiadomości, różnych audycji, muzyki...

W naszych pokojach było dotąd pustawo. Tylko nasze łóżka, zbite z desek, jakichś kołków, i moje żelazne, skrzypiące. Po Felicji dostało się rodzicom matrimonio — wielkie, podwójne łóżko i nocne szafeczki. Mama była taka dumna, jak je z Karolakiem i tatą zestawili w pokoju.

— Pięknie! Nareszcie żyjemy tak, jak do tego Michał nawykł. Jak ludzie…

Ja dostałam wtedy żelazne łóżko rodziców. Kaśka moje, a jej poszło na opał!

Było mi głupio, bo moja koleżanka z klasy Wanda z bratem Wieśkiem nic od nikogo nie dostali i żyli w wielkiej biedzie. Ich matka była wdową i hodowała gęsi, w małym domu za wieżą ciśnień. Miała za pierze i tusze jakieś grosze, ale strasznie mało.

Uczyli się dobrze i byli moimi najbliższymi przyjaciółmi. Często jadali u nas, bo, jak mówiła moja mama: „Szkoda latania do domu, zostańcie na obiedzie!".

Mimo wszystko dobre czasy

Kochałam mój nowy dom. Już go kochałam. Za ciepły piec, za biały kredens, w którym zawsze był chleb i marmolada, za moje łóżko i kąpiele sobotnie, i za to, że było w nim dobrze, spokojnie. Rodzie nigdy nie podnosili głosu, nie kłócili się, dużo czytaliśmy i książek, i gazet. Mama nie lubiła gazet, ale tatko mówił, że trzeba wiedzieć, co w trawie piszczy.

Nasze obejście zakwitło kwiatami, które mama dostała od Felicji i innych kobiet — gospodyń. Od frontu zawsze kwitły wielkie georginie, a między nimi kosmosy z liśćmi jak koper. Z boku domu był sadzik poprzecinany już porządnie i nakarmiony gnojem. Zaczął nagle dawać mnóstwo pysznych śliwek, fioletowych i soczystych, jabłek zimówek, czerwonych i twardych — akurat na choinkę, a latem papierówek, od których nas brzuchy bolały.

Od podwórka na kawałkach zieleni pod płotami i zabudowaniami rosły łubiny i prymule dość kolorowo i bezładnie. Podwórko porządnie wysprzątane zrobiło się przestronne i takie… moje. A gumno i obora nie miały tajemnic. Spenetrowane od klepiska po poddasze!

— Mamo? — pytałam czasem pełna lęku. — A jak wrócą dawni właściciele?

— Nie wrócą — mówiła mama.

— A skąd wiesz?

— Bo jeśli jeszcze żyją, to są za żelazną kurtyną.

— A co to?

— To taka umowa, jak w waszej grze na podwórku, że danej linii się nie przekracza.

— A jak nadepnie, to skucha?

— Nie, robaczku, w polityce nie ma „skuch". Po prostu Zachód jest od nas odgrodzony tak na niby żelazną kurtyną i jesteśmy bezpieczni.

— Sama mówisz „na niby".

Jakoś niedługo potem mama załatwiła tę hipotekę. Widocznie zasiałam w niej ziarno niepewności, a księgi wieczyste to wieczyste! Tym bardziej że te przedwojenne spaliły się i myśmy już figurowali w nowych!

To były jednak takie dobre czasy!

Po wojnie wszyscy byli ubodzy i wszystko się kombinowało, ale wierzyło się, że jakoś to będzie. Dla mamy najważniejsze było, żebyśmy byli mądrzy i dobrzy, więc oprócz pracy musieliśmy się pilnie uczyć. Nawet jak miałam odrę, a mama szła do pracy, do szkoły, tatko siadał obok mnie, na łóżku, i czytał mi na głos lektury.

Kiedy byłam już dużą pannicą, dostałam zapalenia oskrzeli. Stara Felicja (żyła jeszcze wtedy) sucha, pomarszczona i już ledwo chodząca — postawiła mi bańki.

Musiałam odleżeć po bańkach jeszcze cztery dni. Tato uśmiechał się i czytał mi książkę, która początkowo wydała mi się nudna, ale jak się okazało, że rozbitek jest samiutki na bezludnej wyspie, dostałam wypieków i pokochałam Robinsona całym sercem. Długo z Wandą i Wieśkiem bawiliśmy się w rozbitków.

Wszyscy byliśmy zmuszeni bawić się, posługując się wyobraźnią. Zabawek nie było i nikt się tym nie przejmował. Zabawkę trzeba było wystrugać sobie kozikiem, uszyć ją albo ulepić. Kiedy mieszkaliśmy jeszcze w domu po kowalu, namiętnie bawiliśmy się w wojsko. Ojciec wyrzeźbił nam piękne karabiny i mogliśmy latać po ruinach i starym cmentarzu i strzelać do wroga. Wkładaliśmy wtedy kalosze, że niby to są oficerki.

Ta nasza zabawa w wojnę zaniepokoiła mamę. Usiadła kiedyś na ławeczce przed domem i zawołała nas:

— Dziewczynki! Proszę do mnie! O, tutaj usiądźcie i nauczymy się szycia. Wandziu, Basiu, to wasze przybory. Jeśli odnajdziecie wasze lalki, to spróbujemy dla nich poszyć sukienki!

Lalki?! My, takie dorosłe, mamy się bawić lalkami? Ale pomysł mamy tylko przez chwilę wydał nam się niedorzeczny. Niby byłyśmy dorosłe, zajmowałyśmy się czasem Kaśką, ale dla niej nie trzeba było nic szyć, a lalkom…

Nastała nowa era zabaw zapomnianymi lalkami! Teraz to nie były lale, tylko damy, którym szyłyśmy sukienki z falbankami i urządzałyśmy życie.

W pudełku po landrynkach mama przygotowała nam poduszeczkę z igłami, szpilki i dwie szpulki nici. Miałyśmy nawet nożyczki! W koszu obok leżały kolorowe gałgany. Poznałam bluzkę mamy, tę odświętną, co się podarła, poszewkę na jasiek i kawałek szlafroka Felicji.

— Pokażę wam podstawowy ścieg, zwany fastrygą. Proszę, chwyćcie materiał, o tak! I wbijcie igiełkę.

Lekcja była długa i nudna, a my nieziemsko cierpliwe. Już widziałam oczyma duszy, co uszyję mojej odkurzonej Wiśce!

Od tej pory siadywałam z Wandzią na naszej werandzie i szyłyśmy. Byłyśmy złe, gdy tylko odrywano nas od naszej pracy. Wiesiek był zły, bo też się nudził sam. Poprosiłyśmy go więc, żeby robił meble dla naszych lalek.

Szło mu koślawo, ale za jakiś czas sklepał z deseczek łóżka, szafę... Nasze lalki weszły nagle w posiadanie garderoby i pościeli.

Kiedy Kaśka koniecznie zapragnęła bawić się moją lalką, mama kupiła jej misia. Był śliczny, puszysty i żółty! Byłam zazdrosna, bo mój gdzieś przepadł, ale mama szybko mi wyjaśniła, że to dla dobra mojej lalki.

Nasze „damulki" szybko dorobiły się pięknej zastawy obiadowej — z gliny.

Kiedy mama podpowiedziała nam ten pomysł, zwariowałyśmy z radości. Wymiesiłyśmy glinę na miękką masę i zaczęło się! Piękne talerze z rzeźbionym wzorkiem rysowanym szpilką do włosów mamy, głębokie i płytkie, także sosjerki, maleńkie solniczki i cukiernice, tylko waza nam nie wychodziła i dzbanek do herbaty. Później wszystko wysychało na słońcu i było malowane wieczorem kolorowymi farbkami. Biały kolor, niestety, się nie przyjmował. Wiesiek międlił tę glinę i międlił bez pomysłu, aż wymiędlił zwierzaki. Kota, psa, króliki.

— Wasze idiotyczne lalki muszą mieć zwierzęta w obejściu! — tłumaczył.

— W jakim obejściu? — syczałyśmy. — Nasze lalki są damami!

— No, ale kota i psa mogą mieć — uciął dyskusję.

Później zapisał się do drużyny harcerskiej i znikał nam z oczu na długie dnie.

Nasze lale były bogate. My — biedne, ale szczęśliwe.

Każde z nas coś donaszało, a to po siostrze, po bracie, a to cudem jakimś sąsiadką odpaliła coś po swoich dzieciach. Buty z reguły były za ciasne albo za duże, pończochy bawełniane, grube, opadały, rolowały się i wisiały smętnie podtrzymywane szelkami. Nikt nie zwracał na to uwagi. Żadne z nas nie wyśmiewało drugiego za ubiór. Pełna równość w biedzie!

Któregoś razu wszystkie dziewczynki ze szkoły, to znaczy my, te młodsze, chodziłyśmy kilka dni w chustkach, jak stare babki, bo miałyśmy wszy! Pani pielęgniarka przejrzała nam głowy i orzekła, że jesteśmy zawszone. Najbiedniejsze dostały po butelce czegoś, a ja pobiegłam do domu z nową wieścią:

— Mamo! Mamy wszy!

— Kto? — zdumiała się.

— Ja i Wanda, i wszystkie dzieci ze szkoły!

Mama kazał mi uklęknąć i położyć głowę na swoich kolanach, włożyła okulary i poszukała. Znalazła cztery i kilkadziesiąt gnid. Wzięła nafty i natarła mi głowę.

Później przejrzała Kaśkę, ale ona była czysta. Oczywiście zawiązała mi chustkę. Wieczorem tak szorowała ten mój łepek, że wrzeszczałam i piszczałam wniebogłosy. W GS-ie kupiła taki prostokątny, gęsty grzebyczek i czesała codziennie.

Chłopcy byli ogoleni na łyso, a my chodziłyśmy kilka dni w chustkach. Bardzo nam się to wszystko podobało. Mamie mniej. Szczęście, że my, dziewczynki, nie musiałyśmy się ogolić na łyso, bo niedługo konfirmacja! Pamiętam ją.

Pastor Wittenberg umyślił ją na Wielkanoc, akurat teraz, gdy uzbierało się nas tyle, żeby ją urządzić. Robiono ją raz na kilka lat, bo u nas dzieci w odpowiednim wieku było mało.

Mama uszyła mi sukienkę z białego obrusu adamaszkowego, kupionego na targu od jakiejś pani za dwie kury. Sukienka była skromna jak zakonna szatka. Ozdobiła ją dyskretnie mereżką przy szyi i rękawkach.

Niektóre moje koleżanki, na przykład Ula i Lotka Weissenówny z odległej kolonii za Trelkówkiem, i Inga Kussow (przemianowana na Kusiak, żeby ich nie wygnali) przystąpiły do konfirmacji w czarnych sukienkach. Na znak żałoby po ojcach i wujach. Takie były zwyczaje… Ale ja byłam bielutka! W naszej grupie było tylko czterech kawalerów, reszta to panny.

Pastor prowadził całą nasza grupę do kościoła dostojnie i poważnie.

Nasze mamy, i całe rodziny, czekały już w kościele. Wszyscy odświętnie poubierani, bardzo podekscytowani. Ale najbardziej — my. Pastor nam tłumaczył wiele razy, że to najważniejszy dzień w życiu dorosłego człowieka. Że właśnie w dniu konfirmacji, kiedy świadomie i odpowiedzialnie — jak DOROŚLI — decydujemy się na wstąpienie do naszej wspólnoty i stajemy się członkami naszego społeczeństwa i Kościoła.

Ja byłam najmniejsza i najmłodsza w naszej grupie i wyglądałam dość dziecinnie, więc nareszcie idąc razem z dziewczynkami starszymi i wyglądającymi już poważnie, sama też czułam się jedną z nich! Już nikt nie będzie mógł sarknąć „Ty dzieciuchu!". No, bo jak? Po konfirmacji?!

Szłam w ostatniej parze z Uttą, też taką małą jak ja. Jednak obie miałyśmy głowy dumnie uniesione i poważne miny. Mama splotła mi wysoko warkocz i upięła w koszyczek, żebym się wydawała wyższa. Wie, że cierpię z powodu wzrostu. Za nami szli chłopcy, też przejęci. Gerard Obara, wielki i już jakby dorosły, Jurek, syn szewca, i bliźniacy — Janek i Henio z Elganowa — w moim wieku. Chłopcy szli jakoś zwyczajnie, a my to dopiero byłyśmy wyniosłe i dumne! Takie śliczne, dumne i przejęte zostałyśmy wprowadzone do kościoła.

Wtedy wszyscy zaśpiewaliśmy moją ulubioną pieśń:

Ujmij mą dłoń! Jam słaby i bezsilny,
Nie ważę się bez Ciebie ni na krok.
Ujmij mą dłoń, a wtedy, miły Zbawco,
Nie będzie miejsca w sercu mym dla trwóg!

Ujmij mą dłoń. Przyciągnij mnie do Siebie,
W bliskości serca Twego pragnę być!
Ujmij mą dłoń, inaczej zbłądzić mogę,
Po drodze prawej Sam przede mną idź!

Śpiewałam chyba najgłośniej ze wszystkich, aż mi mama pokiwała ze swojej ławki, śmiejąc się. Potem zabrał głos pastor.

Mówił o tym, że chrzcząc nas, rodzice zadecydowali o naszej przynależności. Ale konfirmacja to „wasza, świadoma i przemyślana decyzja, drodzy moi" — powiedział podczas kazania i patrzył nam wszystkim w oczy. Mówił pięknie! Zawieszał głos. Wtedy dotarło do mnie z całą siłą, że jestem dorosła, skoro pastor uważa, że mogę sama zadecydować, złożyć przysięgę i przystępując świadomie do Stołu Pańskiego, wyrazić moją wiarę i tę dojrzałość — na której mi tak zależało.

Gdy pastor skończył, głos zabrała najstarsza z nas — Ewelina Gola i w pięknym przemówieniu dziękowała dziadkom i rodzicom, a także naszemu pastorowi, za wychowanie nas i prowadzenie do Boga. Niektórzy to nawet płakali, a najgłośniej dziadek Eweliny, bo ją sam wychowuje. Ona jest całkowitą sierotą, a w gospodarstwie robi wszystko jak dorosła kobieta, nawet chleb piecze.

Czułam, jak latają mi kolana pod sukienką, gdy mówiłam słowa ślubowania. Starałam się, żeby mój głos wydał się gruby i dorosły, ale skrzypiałam jak mysz i dusiłam się z nerwów.

Pastor jednak udawał, że jest wspaniale, patrzył mi w oczy z dobrotliwym, ale poważnym wyrazem twarzy i lekko uniósł brodę, żebym i ja swoją uniosła, bo zawsze się kulę, jak mi coś nie wychodzi.

Utka się jednak tak zalękła, że szeptała — prawie płacząc z nerwów. Ona jest bardzo lękliwa. Więc dopiero jak pastor położył dłoń na jej głowie, to się uspokoiła. Na jej głowie trzymał ręce najdłużej, by przestała dygotać.

Starszym dziewczynkom, oczywiście, poszło wszystko pięknie i głośno, ale na nie nikt już od dawna nie krzyczy „kurczaku, myszo, dzieciuchu" — jak na mnie i Uttę. Jak jestem z Wandą i Wieśkiem, to nikt mnie tak nie woła, bo Wanda jest spora i zawsze potrafi dać komuś w łeb, kiedy mnie przezywają, i Wiesiek też. Na przykład Reinholdowi Swarcowi albo Józkowi Szymaniakowi to nie raz dała workiem od kapci. Ale jak sama jestem bez niej, śmieją się, że jestem kurczak. Ja się złoszczę i wyklinam ich, a Utka zaraz beczy.

Po wyznaniu wiary już mi się nogi nie trzęsły, byłam bardzo poważna i wszystko już poszło jak na próbach. Po absolucji przyjęliśmy komunię, a po nas członkowie naszych rodzin.

Czułam, że jestem już inna. Po prostu poczułam to, o czym mówił pastor wielokrotnie, że wraz z dojrzałą decyzją stałam się pełnoprawnym członkiem naszej wspólnoty. Nawet wydawało mi się, że jestem ciut wyższa i odważniejsza. Nie będę reagować na zaczepki złością. Po prostu popatrzę na Józka albo Reinholda tak przenikliwie — jak pastor i odejdę dumna.

Po uroczystości przeszliśmy z pastorem przed kościół, gdzie czekał fotograf. A po zdjęciu z pastorem rodzice pozabierali nas do domu! Z nami poszli Wanda z Wieśkiem i ich mama, bo stali i czekali na mnie pod kościołem. Piotrek przyjechał z Torunia, a Hanka nie mogła, ale przysłała mi ładny list.

Na moim świadectwie widniał fragment z I Listu do Tymoteusza, który sobie wybrałam za radą mamy, wypisany pięknym gotyckim pismem:

„Staczaj dobry bój wiary, uchwyć się żywota wiecznego, do którego zostałeś powołany i złożyłeś dobre wyznanie wobec wielu świadków".

Mama postawiła świadectwo na szafce obok świecznika, ucałowała mnie tysięczny raz dzisiaj i poszła do kuchni.

— Basiu! — krzyknęła. — Przebierz się, bo zaplamisz sukienkę!

Był obiad — barszcz buraczany z fasolką i kura z ziemniakami, pieczona w brytfannie, kompot i szarlotka, a później wszyscy — my i chłopaki z tartaku — bawiliśmy się w podchody, aż do nocy.

Zdjęcie gdzieś przepadło. Szkoda.

O tym, że lubiłam zimy

Zimą było, mimo wszystko, więcej czasu na zabawę. Latem trzeba było pracować w polu, przewracać siano, zbierać, kopać, sprzątać, pielić. Zimą uczyć się i... rozrabiać!

Lekcje odrabiałam wieczorem.

Ze szkoły zimą wracaliśmy równie długo, jak latem. Chyba że było naprawdę zimno i wietrznie. Odprowadzaliśmy się wszyscy do domów, zaśmiewaliśmy się i rzucali kulkami ze śniegu. Na końcu zostawałam ja, Wanda i Wiesiek. Oni szli do siebie albo do nas nad rozlewisko — różnie. Najczęściej do nas, szczególnie gdy ich matka dostała już robotę woźnej w sądzie. Pracowała na popołudnia, więc było jej na rękę, że Wanda z Wieśkiem są u nas.

Nad rozlewisko szliśmy już szybko. Najczęściej byliśmy lekko przemoczeni i głodni. Po przyjściu błyskawicznie wkładaliśmy suche ciuchy i siadaliśmy do kuchennego stołu, do obiadu.

Mama robiła takie dobre dania! Lubiliśmy zupę rybną.

Kiedy wracała od rybaka, już się cieszyłam, bo niosła w koszu cały „nabór" na zupę rybną. Musiało być pięć różnych ryb! Do tego wielkie grzanki z cebulą albo czosnkiem. Później jedliśmy racuchy albo kisiel i na dwór!

Zimą dom pachniał grochówką, fasolówką. Zalewajką, zarzutką, a jeszcze zacierką. Wszystko na „z"! Wszystkie zupy były gęste i sycące. Do tego naleśniki, „jabłka w szlafrokach", omlety albo kluski „żelazne" ze słoniną. Uwielbiałam je! Mama mówiła na nie „żelazne", a stara Felicja „przecieraki". Mama kładła je na wodzie łyżką, a Felicja smarowała grubą warstwę ciasta na desce i ściepywała nożem, do garnka, kawałki.

PRZECIERAKI VEL ŻELAZNE KLUSKI

Utrzeć ziemniaki do miski i odlać ciut wody. Na przykład włożyć w tę masę cedzak i wyłyżeczkować całą wodę. Dosypać krochmalu albo mąki żytniej. Wbić jajko, albo dwa, zależnie od ilości ziemniaków. Wymieszać masę i kłaść na osolony wrzątek łyżką. Nabierać brzeżkiem i strząsać do wody. Zagotować, i jak wypłyną, wyjąć łyżką cedzakową na miskę. Polać skwarkami ze słoniny.

Ja lubiłam je z kruszonym twarogiem albo kwaszonym ogórkiem, a jak jest bogato, można z gulaszem...

JABŁKA W SZLAFROKACH

Małe jabłka wydrążyć i włożyć do środka cukier z cynamonem, dżem albo miód. Lekkie, drożdżowe ciasto rozwałkować i naciąć w kwadraty. Na kwadracie stawiać jabłko i zalepić ten kwadrat u góry, jak pierożek, brzeżkami.

Stawiać na tłustej blaszce daleko od siebie, bo podczas pieczenia rosną!

Upiec i posypać cukrem pudrem.

RACUCHY ZIEMNIACZANE

Jak wyżej, zetrzeć ziemniaki, odcedzić wodę, dodać jajo i mąkę (pszenną albo razową). W garnuszku z mlekiem i mąką rozczynić drożdże. Wlać do masy. Niech ciasto rośnie. Kłaść na rozgrzany tłuszcz łychą i smażyć jak placki. Będą puchate. Podawać ze śmietaną (bogata wersja) lub maślanką, solą, kapustą kiszoną, cukrem, dżemem — co kto lubi.

ZUPA RYBNA MAMY

Do garnka włożyć sprawione drobiazgi — karaski, płotki, miętuski. Także marchew, cebule (sporo!), pietruszkę. Gotować z dodatkiem ziela angielskiego i liścia bobkowego. Przetakiem wyjąć wszystek rybny drobiazg, aby została włoszczyzna i liść, i ziele. Delikatnie włożyć duże, sprawione dzwonka ryb — jazia, suma, węgorza, karpia, co tam jeszcze. Gotować długo i delikatnie, aby tylko ta zupa lekko drgała. Oczywiście sól, pieprz, do smaku. Może być garść kopru.

Podawać z ziemniakami z wody lub grzankami z pytlowego chleba natartymi czosnkiem.

BIEDA-ZUPY

ZACIERKA NA MLEKU I DYNI

Dynię obrać i poszatkować w kosteczkę. Zalać wodą i gotować. Wsypać zrobione ręcznie zacieraczki i po kilku minutach, jak się trochę pogotują, wlać mleko. Zacierki powinny być sprężyste, a nie rozklejone, i nie mogą stać na drugi dzień, bo się zrobi glajcha.

Jadłam to z cukrem — oczywiście.

ZACIERKI

Mama brała miseczkę i do niej mąkę. Dodawała wodę i mieszała palcem aż do gęstości. Później już miesiła ciasto, dodając stale mąki, aż się zrobiła pecyna twardego ciasta. Wsypywała ciut suchej mąki i drobiła zacierki. Odrywała kawałeczek ciasta i skręcała w palcach we wrzecionko. Po kilkanaście mieszała, żeby się osypały suchą mąką. Aż do wyrobienia ciasta.

CEBULANKA

Zeszklić na maśle z olejem cebule — tyle sporych, ile osób. Wlać wodę do garnka, ile osób, tyle szklanek. Posolić i zagotować z tą cebulą. Wetrzeć gałkę muszkatołową, aby do smaku. Ciut.

Posolić i złamać słodki smak cebuli sokiem z cytryny (gdy byłam mała — octem winnym) lub (wykwintna wersja) białym winem, bardzo wytrawnym.

Zrobić do tego grzanki z bułki — maślane albo chlebowe z czosnkiem i zalać te grzanki cebulanką. Mama nie lubiła cebuli rumienić, tylko szkliła, żeby zupa miała jasny kolor. Zaciągała roztrzepanym jajkiem (bogata wersja) lub nie. Pietruszka zielona w lecie może być.

ZACIERKA

Z żytniej mąki, mieszanki lub zwykłej pszennej, zagnieść twarde ciasto z wodą. W miseczce. Stale posypując mąką. Jajo niepotrzebne.

Zagotować w wodzie pokrojone w kostkę ziemniaki, w międzyczasie stopić słoninkę z cebulką na patelni. Robić z tego ciasta zacieraczki. Jak ziemniaki będą półtwarde, wrzucić zacierki do ziemniaków i gotować do miękkości. Zalać to wszystko skwarkami z cebulką. Absolutnie żadnych kostek maggi, kości, włoszczyzny!

To bieda-zupa. Latem wrzucić garść kopru. Dużą.

ZALEWAJKA

Odmiana żurku. Postna właściwie, gdyby nie skwarki.

Nastawić zakwas. W glinianym lub szklanym naczyniu zalać ciepłą wodą mąkę żytnią grubo mieloną. Dodać czosnek posiekany i skórkę ciemnego chleba. Nakryć lnianą ściereczką lub nakrywką stosowną do naczynia. Postawić w dość ciepłym miejscu na tydzień. Zapach powinien nęcić. Powinien być kwaśny, czosnkowy, apetyczny. Pianą się nie przejmować, musi być, bo zakwas tak właśnie pracuje.

Ugotować w osolonej wodzie pokrojone w kostkę ziemniaki. Gdy są już miękkie, wlać zakwasu. Na kilo ziemniaków jakieś pół litra, zresztą zależy to od mocy i kwaśności. Każda z nas ma swoją miarkę. Zeszklić na patelni słoninkę bez cebuli. Wlać do zupy. To najklasyczniejsza wersja. Dodaje się też majeranek, liść, szkli cebulę, takie tam… Ja lubię taką prostą, pieprzną.

ZARZUTKA

W wodzie zagotować ochłapy wieprzowe, jeśli są. Może być ucho, skóra, ogon. Można wykorzystać wodę po gotowaniu szynki lub białej kiełbasy. Może nie być tego wcale. Liść bobkowy i ziele może być. Kostka maggi — ostatecznie. Gotować w tym wywarze poszatkowaną kapustę mocno ukiszoną, a zwłaszcza sos spod niej. Zeszklić na patelni słoninkę drobno krojoną i dużo cebuli. Dodać mąkę, żeby się zrumieniła z cebulą. Zaciągnąć tym zupę. Niech nie będzie za gęsta!

Podać osobno gotowane ziemniaki. W szkołach gotowano w wodzie ziemniaki i jak były miękkie — wkładano kapustę i gotowano dalej.

Do bieda-zup jakoś nie pasują zieleniny. Chyba że koper do zacierki.

Po takich zupach i kluskach albo racuchach wybiegaliśmy z domu, aby zdążyć jeszcze przed zmrokiem pobawić się. Byliśmy ciepło ubrani. Swetry matki dziergały nam z resztek wełen, niepiękne, ale „żeby były", bo i tak zaraz powyrastamy i trzeba będzie znów pruć i przerabiać.

Wiesiek miał skórzaną kurtkę ojca przewiązaną paskiem. Wanda i ja płaszcze, oczywiście przerabiane — ona z jesionki po zmarłym ojcu, ja po Hance. Na głowach chustki zawiązane na „babuszki". Jeśli nie byliśmy z sankami na wyrobisku piaskowym, to nad jeziorem albo na polach. Tam kulaliśmy wielkie kule ze śniegu. Trzeba było mnóstwo wysiłku, bo były wielkie i ciężkie, a już najtrudniej było je ustawić jedne na drugich. Później rzeźbiliśmy okienka, wykusze, słowem barbakan albo zamek. Nasze twierdze do bitew na kule. Po przeprowadzce nad rozlewisko często paliliśmy małe ogniska i byliśmy zawsze w zasięgu głosu mamy. Gdy już było późno i ciemno, z domu słychać było:

— Dzieeeeci! Do domu!

— Mamo! Jeszcze trochę!

— Nie! Już ciemno i wilcy na drodze!

To był znak, że koniec dyskusji.

Wanda i Wiesiek zjadali z nami podwieczorek, chleb ze smalcem albo margaryną i marmoladą, czasem słodkie bułki z dżemem, pili gorące mleko i szli do domu. Czasem jeszcze siadaliśmy wspólnie do lekcji. Ich mama pracowała do późna. W kuchni przy stole rozkładaliśmy zeszyty.

Moja mama siedziała na szlabanku, koło pieca, i zazwyczaj robiła na drutach lub szydełkiem. Kaśka siedziała na małym stołeczku koło taty i mruczała do swojego miśka, tato czytał albo reperował uprząż. Cicho grało radio, potrzaskując, gdy padał deszcz albo śnieg. Ciche, dobre godziny.

Nie zdawałam sobie sprawy, że ten czas, ta aura naszego domu, mądrych kochających rodziców to moje bogactwo. Że ten nastrój spokoju, zapach kuchni i pieczonego w niej chleba, a też wody kolońskiej tatki, będzie moim najczulszym wspomnieniem z dzieciństwa. Czas absolutnego bezpieczeństwa i beztroski.

Pewnej zimy, już nad rozlewiskiem, Święty Mikołaj sprawił, że wszyscy poszaleliśmy z radości. Otóż dostaliśmy skórzane buty! I ja, i Wanda, i Wiesiek. To zresztą nie buty były bezpośrednią przyczyną naszego szaleństwa, a przykręcane do nich specjalnym kluczem... łyżwy! Te łyżwy przyszły do domu kultury w Pasymiu w paczkach od jakiejś organizacji i mama kupiła mi je od jednej pani, co nimi handlowała po cichu, a Wandzia i Wiesiek dostali te, z których wyrośli Hania i Piotrek.

Trzeba było tylko mieć buty z takim żelaznym „klopsem" w podeszwie, żeby te łyżwy przykręcić specjalnym, metalowym kluczem. I mama takie buty kupiła! Dla mnie! Wandzi i Wieśkowi mama sprezentowała buty po Hance i Piotrku, używane, ale dobre. Ja i Wandzia miałyśmy małe nogi, a Wiesiek — jak Piotr, spore „szpadle". Matka Wandy oczywiście uparła się, że zwróci mamie pieniądze za nie. Jednego miesiąca za jedne, drugiego za drugie. I tak buty były im na zimę potrzebne, a te jeszcze dodatkowo miały ten „klops". No i zaczęło się, gdy tylko ściął mróz!

Odśnieżyliśmy rozlewisko i zaczęła się jazda. Najpierw powoli, „na rozkrakę". Próbowaliśmy ślizgu, ale nogi się nam wywijały w kostkach i padaliśmy, mnożąc siniaki. Wreszcie, po tygodniu, jakoś poszło, a dalej było już coraz lepiej. Nie było dnia, żebyśmy się nie ślizgali. Przychodziły do nas inne dzieciaki i było gwarno i wesoło, aż przyszedł leśniczy Zawoja i jak nie burknie:

— A wy tu co?

— Jeździm sobie — Wiesiek był najodważniejszy.

— Ale to niebezpieczne, szczególnie tam, gdzie woda z lasu wypływa! Na brzeg! Wybiegać stąd! Już!

— To niech je pan poznaczy, a nie wygania nas, paaanie leśniczy! — poprosiłam ładnie.

Popatrzył na nas i burknął znów:

— „Panie leśniczy", widzicie ją! A jak synka przyprowadzę, nauczycie go jeździć?

— A łyżwy ma? — Wiesiek podjął pertraktacje.

— Ma. Mały jest, trzeba go pilnować, z matką całymi dniami siedzi w domu, a tak pobiegałby z wami.

— Pewnie! Nauczymy go i popilnujemy — Wanda też nabrała odwagi.

Zawoja czasem rzeczywiście przyprowadzał nam swojego kajtka — Tomusia. Trochę nieufny maminsynek, ale z czasem okazało się, że nie przeszkadza i jest w miarę mało absorbujący. Sikać w krzaki chodził z Wieśkiem i w ogóle jego się trzymał. Z nami — mną i Wandzią — jakoś nie znalazł wspólnego języka.

Przyznał się Wieśkowi dlaczego:

— Głupie baby, wiesz? Traktują mnie jak gluta. Mówią „Tomuś", a ja jestem już duży! I nawet mama już na mnie mówi „Tomek", bo jej kazałem!

A Wieśkowi sięgał do pasa… Tomuś. Maluch. Glut.

Nie mogłam nawet przypuszczać, że kiedyś…

Wracałam z naszego lodowiska ze skorupą śniegu na swetrze, taką samą na włosach, co mi wystawały spod czapki, i gębą czerwoną jak pomidor.

Zawsze przed wyjściem na łyżwy szłam do mamy na smarowanie. Mama siadała na taborecie i wyjmowała z kredensu sporą zieloną puszkę wazeliny i nakładała mi ją na twarz. Okropne! Niestety, ręce przedstawiały sobą obraz nędzy i rozpaczy mimo smarowania. Skórę na nich miałam szarą i spękaną od przemrożenia. Rękawiczki zawsze trzymałam w kieszeniach. Gołymi łapami lepiej było robić kule, łapać kolegów, odkręcać łyżwy.

Raz na tydzień, w soboty, mama robiła mi kompresy na ręce z gotowanych, ciepłych ziemniaków rozgniecionych na papkę, a na noc smarowała je gliceryną, i owijała płótnem. Rano miałam porządne zdrowe rączki. Do czasu! Po dwóch dniach zabaw na lodowisku znów moje ręce przyprawiały mamę o rozpacz. Mówiła:

— Basiu! Już taka panienka jesteś, a o dłonie nie dbasz?

Wiosnę przywitaliśmy z niechęcią. Zabezpieczone smarem i zawinięte w gazetę łyżwy spoczęły na strychu. Żałowaliśmy bardzo. Ręce wróciły do normy.

Cywilizacja, czyli wanna, ubikacja i rower!

K tóregoś dnia, wiosną właśnie, mama wróciła z pracy później, szczęśliwa jak dziecko. Dostała przydział na cement!

— Wreszcie zrobimy porządną łazienkę! — oznajmiła.

Przyjechał wozem majster. Rozstawił na podwórku giętarkę, gwintownicę i się zaczęło! Okazało się, że przedwojenna instalacja bardzo dobrze się trzyma. Nowe rury przeciągnął do prawej części domu. Majstrowi podobało się u nas i to, że dostaje obiad, więc poszeptał coś z mamą i po tygodniu zajechał, wioząc na wozie sedes, metalową umywalkę i wannę. Używane, co prawda, zaniesione rdzawymi naciekami, które szorowałyśmy kilka dni sodą i popiołem. Skąd je wziął? Nie zdradzał, tylko puszczał oko i mówił:

— Głowa jest, żeby myśleć, się wie!

Po tygodniu z części pokoju po prawej stronie sieni zrobił prawdziwą łazienkę. Boże! Ile było radości! Później zauważyłam, że znikła rżnięta karafka i cukiernica po Felicji... Mama była pragmatyczna. Życie w cieple, z bieżącą wodą było dla niej ważniejsze niż srebra.

O wiele łatwiej i przyjemniej szło pranie, a już kąpiele w łazience to dla mamy powrót do normalności. Naturalnie czuliśmy się szczęśliwi, że mamy prąd i wodę, bo na oddalonych koloniach i tego nie było. Nie wszyscy moi koledzy żyli w takich luksusach.

Wraz z łazienką przyszła pora na reperowanie pieca po drugiej stronie domu. Z Orżyn mama ściągnęła zduna i po tygodniu mieliśmy odbudowany wielki piec do grzania prawej części domu — pełen szybrów i drzwiczek. Można było napalić w nim i grzał tylko łazienkę i pokój obok, można było powyciągać wszystkie szybry i grzał cały dom. W samej kuchni zdun zamontował wężownicę i gdy napaliło się w piecu, mieliśmy gorącą wodę.

Łączyło się to z większą ilością drewna, więc prawą część domu traktowaliśmy jako składzik na opał — spiżarkę. Często Wanda z Wieśkiem przychodzili się kąpać, bo u nich gorącej wody w kranie nie było.

Karolakowa przyszła, obejrzała i zaraz też Karolak dogadał się z tym majstrem i założyli ciepłą wodę u siebie. Mało kto miał takie cuda! My tak, bo nasza mama miała głowę jak encyklopedia.

Często kąpałam się z Wandą. To właśnie podczas takiej kąpieli powiedziała mi o tym, że kobiety nie zawsze mogą się kąpać i ćwiczyć na wuefie i że to się nazywa miesiączka. I kiedy już się to ma, to jest się zupełnie inną niż dzieciaki!

Wanda to już miała... Byłam oszołomiona i oczywiście wieczorem zagadnęłam mamę, która spokojnie wszystko wyjaśniła mi do końca:

— Od takiego dnia jesteś naznaczona jako przyszła matka, Basiu! To dar od Boga dawać życie. Na razie tylko masz kobiecą gotowość, a jak spotkasz tego, który jest ci przeznaczony, pokochasz go całym sercem jak ja tatkę, urodzisz dziecko, a to piękna chwila dla kobiety. Będziesz je później kochać jak ja ciebie, córeńko — mama była łagodna i wzruszona, mówiąc mi to wszystko.

— A czemu niektóre nie mają dzieci, mamo?

— Jak Felicja? To jakaś skaza na zdrowiu. Patrz, jaka ona była niepełna bez macierzyństwa. Was pokochała, bo spragniona dzieci, wnuków jak każda, normalna kobieta. Śpij już, dziecko, a jak coś się wydarzy, przyjdź do mnie i powiedz, mam już przygotowane gałganki.

Do kąpieli potrzeba było dużo drewna, więc nauczyłam się ciąć siekierą obladry, czyli odrzuty z tarcia drewna na deski. Dostawaliśmy ich sporo z tartaku, oczywiście za opłatą. To był mój obowiązek pociąć je na szczapki. Szybko się paliły.

Na rozpałkę szykowaliśmy przed zimą wiązki gałęzi sosnowych. Najpierw ciągnęliśmy z wyrąbiska tą naszą dwukółką gałęzie z uciętych drzew. Leżały koło naszej drogi, koło ścieżki nad rozlewisko. Na pniaku cięłam je na małe odcinki i z Wandą, a czasem z Wieśkiem, wiązaliśmy sznurami słomianymi.

Leżały pod werandą, a także przy ścianie domu, żeby było blisko. Na rozpałkę było to najlepsze. Tylko ręce bolały, gdy nie posłuchałam mamy i nie włożyłam rękawic. Były wielkie, brezentowe, jak na chłopa, i spadały mi z rąk. Nie lubiłam ich. Pokłute ręce bolały. Mama robiła napar z rumianku i smarowała je śmierdzącym linomagiem.

Równie brzydko śmierdział tran, który mama dostawała w szkole z darów i podawała nam codziennie — Kasi, Wandzie, Wieśkowi i mnie. Stawaliśmy w rządku i mama nalewał łychę tego tranu, podawała do potrzymania butlę, a sama brała delikwenta za nos i wlewała, jak tylko mogła głęboko, do gardła. Na talerzyku już czekała zakąska — chleb z margaryną albo smalcem i cebulą, i solą.

Już wtedy rzadko, prawie wcale nie chorowałam. Myślę, że to ostre powietrze i własne warzywa, i owoce, a przede wszystkim niepieszczenie się ze sobą. Ileż to razy biegłam na bosaka zimą do kurnika po jajka do ciasta.

Felicja za życia bardzo to zachwalała i mama jakoś nie zrzędziła, chociaż sama musiała mieć nogi w cieple. Po powrocie Felicja kazała mi wycierać nogi ręcznikiem i pytała:

— Czujesz, dzieciaku, jak ci krew wrze?

Zimowe wieczory spędzone przy piecu były zawsze efektywne. Mama uczyła mnie wszystkich kobiecych prac. Najpierw pod jej okiem szyłam w ręku. Zdobyłam doświadczenie, szyjąc lalce ubranka, ale to mama nauczyła mnie staranności i wykańczania. Siedziała obok, taka łagodna, mądra, spokojna i chwaliła:

— Ślicznie! Jak ty szybko się uczysz!

Zaraz potem było mereżkowanie i hafty.

Później były robótki na drutach. Początkowo szło mi kiepsko, ale się zaparłam. Już wiedziałam, że mogę robić tak prezenty gwiazdkowe. Najpierw wychodziło mi wszystko za ciasno, dopiero później, jak rozluźniłam palce — poszło tak jak należy. Pierwszy szalik zrobiłam dla taty. Był brzydki! Na początku wąski, dalej szeroki i taki paskudny w kolorze.

Tato jednak nosił go jak order. Każdemu nowo napotkanemu mówił:

— Córeczka mi zrobiła! Sama!

Później przyszedł czas na skarpety i rękawiczki, dziane na pięciu drutach. To była wyższa szkoła jazdy, ale poradziłam sobie! Mama to robiła nawet ciepłe pończochy i majty pod spódnice, o swetrach nie wspomnę. Zima jest dłuuuga.

Pewnego roku, na gwiazdkę, pojawił się nam pod choinką rower, niby że dla mnie, więc piszczałam na cały regulator. Okazało się jednak, że musiałam pożyczać go mamie tak często, że stał się rowerem mamy aż do następnego roku, kiedy stać nas było na kupienie drugiego — używanej, starej damki.

Ja i mama jeździłyśmy na rowerach sprawnie. Nauczenie Kasi było nie lada problemem, choćby ze względu na jej wzrost. Uparła się jednak, trenowała kilka razy dziennie, upadała boleśnie, aż wreszcie ujechała sama kawałek i złapała, na czym ta zabawa polega.

Teraz po zakupy jeździłam razem z mamą, bo Kaśka zostawała w domu. To było naprawdę moje ulubione zajęcie. Byłyśmy tylko we dwie i wtedy ona rozmawiała ze mną, tak po dorosłemu: „Jak myślisz, Basiu, będzie to pasowało na tatkę?", „Czy pamiętasz może, jak stoimy z naftą?", „Popatrz, córeńko, jakie porządne buty, może kupimy Kasi, jej już się rozwalają?".

Prowadziłyśmy obładowane rowery i rozmawiałyśmy sobie spokojnie i poważnie. Jak dwie równolatki. Czułam się taka dorosła!

Fartuszek z satyny,
czyli „hrabianka!"

Do gimnazjum jeździłam do Biskupca. Oczywiście z Wandą. Naturalnie musiałyśmy mieć fartuchy — jak wszystkie. Mama stwierdziła, że bardziej opłaci się uszyć samemu, niż jeździć i kupować.

Zamiast identycznych, jak wszystkie, workowatych i niezgrabnych, uszyła nam ładne. Rękawki namarszczone w ramionach, lekkie zaszewki na rosnące piersi i w talii. Kieszenie w szwach, schowane, i kołnierze białe, owszem, jak wszyscy, ale z monogramem.

Z miejsca zostałyśmy nazwane „hrabiankami". Pierwszy raz w życiu boleśnie zetknęłam się z taką niesprawiedliwością! Jakie z nas hrabianki?! Mieszkamy na wsi, pracujemy w gospodarstwie, czasem ciężko jak chłopy, a tu nagle — za zaszewki i monogram — hrabianki! Nie pomogła próba tłumaczenia, bo wychowawczyni była zawzięta i wygłosiła na godzinie wychowawczej całe przemówienie, jak to niektórzy lubią się wyłamywać, podkreślają swoją odrębność, a przecież idea socjalizmu jest jasna — wszyscyśmy równi!

Chciałam wstać i powiedzieć, co myślę, ale Wanda złapała mnie kurczowo za fartuch i błagalnym spojrzeniem osadziła w ławce.

Z czasem jeszcze zauważyłyśmy, że Lilka Cukier, córka wdowy po krawcu, ładna Żydówka, też jest izolowana, nielubiana i spotyka się ze złośliwościami. Stworzyłyśmy trójkę przyjaciółek. Lilka zaraz nam wyjaśniła, że nie ma co walczyć, udowadniać swego, bo jej starsza siostra już przeszła tę drogę krzyżową u pani Kozioł.

— Załatwimy ją naszym dobrym samopoczuciem! — zaproponowała.

Nie było to łatwe. Owszem, byłyśmy uśmiechnięte, ale czasami nasza wychowawczyni przyprawiała nas o łzy. Połykałyśmy je dzielnie. Powoli reszta dziewcząt z klasy zaakceptowała nas, zrobiło się normalnie, tylko kilka pozostało wiernymi słuchaczkami i potakiwaczkami pani. Wiedziałyśmy, że podsłuchują i donoszą, bo na godzinach wychowawczych wałkowano tematy, o jakich rozmawiałyśmy między sobą w tajemnicy. Pani żądała samokrytyki, bicia się w piersi za to, co potajemnie mówiłyśmy sobie w łazience, aż wkrótce nauczyłyśmy się totalnej mimikry. Oświeciła nas pani od biologii:

— Wiecie, co to jest mimikra?

Pokręciłyśmy głowami i pani kazała nam przygotować na następną lekcję wypracowanie z przykładami. Lekcję poprowadziła bardzo poważnie i mówiłyśmy oczywiście tylko o świecie zwierząt.

W domu opowiedziałam mamie o niej, a ona uśmiechnęła się tylko i podrapała mnie po głowie.

— Takie czasy, rybko! — powiedziała i pokiwała głową. — Ta biologia to niegłupia wiedza!

Lubiłam te lekcje. Pani była bez reszty zapatrzona w świat roślin i zwierząt i opowiadała o nim z ogromną swadą, zaangażowaniem, miłością. Gdy mówiła o pionierach ziem wulkanicznych — porostach, aż miło było słuchać, bo traktowała te porosty jak ludzi, a ich wysiłek, żeby się zakorzenić, zdobyć wodę, żywność, utrzymać się na spopielałym gruncie, to był obraz naszych rodziców, walczących o przetrwanie po pożodze wojennej. Postanowiłam, że będę zdawać na biologię.

Zbliżyłyśmy się trochę — ja i moja pani. Zostawała dla mnie po lekcjach, wertowałyśmy książki i rozmawiałyśmy.

— Masz talent i powinnaś studiować nauki biologiczne. To wielka przyszłość! — mówiła.

U niej zawsze miałam piątki. Nauka szła mi dość lekko, ale dojazdy, częste zarywanie nocy, bo wracałam późno od koleżanek, męczyło. Chorowałam rzadko.

Z czasem mój fartuszek ledwo się już na mnie dopinał. Urosły mi piersi, zaokrągliły się biodra. Miesiączka stanowiła zmorę, bo była bolesna. Pabialgina nie pomagała. Bywało, że rano w autobusie nagle zieleniałam i mdlałam. Mama zaniepokojona zawiozła mnie do Biskupca do znajomej lekarki — Rosjanki. „Pani Marina" — jak się do niej zwracałam, zbadała mnie, popytała o to i owo i poszeptała z mamą.

Od tamtej pory, gdy wstawałam rano, już czując napięty, bolesny brzuch, mama brała metalowe pudełeczko wygotowane i zamknięte szczelnie, naciągała szklaną strzykawką czegoś z fiolki, którą tłukła dokładnie i wrzucała do pieca. Robiła mi zastrzyk w pupę i… puszczało!

W szkole byłam obecna, chociaż słabsza i z bólem głowy. Dopiero po maturze dowiedziałam się, że to papaweryna ułatwiła mi kobiece życie.

Gimnazjum wspominam niechętnie. Od drugiej klasy mama zapisała mnie do internatu, ale ja przeżywałam boleśnie takie rozstania. Po roku — razem z Wandą — wróciłyśmy do dojazdów, chociaż pożerały mnóstwo czasu. A miałyśmy jeszcze dużo pracy w obejściu. Nie zapisałyśmy się do żadnej z wymaganych organizacji. Nasza pani była oburzona i rozczarowana, czemu dawała często wyraz. Popołudniami, jeśli już zostawałyśmy dłużej w Biskupcu, wolałyśmy siadywać w domu u Lilki i czytać na głos książki z biblioteki jej matki, niż chodzić na zebrania, zbiórki...

Mama Lilki była osoba fantastyczną. Miała na imię Sara i popełniła w życiu straszny mezalians, bo wyszła za mąż z miłości. Za biednego krawca. Tylko jej babka była za nią i dlatego rodzina jej nie wyklęła, a nawet dała poważny posag (nie bez fochów) w postaci mieszkania.

Okazało się, że mąż był zdolny i powodziło im się nadzwyczaj dobrze. Sława jego jesionek, garniturów, fraków, surdutów sięgała daleko, miał coraz więcej klientów i musiał nająć kilku chłopaków do pomocy. Czasem też żona pomagała mu wykańczać pilne prace, więc siłą rzeczy ona sama też stała się krawcową. Teraz, po śmierci męża, zarabiała szyciem. Przed zagładą uratowała je uroda. Nie były zbyt semickie, a wojnę spędziły w odległym przysiółku pod Wielbarkiem.

Bardzo lubiłam siadywać u nich w domu, w bibliotece. Mieszkały na przedmieściu, blisko szpitala. Ich dom był... dostojny, choć już bardzo ubogi. Mama dystyngowana, szczupła i spokojna. Bardzo dowcipna. Zawsze dostawałyśmy podwieczorek, żebyśmy nie wracały głodne. Było u nich biednie, ale małe kanapeczki z marmoladą podawano wykwintnie, jak ciasto, a kawę zbożową — w filiżankach.

U Lilki nie rozmawiało się o polityce ani nie krytykowało się szkoły. Nie, żeby matka Lilki była taka spogliwa. Bała się o nas, powtarzała, że „ściany mają uszy".

— Kto wie — mówiła — w jakim świecie przyjdzie wam żyć? Lepiej się dostosować. Milczeć. Myśli się cichutko, a gada głośno, mimikra.

Taką wyznawała filozofię.

W sześćdziesiątym dziewiątym roku wyjechały do Izraela... Starsza siostra Lilki pracowała na uniwersytecie w Gdańsku, a tam nie było za wesoło. Brała udział w wystąpieniach studenckich — jako „szeregowiec" — ale i tak relegowano ją z uczelni.

Kiedy byłam uczennicą gimnazjum, zmarł tatko.

Naturalnie był to dla mnie wstrząs, ale dość szybko się pozbierałam. Czesia Karolakowa pomogła przy myciu i ubieraniu tatki. Ona z mężem zajęli się tatusiem, a ja — przybraniem trumny. Już wiedziałam, jak to się robi, i Hanka była bardzo zaskoczona, że dałam radę.

Mama bardzo się postarzała, skurczyła, posmutniała. Był jej wielką miłością. Spełnionym marzeniem, troskliwym i oddanym mężem. Tylko my — ja i Kaśka trzymałyśmy ją przy życiu. Byli bardzo zżyci, rozumieli się bez słów. Zresztą tatuś nie był gadatliwy. Był jak uśmiechający się kot z *Alicji w krainie czarów*. Jego uśmiech został z nami na długo. Patrzył spod białych brwi błękitnymi oczyma i uśmiechał się. Takiego go pamiętam.

Na pogrzebie Piotr podtrzymywał mamę. Była złamana nieszczęściem. Później na listy od Hanki i Piotra czekała niecierpliwie. Hance opisywała swoją wielką za tatką tęsknotę i ból. Mnie tego oszczędzała, ale ja to widziałam.

Mnie też brak było taty. Jego zapachu. Zawsze ogolonego, zawsze cyściutkiego staruszka z wąsami. Od wybuchu wojny bardzo się postarzał — mówiła mama. Był jednak najdroższym tatuńciem, opoką i spokojem. Tyle rzeczy mógłby mi jeszcze opowiedzieć! Nauczyć. Teraz to wiem... W szkole uczono nas wykrzywionej historii. Takie czasy! Miał wielką wiedzę i powściągliwość w ocenianiu rzeczywistości. Pięknie tłumaczył, czym jest Ojczyzna, Obowiązek Patriotyczny, Miłość do własnego kraju — niezależnie od formacji politycznej.

— Kapitan się zmienia, a łódź płynie — mawiał. — Krzykacze, ludzie podli, nie powinni rzutować na to, co czujesz do własnego kraju, dziecinko. To przejdzie, a twoje serce ma pozostać piękne. Ucz się pilnie. To najmądrzejsze, co możesz zrobić.

Obiecałam ojcu rzetelne wykształcenie.

Mam mało wspomnień ze szkoły. Nauka, szykany naszej wychowawczyni, obowiązująca ideologia, dojazdy, nauka, nauka, nauka. Mama też twierdziła, że tylko dzięki niej uzyskam wolność, niezależność.

— Poszerzaj, dziecko, horyzonty! — mówiła. — Nikt nie zabierze ci tego, co umiesz, co masz w głowie. To twoja wolność, mądrość. Wytrzymaj!

Była też miłość.

W trzeciej klasie spotykałam się z chłopcem z Biskupca.

Przychodził pod naszą szkołę. Czekał na mnie. Chodziłam z nim na spacery, ale krótkie, bo Wanda czekała na przystanku i wracałam wzdychać nad rozlewisko.

Janek, przystojny (jak mi się wydawało), średniego wzrostu, nieśmiały, ale mądry i pracowity okularnik, przyjeżdżał czasami do mnie autobusem. Miał szorstkie dłonie i dość ostre rysy. Krótko się strzygł i był aż za spokojny... Taki naukowiec.

Bardzo mi to imponowało. Nie lubiłam hałaśliwych kolegów, popisujących się i dokazujących na naszych oczach. Byli za głośni, obcy mi i zwyczajnie nie lubiłam ich dogadywań, zaczepek.

— Czy panienki pozwolą odprowadzić się do przystanku?

— Nie, dziękujemy!

— O! Jak obcesowo! A może jednak?

— Nie rozmawiamy z nieznajomymi!

— Ejże! Ale przecież my się znamy?

— Zapewniam pana, że nie!

— Heniek jestem, a kolega Zygmunt! Miło nam! Czy teraz pozwolą panie towarzyszyć sobie w kroku?

Zrobiłam się purpurowa ze złości, a Wanda ciągnęła mnie za rękaw, szepcząc:

— Baśka, błagam cię, nie rób skandalu na ulicy!

Zrobiłam. Odwróciłam się i uśmiechnęłam się do tego krzykacza, podeszłam blisko i... trzasnęłam w gębę z całej siły. W szkole miałam awanturę, bo widziała to wszystko pani z komitetu rodzicielskiego, przyjaciółka naszej wychowawczyni. Na dodatek okazało się, że ów adonis, Henryk — cham, jest synem miejscowego wicesekretarza partii.

Na lekcji wychowawczej dowiedziałam się, że zachowałam się jak ulicznica i skalałam dobre imię szkoły. Czekał mnie sąd koleżeński...

Wezwano mamę, która została w gabinecie z panią dyrektor sam na sam, i gdy wyszła — dyrektorka ściskała jej serdecznie dłoń i żegnała mile.

— Mamo? — spytałam w domu. — Co jej powiedziałaś? Sąd odwołano... Powiedz?

— Powiedziałam, że skoro całe zajście widziała pani z komitetu wraz z mężem, to dlaczego nie stanęli, jako dorośli, w obronie waszej czci?

— I tylko tyle?

— Tylko. A trzebaż więcej?!

Uwierzyłam jej. Mama ma moc mówienia prawdy każdemu, w taki sposób, że prawda, jak oliwa, pozostaje na wierzchu. Po prostu z mamy argumentami nikt nie wygrał. Nigdy! Jest jak ksiądz w spódnicy. Nasz pastor, Otton Wittenberg, mówił zawsze:

— Pani jest prawym człowiekiem, pani Bronisławo — jak pani imię!

A jemu trzeba wierzyć!

Miało być o miłości…

Jak widać, miałam pewien kłopot z zawieraniem znajomości z chłopakami, aż tu pojawił się Janek. Przyniósł naszej pani od biologii kilka preparatów formalinowych — dar jakiegoś instytutu dla szkół. Centralnie rozdzielono to na nasze gimnazjum i męskie. Poznaliśmy się na kółku biologicznym, gdy on te preparaty ustawiał na regale.

— Co kolega tu robi? — spytałam, gdy weszłam na zaplecze.

— Witam. Nazywam się Jan Borowiec — mówiąc to, zszedł z krzesła i ukłonił się dość staromodnie. — Przyniosłem koleżankom preparaty formalinowe. Pięknie wykonane! Proszę zobaczyć — tu anatomia ptaka z naklejonymi cyferkami i opisem na zewnątrz. A tu — żaba…

— Może to królewna żabka? — zażartowałam, a on niezdarnie poprawił okulary, nie mając na twarzy nawet cienia uśmiechu… Odprowadził mnie po zajęciach na przystanek i już byłam zakochana! On też, ale o tym dowiedziałam się później. Z liściku, który znalazłam w kieszeni, z wymiętym bukietem pachnącego groszku. Chudy był ów bukiecik, ale jak wiele mówiący!

A list!

Droga Basiu!

Nigdy nie spotkałem tak spontanicznej i miłej dziewczyny, która podzielałaby moje pasje i dawała zrozumienie zagadnieniom biologii. Nadto była tak koleżeńska, miła i ładna. Myślę o Tobie dniami i nocami i wiem, że moje serce należy już do Ciebie. „Całuję Twoją dłoń, madame” — jeśli pozwolisz.

Kreślę się z szacunkiem — Janek

Nie deklarowałam mu swoich uczuć, ale gdy następnego dnia czekał na mnie pod szkołą, uśmiechnęłam się szeroko i puściłam rękę Wandy, która wróciła do domu wcześniejszym autobusem. My włóczyliśmy się, rozmawiając o… teorii Darwina.

Byłam zachwycona!

Janek nosił wełniane spodnie i dzianą kamizelkę na koszulę i wydawał mi się taki „miastowy”. Wiedziałam, że miał astmę i taki specjalny inhalator ze szklaną końcówką, rurką i pompką. Gdy miał atak, wkraplał tam lekarstwo i pompował, wdychając ustami. Szalenie mi się to podobało! Taka aura tajemniczości, choroby dodawała Jankowi uroku.

Jego ojciec pracował w szpitalu jako lekarz, a mama jako dentystka.

Zdarzało się, że przyjeżdżał do nas nad rozlewisko. Siadywaliśmy pod piecem, speszeni obecnością rodziców, i wtedy mama z ojcem wychodzili do saloniku, gdzie tatko czytał, a mama stawiała pasjansa. Wtedy Janek przerywał jakiś wywód o genetyce i dotykał moich palców, patrzył mi w oczy. Albo szliśmy na spacer w stronę lasu i tam odważnie brał mnie za rękę. Co za przeżycie! Czułam się taka dorosła, trzepotało mi serce, ale stale myślałam, czy Janek zdąży na ostatni autobus.

Opowiadał mi o różnych ciekawostkach ze świata medycyny, o badaniach, doświadczeniach, wynalazkach. Czasem milkł i się uśmiechał.

Któregoś razu odprowadzałam go do przystanku i koło starej jabłoni Janek pocałował mnie pierwszy raz! Sam był chyba nieźle podenerwowany, bo drżały mu ręce, kiedy zatrzymał się i odwrócił do mnie. Wziął moją twarz w dłonie i się nachylił. Powoli dotknął swoimi wargami moich i chwilę miękko po nich wodził. Na koniec przycisnął mocniej i już!

Byłam oszołomiona i szczęśliwa. Nie mogłam spać i rano wszystko opowiedziałam Wandzie. Wanda parsknęła i pogratulowała mi, bo ona już dawno całowała się z Albinem, swoim chłopakiem, którego nie lubiłam, bo był mrukiem.

Albin był z Pasymia, ale mieszkał na drugim końcu miasta. Przyjeżdżał do Wandy rowerem i woził ją na ramie. Wpadali po mnie, ale jakoś nie chciało mi się z nimi jeździć po lesie, bo wiedziałam, że chcą być sami. Wolałam mojego nudnego i nieśmiałego Janka.

Później mój amant zdał maturę i znikł mi z oczu. Pojechał na studia do Gdańska, a listów pisać nie umiał albo nie chciał. Chyba nie byłam aż tak zakochana, bo jakoś „rozeszło się po kościach". Niestety, Wanda źle ulokowała swoje uczucia, bo na jakimś wiejskim weselu, na które Albin ją zaprosił do Trelkówka, spił się i zgwałcił ją w stodole. Niby poszła tam z nim, na przytulanki, ale posunął się za daleko.

Wiesiek, jak wyszedł z wojska, oczywiście obił mu pysk, ale Wanda zamknęła się w sobie. Wkrótce zresztą oboje wyjechali do Pruszcza Gdańskiego.

Zdałam maturę.

Zmarł Stalin.

Mama sprzedała ojcowe konie i wpłaciła mi pieniądze na książeczkę, żebym miała „na Warszawę". Rok później zdałam na studia i wyjechałam z domu do Warszawy, po nowe życie. Biedna mama! Została sama z Kaśką.

Po wiedzę, po nowe

Wyjazd do Warszawy był mniej uciążliwy. Już nie tak gorąco, droga znana mi i oswojona. Wzięłam sobie podręcznik, przypomniałam sobie wszystko, czego nauczyłam się w szkole, i czasem gapiłam się przez okno, rozmyślając, czy poradzę sobie w tej Warszawie, gdybym oczywiście zdała. Samo miasto już mnie deprymuje.

Wszyscy w tej Warszawie przyjezdni i jakby swoi. Trafiłam do ciotki od razu, bez błądzenia, tak się ta Warszawa zmienia! To nasza jedyna krewna z rodziny mamy. Stara pani z pretensjami i zmysłem do interesu — prowadziła stancję dla studentów w ocalałym po wojnie wielkim mieszkaniu. Przywitała mnie niezbyt przychylnie.

— A, to ty. No, co tam u Bronki?

— Wszystko dobrze, ciociu.

— Wiesz, dziecko, jakoś nie widzę możliwości, żeby cię zameldować na stałe, mam tu samych chłopaków!

— Mówiła ciocia poprzednio…

— Mówiłam, mówiłam! Skoro Bronka prosiła, ale tylko na te egzaminy. Bo… jakżeż potem ty to sobie wyobrażasz? Z chłopcami? W pokoju? Ja celowo tylko chłopakom odnajmuję pokoje, bo z nimi mniej ceregieli, żelazka prawie nie używają, wody mniej niż panny i wiesz, kłopotów mniej z tym… no wiesz… — zniżyła głos do szeptu.

— Z czym, ciociu? — spytałam też szeptem.

— Panienka, a nie wie! — sarknęła.

— A! Co miesiąc?

— Ciiii — położyła palec na ustach. — Więc widzisz… Nie! No, jak ty to sobie wyobrażasz?

— Ciociu, obiecała ciocia! Jeszcze nic nie wiadomo, bo egzaminy przede mną… Po obcych mam się tułać?

— Zdasz, zdasz! — wstała, machając ręką tak, jakby te egzaminy to była czcza formalność. — Dobrze, że Bronka te wasze papiery zagubiła we wojnę i że niby ty wieśniaczka jesteś — władza ludowa ci nieba przychyli! — zaśmiała się diabolicznie, teatralnie.

— Może ciocia choć sąsiadki spyta? Dużo pieniędzy to my nie mamy, ale mama zawsze kurę, jajek da...

Ciotka zapaliła papierosa w długiej tutce i zmrużyła powieki.

— Kurę, jajka… — mruknęła kpiąco.

Siedziałam cicho, modląc się, żeby jednak coś wymyśliła. Jak ja mam łazić po tym wielkim mieście i szukać kąta? A w autobusie mówili, że Warszawa naszpikowana ludźmi, co do niej wrócili ze świata. Po Hitlerze pusta była jak pustynia. Teraz szpilki nie ma gdzie wcisnąć! Widać ciotce jednak skalkulowały się mamine jajka i kura, bo zaciągnęła mnie za kuchnię i pokazała zawalony gratami mały składzik.

— Tu przed wojną była służbówka. Ordynans wuja tu sypiał i buty czyścił. Posprząta się i… możesz spać. Obok kuchni masz służbową ubikację z umywalką. Ja z niej korzystam, więc podzielimy się, bo duża łazienka jest całkiem ichnia — męska! Chcesz tak?

— Jasne, ciociu. U rodziny lepiej!

Tak oto kostyczna ciotka przyjęła mnie na stancję. Po egzaminach wyjechałam do domu, a teraz, po otrzymaniu pisemnego zawiadomienia, że jestem studentką Uniwersytetu Warszawskiego na Wydziale Nauk Biologicznych, mama spakowała mnie, postawiła krzyżyk na czole i pożegnała.

Jadę już pewniej. Znam trasę i nie boję się miasta. Czytam sobie książkę — ja, Pani Studentka! Wiem, gdzie wysiąść, którędy iść na uniwersytet i jak trafić do ciotki. Przywitała mnie wręcz entuzjastycznie, patrząc na torbę ze śmietaną, jajkami i sporą gęsią:

— Aaaaa, więc jesteś... — i zawołała w głąb mieszkania: — Panowie, proszę ściszyć radio! — a do mnie: — No, dobrze, chodź!

Mój pokój miał powierzchnię sporej trumny. Okienko maleńkie, pod sufitem. Pokoik wyczyszczono z gratów i odmalowano! Stało tam też moje nowe łóżko — czyli poustawiane skrzynki od owoców, a na nich materac. Taki, jaki znaleźliśmy po wojnie w naszym nowym domu. Taboret, kilka półek na ścianie i skrzynka drewniana, z nabitą drewnianą stolnicą, robiła za biurko.

Zamieszkałam u ciotki jako jedyna panna. Chłopcy grzeczni. Czasem zbyt głośno się zaśmiewali, ale na co dzień uprzejmi, częstowali jabłkiem, któryś przywiózł, albo cukierkami. Nie przeszkadzaliśmy sobie. Zresztą, oni głównie studenci politechniki. Ja — uniwersytetu.

To nie były dobre czasy.

Owszem, niby żyło się normalnie, ale wkoło było coś nienormalnego. Zresztą po takiej mieścinie Warszawa mnie przytłoczyła. Nie zapisywałam się do organizacji i znów nie podobało się to moim wykładowcom. Te wiece, zebrania i okrzyki pełne udawanego entuzjazmu mierziły mnie. Wkrótce jednak, dla świętego spokoju, zapisałam się do ZMP. Wszystko udawałam, pałałam miłością do ludowej ojczyzny, jak chcieli, chodziłam na czyny, ale spałam na zebraniach, bo mnie to wszystko nie obchodziło. Czułam, że to dęte, napuszone i wiedziałam od mamy, że żyć można cicho, bardzo porządnie, chociaż bez sztandarów, zebrań i zobowiązań. Mimikra się przydała.

Ciotka traktowała mnie po macoszemu, ale jednak miałam gdzie mieszkać!

— Przyzwyczaj się, dziecko, że tu mieszkają chłopcy i że ja ich traktować umiem, a z pannami nie miałam w życiu doświadczenia, więc mogę być obcesowa. Wybaczysz mi tedy?!

— Jasne, ciociu! Niech się ciocia nie przejmuje! — starałam się być zadowolona z tego, co mam, ale czasem płakałam po nocach z tęsknoty za mamą. Za bezpieczeństwem, które czułam zawsze w naszym domu. Za

zapachem mydła i lawendy w łazience, za gorącym mlekiem od naszej krowy, które wieczorem dostawałam do łóżka. Nawet, jak byłam już dorosłą
pannicą. Bo to mleko to był taki pretekst, by pogłaskać mnie po policzku,
przytulić, wysłuchać, jak coś miałam „na wątrobie". W Warszawie nikt mi
mleka nie przynosił…

Warszawa mnie przeraziła swoją wielkością. To już nie był Biskupiec ani
nawet Olsztyn. Dużo chodziłam pieszo i oglądałam. Wystarczyło jednak kilka miesięcy, żebym opanowała główne trasy, obyczaje, rozkład tramwajów.
Właściwie rzadko z nich korzystałam. Z Mokotowskiej na Obożną chodziłam pieszo.

Musiałam nagle stać się dorosła, samodzielna. Sama.
Na krótko.
U ciotki zobaczyłam w kuchni asystenta z uniwersytetu, z mojego wy-
działu! Był taki piękny, że nie wierzyłam własnym oczom, gdy tydzień

później podszedł do mnie na Krakowskim Przedmieściu i spytał o godzinę. Stałam i mrugałam powiekami jak idiotka. Wyglądał jak gruziński książę, tylko w szarym swetrze zamiast książęcych szat. Ujął moją dłoń i spojrzał na zegarek:

— Ach! Już czwarta! Pani w którą stronę? Zaraz, zaraz... pani mieszka u pani Foryś? Prawda? Przecież znamy się z widzenia!

— Ja... Nowym Światem idę... zawsze... i mieszkam u cioci — wyjąkałam nieskładnie.

Zaprosił mnie do jakiejś kawiarni po drodze. Piliśmy herbatę i jadłam pączka, wpatrzona w niego jak w obraz.

Staszek Goldbaum. Moja wielka miłość. Właściwie Staszek to było jego „polskie" imię, jak mi się przyznał. Dawid — było zbyt oczywiste, semickie. Skrywane. Wydało mi się piękne. Jak *Dawid* Michała Anioła. W Biskupcu matka Lilki pokazywała nam książkę z jego rzeźbami.

Mój Dawid! Najczarniejsze oczy świata, najjaśniejsza dusza! Niewysoki, drobny, ale pięknie zbudowany, o przenikliwym spojrzeniu, nostalgicznym uśmiechu, takim czułym i dobrym! Miał takie same zmarszczki w kącikach oczu jak mój tatko, gdy się uśmiechał. Cichy, dobry mój Dawid... Tylko gdy byliśmy razem, używałam jego prawdziwego imienia.

Pojęcia nie mam, jak to się stało, że zaliczałam kolejne kolokwia, że słuchałam wykładów, skoro najważniejszy był on. Fakt, uczyliśmy się jak szaleni. On przepytywał mnie z materiału, a ja, żeby nie wyjść na głupią i naiwną idiotkę, byłam pilna i radośnie przynosiłam mu piątki z kolejnych zaliczeń. Dla niego, jak zdobycz!

Miałam ten swój pokoik, wyznaczony mi przez ciotkę. Ślepą służbówkę w korytarzyku prowadzącym do kuchennego wejścia. Miejsce małe, ale niezależne i oddalone od pokoi innych studentów.

Dawid mieszkał z kolegą, w pokoju przed kuchnią. Kiedy tylko kolegi nie było, siedzieliśmy u nich, bo ich pokój był jaśniejszy. Z oknem. Poza biologią uczyłam się też poezji. Dawid recytował mi wiersze i kiedyś zaczął, siedząc blisko mnie, bez kartki, książki, tak z głowy:

— Powiedz mi, jak mnie kochasz.
— Powiem.
— Więc?

> *Kocham cię w słońcu. I przy blasku świec.*
> *Kocham cię w kapeluszu i w berecie.*
> *W wielkim wietrze na szosie, i na koncercie.*
> *W bzach i w brzozach, i w malinach, i w klonach.*
> *I gdy śpisz. I gdy pracujesz skupiona.*
>
> (słowa: K.I. GAŁCZYŃSKI)

A gdy powiedział cały wiersz do końca, zamilkł.

Moje serce trzepotało w środeczku zamknięte, oniemiałe z zachwytu. Kto tak pisze? On? Dla mnie?

— To... ty tak piszesz? — spytałam.

— Nie, mróweczko moja. To Kostek Gałczyński — Anioł Zakochanych. Nie znasz jego poezji?!

Zrobiło mi się przykro i głupio. A ja już myślałam, że Dawid tak właśnie postanowił mi powiedzieć, że też mnie kocha. Też, bo ja nocami śniłam tylko o nim. W głowie miałam jego oczy, tembr głosu, sposób, w jaki nachyla się, żeby mi wytłumaczyć działanie mitochondrium...

— Mitochondrium to taka elektrownia, mróweczko...

Teraz patrzył na mnie poważnie, wcale nie kpił, że nie znam tego... Gałczyńskiego, i powiedział:

— Nie umiem, mróweczko, tak mówić o miłości jak on, więc go zacytowałem. Ja cię tak kocham. Każdy twój kosmyk włosów i to, jak je poprawiasz, kocham te niecierpliwe minuty, które dzielą nas od spotkania, twoje paluszki zimne i wszystko, o czym mówisz — kocham.

Patrzył spokojny, bo widział w moich oczach, jak bardzo czekałam na to wyznanie. Dotknął moich palców, oczywiście lodowatych, bo moje krążenie stanęło w miejscu, serce przestało bić...

Potem dotknął mojej brody i się nachylił. Nasze nosy dotykały się jak u Eskimosów. Czułam jego ciepły oddech i bałam się, że słyszy, jak głośno już tłucze się moje serce, jak pulsuje krew. Nigdy dotąd nie całowałam się tak „na poważnie", tyle co z Jankiem... Teraz byłam z mężczyzną moich marzeń i właśnie on dotykał swoimi wargami moich... A później było coś dziwnego, poczułam jego język.

Kiedy w gimnazjum dziewczyny opowiadały, że tak to wygląda — nie wierzyłam. Jak można, myślałam, czerpać przyjemność z dotykania cudzego języka?!

Można. Można! Był delikatny. Chyba się domyślił, że całuję się pierwszy raz, bo zaraz objął mnie mocno i nawet gdybym zemdlała, leżałabym w jego pewnych ramionach. A ja bojąc się, że skończy za szybko, a przecież tak długo czekałam na tę chwilę, dotknęłam jego szyi i głaskałam go po włosach. Patrzył na mnie i uśmiechał się. Jego oczy się uśmiechały.

— Jeszcze — szepnęłam, i później: — Nie zostawisz mnie nigdy?

— Nigdy — skłamał.

Wyjechał rok później. Do rodziców do Izraela — oficjalnie...

Zanim to się stało, przeżyłam wszystko to, co się nazywa miłością. Każda sekunda nią była. Każdy oddech, wspólne smarowanie kanapek, czytanie i rozmawianie o cyklu rozwojowym mchów. Byliśmy nierozłączni.

Ciotka tylko raz powiedziała mi coś w rodzaju:

— Tylko mi tu wstydu nie narób! Pilnuj się i szanuj, bo ja za tobą chodzić nie będę ani do matki pisać! Sama dbaj o reputację!

— Ależ, ciociu, ja... — byłam czerwona jak burak i nie wiedziałam, co powiedzieć.

— Goldbaum jest z dobrej, przedwojennej rodziny i porządny jest. Znałam jego rodziców przed wojną. Ja tam wam dobrze życzę, ale uważaj!

Pierwszy raz w życiu nie chciało mi się wracać do domu na święta. Pękało mi serce, że zostawiam mojego księcia z bajki na Mokotowskiej.

W domu chciałam wszystko zrobić szybko, jakbym przez ten pośpiech przegoniła czas, jakby te święta mogły zlecieć szybciej.

— Dokąd cię tak gna?

Mama spokojnie ucierała mak w makutrze. Kaśka rozgarniała węgle w piecu chlebowym, bo piekłyśmy ciasta.

Cicho grało radio.

Na zewnątrz była zadymka. Niesamowita, taka jak w bajkach. Wiatr szalał, wzbijając w górę lekki śnieg i tworząc z niego małe leje, trąby powietrzno-śniegowe. I do tego ten świst! Z lasu dobiegał hałas rozkołysanych drzew. Nawet domu Bujnowskiej nie widać było przez tę zamieć. Gdy poszłam z Kaśką do obory i popatrzyłam wkoło, że nasz dom taki na odludziu, taki sam pośród pól, jak okręt na wzburzonym morzu, to aż mi się tak jakoś dziwnie zrobiło, jakbyśmy były same na świecie, a przecież gdzieś jest pokój z moim Dawidem! Jego biurko i książki, pasiasty kilimek na ścianie, i zielona wyliniała otomana. Poczułam nagły niepokój — a jeśli to tylko moja projekcja? Marzenie?

Może przez tę zadymkę już nigdy nic nie zobaczę? Warszawy, Dawida — nigdy? Pada i pada, a wietrzysko, wyjąc, rozrzuca śnieg na dachy, pola, zasypuje odśnieżone podwórko i szarpie nasze chustki i swetry.

Zaśniemy pod tym śniegiem jak niedźwiedzie i odnajdą nas dopiero wiosną...

Ale w kuchni, z mamą, poczułam się spokojna.

— Basiu? Śpisz? — szturchnęła mnie mama, bo nie odpowiedziałam na jej pytanie.

— Nie... Nie śpię, myślę... — rzeczywiście myślałam gorączkowo, co by tu mamie odpowiedzieć. Przecież nie powiem nic o moim chłopaku. Jakoś nie! Nie chciałam jeszcze. — Myślę o tym... mamo, co robi Wanda, Wiesiek — odpowiedziałam półprawdą.

— Wiesiek chyba w wojsku zacznie robić karierę. Wysyłają go tam do szkół, już zrobił jakieś kursy, a teraz ponoć ma studiować na jakiejś uczelni wojskowej, morskiej?

— Świetnie! — powiedziałam machinalnie, bo kompletnie mnie nie obchodziło, co zamierza Wiesiek. Za to myślałam, co robi teraz mój ciemnooki książę.

Pewnie leży w swoim pokoju, słucha radia i czyta. Tak! Na pewno czyta, mój intelektualista, naukowiec! Przypomniały mi się nasze pocałunki i aż westchnęłam głębiej z uśmiechem na twarzy, bo fala podniecenia, zachwytu, nie wiem, czego jeszcze — chlusnęła we mnie tu, w kuchni mamy. Co ja bym dała za jego ramiona! Za to, żeby zamiast w naszej ciepłej kuchni siedzieć z nim na wytartej otomanie ciotki i czuć go blisko, najbliżej. Jak mnie gładzi po twarzy, lekko gryzie w ucho i mruczy najczulsze słowa świata.

Pierwszy raz nie cieszyłam się ze świąt. Zastanowiłam się — czy to grzech?

Czy Bóg gniewa się na mnie, że zamiast z radosnym kwileniem miesić ciasto, wyjadać orzechy, tęsknię do zapachu Dawida, do jego oczu, rąk, słów.

„Nie będziesz miał…"

— Panie Boże — modliłam się wieczorem, klęcząc koło łóżka. — Przecież nie mam żadnego Boga przed Tobą, ale teraz mam taką chwilę w życiu, że kocham pierwszy raz tak bardzo, tak mocno! On jest Żydem, to prawda, ale i Chrystus nim był — no tak? Widzisz, jaki z niego dobry człowiek! Widzisz! Tak go kocham! Tęsknię. Przecież to dobrze tak kochać przeczystą, piękną miłością — prawda?

W radiu ktoś ślicznie grał na fortepianie. Ja — klęczałam w uniesieniu modlitewnym, patrząc przez okno w niebo, jakby w ten sposób moja strzelista modlitwa szybciej miała szanse dotrzeć do Pana Stworzenia.

Zamknęłam oczy i wyobraziłam sobie, poczułam Jego rękę na głowie, jak ciepłą rękę taty. Poczułam się dobrze i spokojnie. Jak po nabożeństwie. Pierwszy raz od dawna modliłam się głęboko i poważnie.

Hanka, Zbyszek — jej narzeczony, i Piotr spędzili z nami Wigilię. Było wesoło, jak zawsze. Tylko ten Zbyszek taki jakiś cichy i powściągliwy.

Przy stole w pewnej chwili Hanka spojrzała na mnie badawczo.

— Basiu? A ty coś taka poważna? Zakochałaś się?

Spurpurowiałam, ale stałam tyłem do wszystkich i gorliwie płukałam półmisek. W mojej obronie stanęła mama.

— Haniu, sama wiesz, jak to jest w mieście, obca, nauki dużo i pewnie nie dosypia, nie dojada. Patrz, jak ją wyciągnęło! Oj, dzieci! Muszę wam porządne wałówki przygotować!

— Nie potrzeba, mamo! Mamy wszystko!

— A tam! Wszystko! Zawsze to wieś żywiła miasto.

Piotrek pocałował mamę w rękę, nic nie mówiąc. Ma rację. I tak dostaniemy wałówkę!

Na Nowy Rok wróciłam szybko do Warszawy po Wigilii u mamy, kłamiąc wszystkim, że mam zaproszenie na bal sylwestrowy. O Dawidzie nie pisnęłam słowa. Zaproszenie miałam do pokoju mojego księcia, bo jego współlokator pojechał do rodziny na całą przerwę świąteczną. Koło północy zostałam kobietą. Właśnie strzelały w niebo zimne ognie, gdy straciłam dziewictwo, obsypana żarliwymi pocałunkami — jak gwiazdami. W ramionach mężczyzny, który kochał mnie czule i tkliwie. Z którym chciałam być już na całe życie.

Po jakichś marnych protestach zgorszonej ciotki kolega został przeniesiony do mojej służbówki, a ja przeniosłam się do Dawida. Współlokatorzy przyjęli to z pełnym zrozumieniem i dyskretnym milczeniem. Ciotka czasem groziła mi palcem, gdy mijała mnie na korytarzu, ale i ona wkrótce przestała.

W nocy budziłam się i sprawdzałam, czy to nie sen. Dotykałam mojego mężczyzny i otulałam się jego ramieniem. Budziłam się w jego objęciach. Nigdy inaczej. Rano oglądałam siebie w podrapanym, starym lustrze.

— Popatrz — mówiłam do niego. — Tak wygląda szczęśliwa kobieta.

— Widzę i jestem dumny! Kocham cię.

— I nie zostawisz mnie?

— Nie! — pewnie i dobitnie brzmiało to „NIE".

Zostawił mnie w sierpniu. Pokazał listy od rodziny, tłumaczył się krótko, zwięźle i miał oczy pełne łez.

— Muszę. Zwariuję tu sam, bez nich. Oni wszyscy tam na mnie czekają. Wszyscy! Urządzę się i przyjedziesz. Nie mów nikomu, błagam. Nie, nie w Izraelu, mróweczko. Moja rodzina odnalazła się i jest już w Szwajcarii. Napiszę zaraz, jak tylko przyjadę. Urządzę się i ty przyjedziesz. Pobierzemy się. Zobaczysz! Kocham cię, mróweczko. Musisz w to wierzyć! Kocham!

Nie pozwolił mi odprowadzić się na pociąg. Byłam chora z bólu. Przepłakałam tak cały sierpień i wrzesień. Bolał mnie brzuch, głowa, wszystko. Schodziłam do skrzynki na listy. Nagabywałam listonosza. Nic. Nic. Nic. Leżałam i gapiłam się w sufit.

Nie pojechałam do mamy, kłamiąc, że jestem na jakimś obozie.

Nie pojechałam na ślub Hanki, kłamiąc, że leżę chora na szkarlatynę.

Nie chciałam nikogo widzieć, z nikim rozmawiać.

Wydawało mi się, że obumieram.

Życie po raz drugi

Poranne wstawanie było katorgą. Zaraz, jak tylko się budziłam, do oczu napływały mi łzy. Chciałam umrzeć. Na uczelnię szłam, wlokąc się dosłownie po Mokotowskiej, Placu Trzech Krzyży, Nowiku. Nie patrzyłam na ludzi, na domy, na piękniejącą Warszawę. Patrzyłam w czarną dziurę, jak ziała mi zamiast serca. We wspomnienia. Zadawałam sobie w kółko pytanie: Dlaczego o mnie zapomniał? Co się stało? Takie odrzucenie?! Zapewne spotkał tam inne, ładniejsze, mądrzejsze. Pochłonęła go rodzina i pewnie wybiła z głowy sprowadzenie jakiejś marnej Poleczki… Czułam się podle. Zupełnie jakbym to ja zawiniła. Okazała się niegodna pamięci, miłości.

Jakbym przestała być, istnieć, jakbym się stała przezroczysta, nieistniejąca. Nieważna. Nieważna — to dobre słowo.

Moja pani doktor — biolog, sucha jak mrówka, w wielkich szkłach, opiekunka naszej grupy, z miejsca zauważyła, że coś jest ze mną nie tak.

— Dziecko! — powiedziała zdumiona, gdy zobaczyła mnie po wakacjach. — Proszę do mojego gabinetu, po zajęciach!

Opowiedziałam jej krótko o Dawidzie. O jego wyjeździe i oczywiście popłakałam się bezgłośnie. Lało mi się z oczu, nosa, serca… Już nie miałam sił płakać, żyć.

Słuchała mnie bez potępiania, komentarzy, których nie chciałam, tylko kiwając głową.

— Ja wiem, że cierpisz. Szczerze mówiąc, gdy cię zobaczyłam, sądziłam, że nie dojadasz albo chorujesz. Badałaś się ostatnio? Robiłaś prześwietlenie? Nie gorączkujesz? Nie kaszlesz? Dobrze. Życie toczy się dalej. Basiu! Jesteś zdolną studentką, powinnaś myśleć o tym, że życie dopiero przed tobą. Po pierwsze, praca. Dziecko! Praca cię nigdy nie zawiedzie, nie zdradzi. A praca badawcza wciąga i pozwala zapomnieć. Nie myślałaś o pracy badawczej? Przenieś się, otwiera się pracownia biochemiczna. Będziesz mogła brać udział w pionierskich pracach!

— Nnnie wiem… — to wszystko, co mogłam na ten temat powiedzieć.

— Dziecko… — zaczęła łagodnie. — Miłość pojawia się i ginie. Praca, mądrość pozostaje. Ucz się. Po to tu jesteś. Byłam w podobnej sytuacji. Wiesz? On był Ormianinem, spod Bochni. Kochaliśmy się strasznie. Razem do ostatnich jego dni w Oświęcimiu. Miałam żal do Boga, że ja żyję, a jego zastrzelili na moich oczach… Pół roku później poznałam mojego obecnego męża. Pół roku! Sądziłam, że będę sama do śmierci. Nowa miłość w takiej sytuacji nie oznacza zdrady. Życie samo wypełnia pustkę. Pozwól mu na to. Zapomnij. Żyj na nowo.

To była prorocza rozmowa.

Skupiłam się wyłącznie na nauce. Proste wyjście. Nauki było mnóstwo, a praca w laboratorium fascynowała mnie.

Za namową koleżanki wysłałam kilka listów do Czerwonego Krzyża. Dostałam odpowiedź odmowną. Nie, nie znaleziono takiego adresata w Izraelu. Nie, nie znaleziono takiego adresata w Szwajcarii… Nie. Nie. Nie.

Nie było już jak szukać. Należało uwierzyć, że mnie po prostu zostawił, że nie byłam aż taka ważna? To chyba gorsze od informacji, że zginął. Czułam się nieważna, odrzucona, oszukana. Przezroczysta. Jakbym nie istniała. Chowałam się w laboratorium, w bibliotece. W nauce.

I chyba jakoś tak na początku czwartego roku natknęłam się na Malinę. Siedziała w korytarzu przy stoliku i prowadziła zapisy studentów z pierwszego roku do ZMS-u.

Niepotrzebnie podeszłam do niej.

— Malina? Cześć! Poznajesz? Jechałyśmy razem autobusem kilka lat temu, ja z Pasymia, ty z Makowa — prawda? Czytałaś *Małego księcia*.

— Ciiiiiii — syknęła tak, jakbym powiedziała coś złego. — Może zapiszesz się naszej organizacji? — zapytała głośno, teatralnie.

— O co ci chodzi? — nachyliłam się nad nią.

— Zastąp mnie! — krzyknęła do chłopaka stojącego opodal i wzięła mnie pod rękę.

— Malina, ty w ZMS-ie? Czemu?

Popatrzyła na mnie zdziwiona.

— A ty nie? Zaraz, zaraz, jak ci na imię, bo mi umknęło?

— Baśka.

Mój entuzjazm spowodowany spotkaniem przysiadł. Widziałam przed sobą nerwową, rozedrganą dziewczynę, która nie miała już w sobie nic wspólnego z tamtą intelektualistką z autobusu.

— Nosisz okulary? — próbowałam zagadnąć z innej beczki.

— To? Taka sztuczka — rozejrzała się dookoła, jakby sprawdzając, czy ktoś nas słyszy. — To zerówki. Szkiełka — szepnęła. — Wyglądam w nich poważniej. No? Powiedz?

Roześmiała się głośno i zdjęła okulary. Popatrzyła na mnie badawczo.

— Naturalnie, jesteś w organizacji? Nie przepisałabyś się do mojego kółka? Morowa jesteś.

— Jaka?

— No, równa, potrzebujemy takich jak ty! Miałabyś lepsze perspektywy.

— Nie jestem członkinią waszej organizacji. Nie mam na to czasu, głowy...

Chciałam opowiedzieć jej o moim nieszczęściu, badaniach naukowych, które wymagały ślęczenia w bibliotekach i czytelniach, o poszukiwaniu Staszka, o rozdartym sercu, ale Malina przerwała mi zdumiona:

— Jak to „nie jestem...?" Kto nie z nami, ten przeciw nam! Nie rozumiem cię? Jak ci? Ano tak. Baśka. Przepraszam, mam z tyloma ludźmi do czynienia! No to jak ty zamierzasz żyć bez organizacji?

— Jak to „przeciw nam?" — zdziwiłam się. — Ja nie jestem przeciw nikomu, ja prowadzę prace badawcze...

— Ty jesteś... mamutem! — roześmiała się. — Nic nie rozumiesz! Bez organizacji masz zamkniętą drogę do kariery! Dziwaczka!

Malina popatrzyła na mnie tak, jakbym już nie istniała. Rozejrzała się, włożyła okulary i powiedział obco i chłodno:

— Cześć!... I dobrze ci radzę, zapisz się, jak chcesz być z ogółem. W jedności siła! — krzyknęła, odchodząc szybkim krokiem.

Stałam zdumiona, zaskoczona.

Owszem naciskano na mnie, żebym wstąpiła, czytałam ulotki, broszury i te wszystkie „W jedności siła", ale jakoś nie miałam przekonania, czasu i czułam, że ojciec byłby przeciw. Coś było nieszczerego w tej namolnej agitacji, emfazie, okrzykach, co mnie odrzucało. Patrzyłam za odchodzącą Maliną zamienioną w trybik organizacyjny, a przecież tak mądrze objaśniała mi *Małego księcia*...

Widywałam ją później na wiecach, pochodach. Głośną i pewną siebie. Daleką, sztuczną.

Pięła się po szczeblach kariery politycznej z zadziwiającą sprawnością, co widać było po tym, że w pochodzie pierwszomajowym szła w pierwszym rzędzie pod rękę z sekretarzem POP i Benkiem z rady uczelnianej. Kariery rzeczywiście nie zrobiłam. Ale nie dlatego, że nie byłam w ZMS-ie. Byłam w ciąży.

Jakoś w połowie czwartego roku właśnie, w moim życiu pojawił się przyjaciel, opiekun, dobry duch. Gdy mi się przedstawił na jakiejś studenckiej bibce, czy to były andrzejki czy zabawa karnawałowa — nie pamiętam, zadrżałam:

— Mam na imię Stanisław, a ty?

— Basia...

Podobno tak go rozczuliłam wyrazem twarzy, i tą Basią, nie Barbarą, Baśką, a Basią właśnie, że ponoć zakochał się od razu. Na szczęście milczał.

Polubiliśmy się, bo nie był namolny. Nie podrywał. Po prostu — był.

Stanisław — wysoki szatyn, znacznie ode mnie starszy. Wtedy był jeszcze wykładowcą, a zaraz później urzędnikiem w „Metalexporcie". Szare oczy, wciąż opadająca na czoło grzywka i charakterystyczny gest, jakim ją odgarniał. Był dojrzały, poważny, dyskretny i zawsze w garniturze.

Spotykaliśmy się rzadko, więc nie zamęczał mnie obecnością. Żadnych wierszy, żadnych maślanych oczu. Serdeczna przyjaźń i troska. O mnie oczywiście. Czy mi ciepło, czy jadłam już, czy zaliczyłam, czy pisałam do domu. Mieszkał samotnie, kątem u jakichś ludzi, a całą rodzinę stracił podczas wojny. Miał tylko koleżankę Annę.

— To tylko koleżanka, Basiu. To siostra mojej Inki, która zginęła w Powstaniu. Żyjemy od zawsze w przyjaźni tylko! Myśmy razem przeszli piekło Powstania. Anna była sanitariuszką, a ja nawet szczególnie nie oberwałem... Za to ona przeżyła gehennę w szpitalu polowym.

Tak powoli weszłam w życie Stanisława. Nigdy nie mówiłam do niego

„Stasiu". Może dlatego, że nie był typem urokliwego, miękkiego chłopca. Raczej poważny, czasem wręcz kostyczny realista. Miły, ale „Staś" ewidentnie do niego nie pasował. „Stanisław" — bardziej. Traktował mnie jak rozkapryszone i zagubione dziecko. Bawiło mnie to i było mi przyjemnie. Czasem patrzył na mnie, gdy tonęłam w myślach o tym, jaka jestem nieszczęśliwa, i mówił:

— O czym tak rozmyślasz? Życie jest przed tobą!

Starałam się rozchmurzyć, uśmiechnąć.

Czasem się złościłam, samotnie rozpamiętując ból. Zazwyczaj gdy odwiedzałam miejsca randek z moim Goldbaumem. Skarpa, park na cytadeli. Tam puszczał mi latawce… Najpierw byłam rozżalona, a później złościłam się, rozmawiając z moim Wielkim Nieobecnym, siedząc na „naszej" ławce:

— Dawid, jak mogłeś? Jesteś oszustem! A ja tu rozpaczam! Głupia! Głupia! Uwierzyłam ci! Mam to gdzieś! Nie będę czekać na ciebie, skoro nawet napisać nie chcesz! Łobuz jesteś, a nie żaden romantyk! Zostawiłeś mnie!

Sądziłam, że to pomoże. Nie pomagało.

Wanda z Gdańska napisała mi tak:

Kochana Basiu!

Czytam Twój list i widzę wyraźnie, że nie pozwalasz odejść wspomnieniom. Tak nie można! Życie się toczy, po drodze rozdeptując to, co nieudane, niepewne, złe. Ta miłość nie przetrwała. Umarła i czas sprawić jej pogrzeb.

Pamiętasz tego Mirka, co się za nami włóczył i niby tak cię kochał? Tego, co mieszkał koło ośrodka zdrowia. Dorota Weissówna widziała go w Szczytnie z naondulowaną żoną i bliźniakami. Szybko się pocieszył! Mądrze! Jak długo zamierzasz zamiatać pył po tym twoim Goldbaumie? Zapomnij o nim!

U mnie żadnych zmian. Chodzę z Brunonem i mówią o nas „stare, dobre małżeństwo", bo my tacy zgodni. Basiu, w tajemnicy Ci powiem, że my jeszcze nic!

Ja jakaś niewyrywna jestem do łóżka (Ty wiesz dlaczego), a on nieśmiały. Chyba go kocham i chcemy się pobrać.

Zamieszkam jak mieszczka, w pokoju z kuchnią i urodzę mu dziecko. Czy to źle? To dobry chłopak! Może pomyśl racjonalnie? Romantyzm się przeżył. Dużo jest zapewne w Warszawie ładnych chłopców. Rozejrzyj się!

Uśmiechnij! Szczęście przed Tobą!… Wanda

W tym tonie już od dawna próbowała mnie ratować. Wandzia! Chodzi z jakimś nie do końca kochanym Brunonem i myśli, że to miłość! Nie śmiem burzyć jej świata, ale zapędzi się w kozi róg! Ja wiem, że ona po tym ostrym przeżyciu z Albinem po prostu się boi.

Stanisław, mój nowy, szarooki duch-opiekun komentował to tak:

— Basiu. Ta twoja koleżanka to pragmatyczka, a to nie jest złe. Pragmatyzm to coś stałego. Romantyzm to niepewny ląd!

Czasami myślałam ze strachem, że Stanisław mnie kocha, a ja nie odwzajemnię jego uczuć za nic w świecie i nigdy. Kiedyś powiedziałam mu:

— Stanisław, ale ty nie bierz mnie tak poważnie!

— Poważnie? Ja cię biorę taką, jaka jesteś, Basiu — odpowiedział na to lekko, ze śmiechem i pozostawił mnie bez pewności: kocha się we mnie poważnie czy tylko przyjaźni?

Z czasem zauważyłam, że przejął moje stery. Zaczął decydować o wszystkim, a mnie było to na rękę.

— Jutro idziemy do kina! — zapowiadał i szliśmy.

— Włóż tę sukienkę, ładnie ci!

I ja wkładałam.

— Kładź się do łóżka, kaszlesz, musisz brać aspirynę!

I ja posłusznie kładłam się i chorowałam.

To właśnie podczas tego zapalenia oskrzeli, kiedy przyjechał ze swoją koleżanką, wielką i dość męską Anną, poznałam historię jego i tej Inki. Anna postawiła mi bańki i poszła.

— Kto to? — spytałam Stanisława.

— Anna? Siostra mojej... Mojej Inki. Mówiłem ci przecież. Inka zginęła podczas wojny w czterdziestym piątym. Mieszkały na naszym podwórku. Inka dorastała na moich oczach. Dziewczątko. Była śliczna! Kochałem ją. Byłem jej Stasiem, ona moją Nel. Ineczka zginęła, a jej siostra, znacznie starsza — Anna żyje. Przyjaźnimy się. To było dawno... Później, po Ince, były jakieś nieważne związki, miłostki. Jakoś nie osiadłem przy żadnej kobiecie.

— Rozumiem. Ja też miałam swojego Dawida i byłam jego mróweczką. Zresztą wiesz.

— Wiem i rozumiem! Widzisz? Chyba mamy, Basiu, jakiś wspólny mianownik, oboje kogoś ważnego straciliśmy, ale żyć trzeba dalej!

Gadał tak i gadał, i zrobiło mi się miło, że mam takiego opiekuna, rycerza przy sobie. Co prawda, to rycerz jakiejś Inki, ale mnie się dostał, bo Inkę zabrała wojna. A ja? Mnie porzucił mój wielbiciel poezji, to niech tam! Co mi zostało?

Odżyłam.

Zaczęłam dbać o siebie. Zresztą pojawiło się więcej sklepów, poradniki mody i w prasie kobiecej zdjęcia ładnie ubranych pań. Kupowałam czasem „Kobietę i życie". Z rzadka „Urodę".

Lubiłam z koleżankami wypady na ciuchy, aż pod Dworzec Wschodni, na Skaryszewską, tam przyjeżdżały pańcie z ładnymi szmatkami, z amerykańskich paczek. Bardzo to było ekscytujące pojechać tam, kupić coś, wytargować, upolować, w domu przerobić, doszyć gumkę, koronkę — i już był ciuszek, jak u najlepszych artystek!

W kinie, przed filmami, pokazywano Polską Kronikę Filmową, a tam czasem nasze aktorki — jak ubrane! Szaflarska, Janowska, Śląska!

Przy nich nie czułam się gorsza.

Mama nauczyła mnie szyć i mając tę umiejętność, potrafiłam znakomicie dostosować się do ogólnie panującej mody. Przerabiałam, doszywałam, zwężałam i robiłam zaszewki. U ciotki za szafą stała piękna maszyna do szycia „Singer" — taka sama, jakiej używała mama.

Na ciuchach właśnie kupiłam sobie śliczną szmizjerkę — granatową w wielkie róże. Magda, koleżanka ode mnie z grupy, zrobiła mi makramą szeroki pasek — z czerwonego sznurka. Stare czółenka pomalowałam na czerwono farbką do skór Wilbra. Byłam bardzo modna!

— O, na życie ci poszło! — gwizdnął na mój widok Stanisław, gdy pojawiłam się przed kinem w tej kreacji. I nachylając się do mojego ucha, szepnął. — Jesteś taka śliczna, Basiu.

Gdy wyjechał w jakąś delegację na tydzień, ze zdumieniem stwierdziłam, że… tęsknię za nim. Brak mi go. Może jednak się zakochałam?

Mamo, zrozum!

W reszcie pojechałam do domu na wakacje porozmawiać z mamą poważnie.

Kaśka patrzyła na mnie długo, zanim się przytuliła.

— Basia… — powiedziała cicho.

— Kasiu! Cześć, Kasiu! Daj buziaczka! — cieszyłam się, że w końcu mnie poznała.

— Córeńko! Tyle czasu! — to mama, z oczami jak zawsze pełnymi troski i miłości. Uroniła łzę, głaszcząc mnie po głowie, gdy już siedziałam w kuchni.

— Zamartwiałam się, Basiu, co się stało? Naprawdę aż tyle masz zajęć czy wieś cię mierzi? — próbowała się dopytać, a ja odpowiadałam zdawkowo. Nie byłam jeszcze gotowa na spowiedź.

Poszłam sama na spacer. To była kolejna zima. Przerwa świąteczna. Śnieg, nastrój wyczekiwania, prac domowych, radości. Przyjadą, jak co roku, Hanka, Zbyszek i Piotr, będziemy razem. Mama tak za nami tęskni! A za mną — szczególnie. Czuję to! Czuję, jak mnie kocha, jak wyczuwa podskórnie, że mam „mola", co mnie gryzie. Jest cierpliwa. Wie, że w końcu przyjdę na „spowiedź". Moja kochana!

Na drzewach szadź, na jeziorze lód. Cisza taka zimowa, senna. Idę sobie i rozmyślam. Co mam robić? Zastanawiałam się już tyle czasu! Szkoda, że Wandy nie ma. Wyprowadziła się z Pruszcza do Gdyni. Piszemy do siebie.

Mam być ze Stanisławem? Z tym moim pękniętym sercem? I czy ja kocham go, czy wciąż żyję wspomnieniem o Dawidzie? Czy to, że tęsknię za Staszkiem, że lubię jego obecność, troskę, to… miłość? Czy ja jeszcze umiem, potrafię kochać?!

Kilka razy się całowaliśmy. Nic nie czułam. Może to tak na razie? Owszem lubię, jak mnie głaszcze po karku, gdy się uczę, jak trzyma za rękę na spacerach. Nawet te pocałunki lubię. Chyba.

Czy to uczciwe? Co by mama na to powiedziała? Muszę z nią porozmawiać, bo sama zwariuję. Wygodnie jest mieć obok siebie kogoś, kto zarządza, decyduje, troszczy się. Ale czy ja go wystarczająco… kocham? A może pokocham później, z czasem? Poważny, stateczny, a nie — romantyk i obiecywacz. O wiele starszy? I dobrze! No, nie bez znaczenia jest to, że się nieźle zakotwiczył w życiu. Ma dobrą posadę, za chwilę ma dostać mieszkanko. Miałabym możliwość urządzenia się w Warszawie na stałe. Właściwie już mam tę możliwość. Muszę tylko powiedzieć „tak".

Przyjechałam do domu na święta późno, przybyło też moje rodzeństwo i raźno wzięliśmy się do prac, sprzątania, trzepania, pitraszenia. Były żarty, spotkania ze znajomymi. Wypady do lasu i ognisko nad jeziorem.

Dopiero po ich wyjeździe byłam w stanie porozmawiać z mamą poważnie.

— Dzieciaczku, czy tobie nic nie dolega? — spytała mama tuż po powrocie ze stacji. Wróciłyśmy właśnie z odprowadzania Hani i Piotrusia na pociąg. Kaśka poszła do kurnika zobaczyć, czy wszystko w porządku, bo była to pora wieczornego podsypania, pojenia. Mama zdjęła jesionkę i usiadła na szlabanku, by zdjąć buty.

— Basiu? — ponagliła mnie. — Przecież widzę, że coś ci jest...

— Oj, mamo. Dużo by mówić.

— Jak nie chcesz, nie zmuszam cię.

— Chcę, tylko tak mi trudno.

— Zaczekaj, zrobię herbatki, usiądziemy.

Zaczęłam zwyczajnie.

— Mamo, ja nie byłam tak długo, bo zaczęłam w Warszawie te studia i wiesz, daleko jest i ten dojazd... — zamilkłam

— Basiu? Ty jesteś nieszczęśliwa? — spytała mama.

Wtedy wsadziłam nos w jej fartuch, bo stanęła obok mnie, blisko, a ona pogładziła mnie po włosach, przytuliła — jak zawsze. Rozpłakałam się mocno, głęboko i spazmatycznie. Urywanymi zdaniami próbowałam wszystko jej wytłumaczyć, a ona — cokolwiek z tego zrozumieć. W końcu zrobiła coś całkiem wariackiego, postawiła przede mną kieliszek smorodinówki, ukochanej nalewki ojca.

— Łyknij i uspokój się.

Połknęłam słodką, aromatyczną nalewkę tatki. Mocna! Pierwszy raz piłam mocny alkohol z rąk mamy! Nabrałam powietrza i opowiedziałam jej wszystko jeszcze raz, spokojnie. Od początku.

Kaśka przyszła z dworu i dosiadła się, kręcąc głową. Rozumiała tylko tyle, że mi jest źle. Patrzyła na mnie, na mamę i słuchała.

— I... ten Stanisław, mamo, jest taki opiekuńczy i chyba nie da mi zrobić krzywdy — zakończyłam.

— Pytasz mnie, czy to uczciwe? — mama wnikliwie wyciągnęła wniosek.

— No. Bo ja nie kocham go jak tamtego, i nigdy nikogo tak nie pokocham!

— A ten... Stanisław, wie o tym Goldbaumie?

— Wie. On jest w podobnej sytuacji. Też kochał... Takieśmy dwa rozbitki, mamo.

— Basiu, mnie się wydaje, że to nie tak. Że wy coś na siłę robicie. To, że ty cierpisz i wspominasz zanadto tamtego, i on, ten Stanisław, za bardzo wspomina tę swoją Inkę. Dajcie zmarłym odejść!

— Dawid nie umarł! Wyjechał, zostawił mnie!

— To dla ciebie — jakby umarł! Basiu, ocknij się! Cierpicie razem, ty i ten twój pan Stanisław, ale to nie znaczy, że was coś łączy! No, może źle go oceniam, może i on cię kocha, ale ty? To miraż. Być z kimś to odpowiedzialność, ale też miłość. Ją trzeba rozpoznać. Wiesz, co to takiego, bo już kochałaś, jak mówisz. Poczekaj. Nic nagle. Zakochasz się, przyjdzie twój czas! Twoje serce wydaje ci się zamknięte, bo cierpi. Kiedy łzy wypłyną, zabliźni się ta rana w tobie, wówczas otworzy się twoje serduszko, dziecko. Poczekaj jeszcze!

— Mamo, zrozum! Ja nie mogę być sama! Tak mi jest łatwiej, weselej! Jesteśmy już dość ze sobą. Tęsknię, jak wyjeżdża, lubię, jak jest. Może to miłość, tylko inna?

Próbowałam sama siebie przekonać.

— Zrobisz, Basiu, jak uważasz. Pocałuję cię, dzieciaczku, bo tyle mogę. Nie przeżyję życia za ciebie. Bólu ci nie zabiorę. Ja wyszłam za twojego ojca z wielkiej miłości i kocham go do dziś we wspomnieniach. Bądź mądra, córeńko!

Nie wierzyłam jej. Nie zabliźni się moje serce. Łzy wszystkie nie wypłyną. Nigdy już nie pokocham. Więc po co żyć samej? Stanisław czeka...

Właśnie z takiej przyczyny, z takiego powodu się pobraliśmy. W Urzędzie Stanu Cywilnego na Nowym Świecie, w czwartek. Żadne z nas nie chciało już żyć samo. W wianie wnieśliśmy sobie nawzajem swoje pęknięte serca i szczerą radość, że już nie czujemy dojmującej samotności.

Znów odżyłam. Na chwilę.

Pod koniec studiów urodziłam dziecko.

Ciąża mnie przeraziła, ale i zaintrygowała. Z pracy badawczej nici. Za to jest to coś, dziecko, które sprawi, że zarzucę kotwicę. Jakiś stały ląd. I tak też się stało.

To był ciężki, długi poród kleszczowy na Madalińskiego. Brzydkie, sino-czerwone dziecko pokazano mi na chwilę.

— Córka! — powiedział lekarz zmęczony i oddał to „coś" pielęgniar-kom.

Przespałam dwanaście godzin. Gorączka trwająca prawie tydzień, proble-my z pokarmem, pomoc Anny. Byłam obolała, nie mogłam karmić, z czego się najpierw bardzo ucieszyłam, ale na krótko, bo pokarm zaległ w piersiach i miałam stan zapalny. Bolało okropnie!

Stara pielęgniarka, bezduszna i kostyczna, przychodziła odciągać mi po-karm. Wyłam z bólu. Gorączkowałam. Byłam załamana. Nie bardzo rozu-miałam, co się ze mną dzieje, nie chciałam rozmawiać nawet z mamą, która przyjechała, okładała mi piersi gorącym termoforem, masowała i jakoś ulży-ło, ale wciąż czułam się nieszczęśliwa, przerażona tym, że nie czuję w sobie świętej aury macierzyństwa.

Na córeczkę, Małgosię (tak zadecydował Stanisław), patrzyłam zasko-czona, bez entuzjazmu. Karmiłam ją butlą — jak kazały pielęgniarki. Potem ją zabierano.

Opieka nad niemowlęciem nie szła mi. Małgosia płakała, a ja nie rozu-miałam, co mam robić, i złościłam się, płakałam razem z nią.

Początkowo mieszkałam nadal u ciotki. Przydział mieszkania się ciągnął. Stanisław złożył podanie o kawalerkę, a tu trzeba większe, bo jest nas troje. Wtedy bardzo pomogła mi ciotka, bo pozwoliła na dziecko w swoim domu. Pomogła też Anna, która wpadała często, i… studenci mieszkający u cioci. Fantastycznie im szło zajmowanie się Gosią, podczas gdy ja robiłam, co mogłam, żeby szybko obronić pracę. W futrynie drzwi wywiercili otwory, zamontowali linki i zrobili jej maleńki hamaczek z kilimka. Bujali ją na zmianę.

Po kilku miesiącach Stanisławowi udało się wynająć małe mieszkanie. Znaleźliśmy niańkę Pelagię, ale ona zajmowała się Gosią tylko pół roku, bo sama zaszła w ciążę. Stanisław zaczął coraz częściej wyjeżdżać w delegacje.

Ja kończyłam studia, szykowałam się do obrony — a tymczasem ciągle roniłam potajemnie łzy za moim żydowskim kochankiem, który jednak nie napisał, choć ja wciąż czekałam i miałam nadzieję, że przyjdzie list od niego, w którym opowie mi o jakichś traumatyczno-dramatycznych przygodach i wreszcie zaprosi do wspólnego życia…

Naiwna idiotka. Nie pisze od czterech lat, to i nie napisze. Na co ja liczę?! Na cud? Że jak w *Krzyżakach*, pojawi się nie wiadomo skąd, zarzuci mi w ostatniej chwili białą chustę na głowę i krzyknie: „Moja ci ona jest! Moja!". Ależ ja jestem głupia. Głupia! Postanowiłam wyrzucić już Goldbauma z duszy, co jednak okazało się nie takie proste. To mój pierwszy mężczyzna. Ślicznooki. Tęskniłam za nim. Czy za złudą? Wyidealizowanym księciem?

Trochę zajęło mnie, obudziło na jakiś czas, urządzanie otrzymanego nareszcie mieszkania. Już nie wynajmowana klitka, a nasze własne! Dwa pokoje, więc Gosia miała swój, w którym kolejna niańka rozkładała łóżko polowe na noc.

Kiedy dostałam dyplom, zgłupiałam. Teraz naprawdę wszystko się zmieni, bez zaliczeń, zajęć… Sama w domu z Gosią?! Nie, nie mogę. Zwariuję! Chcę do pracy!

Stanisław — mój mąż zapracowany, poważny urzędnik, w garniturze, z teczką i delegacjami, nawet zagranicznymi, zgodził się z łaski. Nowa niania — Halinka — zajmie się Gosią, a później też pojawi się przedszkole. Ja znalazłam pracę w szkole i nawet to polubiłam.

Mieszkaliśmy na Żoliborzu, na Żeromskiego, ale krótko, bo zaraz zamieniliśmy na drugie, przy placu Inwalidów, ładne, wielkie — trzypokojowe. Pojawił się samochód — opel kapitan jedyny taki zagraniczniak na naszej uliczce! Stanisław odkupił go od jednego z wiceministrów, z którym grywał w brydża. (Przypominał mi Adolfa Dymszę, gdy podnosił brew do góry, licytując „trzy bez atu"). Ten jego opel służył nam długo i wiernie. Za nim pojawiła się lodówka Mińsk, pralka Frania.

Jestem przedstawicielką nowej kasty mieszczan. Jestem dobrze sytuowana. Awans społeczny! Stanisława przeniesiono do ministerstwa. Jestem modelową żoną urzędnika ministerialnego! W klipsach i czółenkach z zagranicy. Kolejna mimikra.

Jedziemy wreszcie do mamy jako szczęśliwa rodzina i tam… kompletna klapa! Między Stanisławem i mamą „nie iskrzy". Jest poprawnie, ale sztucznie. Wyjeżdżamy szybko, pod lada pretekstem.

— Wybacz, kochanie — tłumaczy mi Stanisław już w samochodzie — ale ja zupełnie nie znam wsi. Te zapachy, ta zwyczajność…

— Rozumiem — mówię i odwracam głowę do okna. Mam ciemne okulary, chustkę z milanowskiego jedwabiu na głowie, zawiązaną z tyłu. Gosia śpi z tyłu, na siedzeniu z węgierską lalką. Tacy jesteśmy nowocześni, grzeczni, czyści, jak w filmie Polańskiego *Nóż w wodzie*, nawet Stanisław trochę podobny do Niemczyka…

Jestem zimna, spokojna, roztropna. Modna i elegancka! Mam czas na fryzjera, maluję paznokcie i czytam modne powieści. Saganką się upajam. Dygat męczy mnie *Jeziorem Bodeńskim*, ale lubię go. Prowadzę dom, nienagannie przygotowuję przyjęcia dla naszych gości — koreczki z żółtego sera, nienagannie wychowuję Gosię, cała jestem nienaganna i tylko Anna mnie nie lubi…

Pracuję w szkole chętnie. Stanisława to cieszy, bo: „Wcale nie musisz, ale skoro chcesz…". Jestem urocza, miła, dowcipna, lubi mnie towarzystwo męża z ministerstwa, bo robię pyszne te koreczki i flaki na sylwestra.

Z poczucia obowiązku i pod naciskiem dyrekcji zapisałam się do partii, no i jako żona Stanisława właściwie musiałam. Tak, oczywiście! W jedności siła! Oczywiście! Na zebraniach zdycham z nudów i rysuję rysunki konferencyjne na marginesie pustych notatek. Nic mnie nie interesuje, a już najmniej te ich agitacje i okrzyki, nudne narady. Mimikra.

Chodzę z Gosią do parku na cytadeli. Puszczam latawce, jak to robił mój Goldbaum, i opłakuję nasze niegdysiejsze ścieżki. Gosia biega za latawcem, rozmawia z jakimiś dziadkami, ja wycieram łzy. Już chyba nawet nie po moim żydowskim kochanku. Po miłości w ogóle.

Jestem pusta, czcza. Mąż, owszem, jest urokliwy przy gościach, poprawny w domu. Zapracowany, dobrze wychowany, nieczuły, pragmatyczny, nieraz wręcz oschły. Jego ulubione powiedzonko: „Nie bądź dzieckiem!" — zawsze, gdy mnie bierze na szczerość, gdy mówię, że jestem samotna, nieporadna, że mnie „melancholia żre".

— Basiu, dajże spokój z tym ekshibicjonizmem! Jutro przyjdą Wierzbiccy na brydża. Przygotuj coś ładnie!

— Mam zebranie rodziców.

— Mówiłem? Po co ci ta praca? Dobrze, niech Halinka coś przygotuje, ale ty wracaj jak najszybciej!

Halinka przychodzi już nie tylko do Gosi, ale do wszystkiego. Tak zarządził Stanisław. Wydaje Halince polecenia i omawia z nią menu na spotkania towarzyskie.

Wydaje mi się, że za często się do siebie uśmiechają. Halinka zrobiła się taka „miastowa". Z wiejskiej panny już nic nie zostało. Obcięła warkocz, zrobiła ondulację, nosi pantofle na obcasie. Ładne! Na pytanie, skąd je ma (raczej chodziło mi o sklep), rumieni się i zerka na mojego męża... Jakoś kompletnie mnie to nie interesuje. Może i coś jest między nimi... Ale przecież ona mówi „włanczać", „nogie", „renkie" i „coś pan!". Nie ma pojęcia, kim był Modigliani, ma tylko podstawówkę za sobą... ale skoro mu odpowiada? Dobrze. Nie chcę wiedzieć. Nie interesuje mnie to.

Nawet chyba jest mi na rękę, bo rzadziej się zmuszam do współżycia.

W łóżku taka rutyna, że dokładnie znam krok po kroku każdy gest mojego męża i niechętnie poddaję się tym idiotycznym karesom. Chłód w dzień, a w nocy nagła łaskawość? Odwracam się do ściany. Boże mój! Już tak do końca życia?!

Halinka dba o dom, a ja mam wyglądać i pachnieć, bo on może zawsze z kimś wpaść „omówić ważne sprawy" i nie może się wstydzić domu, żony.

Mamo! Jak zareagowałabyś, gdybym ci opowiedziała o tym, jak żyję?

Mamo, jak daleko jesteśmy od siebie, ja i mój mąż...

Mamo! Miałaś rację, bez miłości się nie da. To pułapka. Znów czuję, jakbym umarła...

Skrótem przez kolejną klęskę

Właśnie wtedy, we wrześniu, w naszej szkole pojawił się Andrzej. W moje życie wszedł w listopadzie. Żonaty. Dwóch synów w wieku Gosi. Żona — tleniony wamp z kolorowymi klipsami z plastiku. On wysoki, krótko ostrzyżony, na jeża. Zbudowany jak gladiator — pięknie. Zamyślony, milczący.

Z rzadka, ale coraz częściej rozmawiamy. On odwozi mnie czasem do domu. Coraz dłużej siedzę w jego syrence 103. Jesteśmy już naprawdę sobą oczarowani.

Nagle szaleństwo. „Dlaczego poznaliśmy się dopiero teraz?!", „Gdzie byłeś dotąd?", „A ty?". Eksplozja miłości i pożądania. Zupełnie tak, jakbyśmy nie wiedzieli, co to jest. Jak dwa głodne zwierzaki.

Dałam się zaprosić na kawę. Skończyliśmy lekcje wcześnie tego dnia.

— Chodź! Żona w Ciechanowie, a później i tak jedzie do teściów, chłopcy w szkole. Chodź! Mam Marago i skondensowane, słodzone mleko.

Później pijaliśmy często tę kawę u niego i rozmawialiśmy tak, jakbyśmy byli z jednego kawałka ciasta.

Jakże inna rozmowa niż moje domowe ple-ple! Jaki inny klimat, zbieżne spojrzenia na wiele spraw. Nagle zaczęłam się śmiać, zachciało mi się żartów i uczucia bliskości, o którym już dawno zapomniałam.

To była, jak pamiętam, ledwie trzecia moja wizyta u niego. Stałam przy oknie, patrzyłam na gruby, ładny materiał zasłon, gdy Andrzej dotknął niechcący mojej dłoni. Popatrzyliśmy na siebie spłoszeni. On patrzył. Miał w oczach całą swoją tęsknotę za ciepłem, za miłością, za mną… Przyciągnął mnie do siebie i pocałował tak, jakby otwierał kluczem zatrzaśniętą bramę. Poczułam, jakby dotarł do mnie pierwszy promień słońca po sybirskiej, długiej zimie, jakby ktoś zdjął kamień z mojego serca, otworzył okno mojej duszy. Poczułam, że znów żyję i chcę kochać.

Moje ciało zmiękło, poddało się. Oboje czuliśmy głębokie wzruszenie i jestem pewna, że ani on, ani ja nie czuliśmy od dawna nic takiego.

Owszem, kochałam się z Dawidem, ale tamten seks był dziewiczy, romantyczny, nie taki zmysłowy. Ja wtedy bardziej robiłam to z radością, że w ogóle się kocham, ale dopiero z Andrzejem, u niego na tapczanie, pierwszy raz czułam, że nadchodzi jakaś wielka fala, że każdy jego ruch powoduje taką rozkosz, takie uniesienie, jakiego jeszcze dotąd nie znałam. Moje pożycie z mężem Stanisławem było… pożyciem… Rutynowym obrzędem. Teraz zrozumiałam, co to jest dojrzała miłość, pragnienie, pożądanie. Jak bardzo można drżeć, jak dudni serce, poddaje się ciało, jak smakuje każde spotkanie nasączone tęsknotą, spełnieniem.

Byłam jak w amoku. Zapomniałam o wszystkim. Wzruszałam się na sam jego widok, gdy spoglądałam z okna pokoju nauczycielskiego na boisko. Tam ćwiczył chłopców w biegach, piłce, skokach. Był tylko on, nasze tajemne spotkania, nasza miłość w konspiracji przed światem… A potem ten cały skandal. Który urządziła jego żona. W naszej szkole afera, specjalne zebranie w tej sprawie, obrzydliwy magiel, zażenowanie koleżanek i kolegów, dyrekcja dysząca żądzą zemsty, ukarania nas… Rzuciłam legitymacją partyjną, bo kolektyw chciał czynić jakieś kroki… Idiotyzm. Najgorsze było to, że żonusia Andrzeja zadzwoniła też do ministerstwa i Stanisław wrócił z pracy wściekły. Jego dyrekcja nie zrobiła żadnego użytku z tego donosu, ale wstyd był na cały wydział.

Anna — harcerka, komendantka hufca — triumfowała. Stanisław milczał zaciekle i stawiał warunki. Nie do spełnienia. Ja kochałam!

W domu potworne kłótnie, awantury. Halinka zabierała wtedy Gosię do Anny.

Stanisław unosił się, grzmiał, groził, a ja, oddalałam się coraz bardziej i bardziej.

Już nie mogłam dłużej znieść tej atmosfery, tej duszącej niewoli, zastraszania i pogróżek, że mi zabierze wszystko. Byłam wykończona i kompletnie znieczulona na wszystko, co się działo dookoła mnie. Cieszyłam się, że Gosia może spędzać czas u Anny albo u pani Misi, starszej pielęgniarki, zaprzyjaźnionej, poznanej przy okazji jakiegoś szczepienia Gosi. Misia mieszka na Żoliborzu — jak my — i jakoś tak polubiła mnie, a ja ją. Gosia traktowała ją jak babcię, a Stanisław wręcz okazywał wrogość.

— Z każdym tak się zamierzasz pospolitować? — pytał wielokrotnie po wizycie Misi.

— Przestań! Przychodzi zawsze, jak Gosia choruje, robiła zastrzyki nawet tobie, jak miałeś heksenszus. Pamiętasz?

— Pielęgniarka, to i robi. To jej profesja.

— Ale pieniędzy nie bierze, lubi nas i traktuje jak rodzinę.

— Pewnie na innych sobie odbija. A ja nie zamierzam jej niczego zastępować, a rodziny tym bardziej.

Ale kiedy Gosia po lekcjach szła do Misi, bo ja miałam radę pedagogiczną — było dobrze. Ważne, że Gosia nie słuchała tych wszystkich pyskówek. Miała ciasno wypełniony czas — szkoła, harcerstwo, basen i gimnastyka korekcyjna. Wszystko właściwie w rękach Halinki, Anny i Misi. Stanisław tak to urządził, „żebym się nie przemęczała", bo wszystkie żony dyrektorów w jego departamencie miały służące i nianie. I nie pracowały — jak ja, niewdzięcznica. No, ale trudno, to moja fanaberia.

Zwariowałabym jako niepracująca „pani dyrektorowa".

W klasie u Gosi była taka matka lafirynda. Zrobiła awanturę po tym, jak zostało wpisane do dziennika: „zawód matki — nie pracuje". Kazała wpisać: „dyrektorowa".

W domu śmiałam się do łez. Stanisław tylko uniósł brew i czytał dalej „Trybunę Ludu", nie podzielając mojej wesołości.

Tak czy inaczej, Gosią zajmowali się wszyscy. Ja — najmniej. Wydawało mi się że ona jakoś tego nie potrzebuje, żeby jej nadskakiwać, rozpieszczać. Była wesoła, zaradna i zaprzątnięta swoim dziecięcym życiem. Po co ją niepokoić? Wytrącać z rytmu? Jak się usunę — może nawet tego nie zauważy? A jak się jakoś ułożę z moim życiem, sprawami — zajmę się i nią. Tak, na pewno!

Wreszcie decyzja moja i Andrzeja — jedziemy razem do Torunia, jak tylko skończy się rok szkolny. Porzucamy nieudane związki. Zaczynamy życie na nowo!

Piotr, mój brat, jako jedyny wtajemniczony, załatwił nam mieszkanie, pomógł znaleźć pracę. Miało być tak pięknie... Rozkwitłam, puszczałam liście. Urządzałam maleńkie mieszkanko ze wspólną łazienką w korytarzu, z wieczną kolejką do mycia... Mimo to byłam taka szczęśliwa! Elektryczna kuchenka pod oknem, we wnęce kuchennej miednica do mycia. Wszystko małe i ciasne. Miłość — ogromna!

Przyjechała Anna, żeby ostatecznie wybić mi z głowy spotkania z Gosią i powrót do rodziny.

— Wybacz, że będę surowa w ocenach — mówiła mi w kawiarni. — Ale jak ty to sobie wyobrażasz? Odchodzisz od męża jak... suka za psem i chcesz w to wciągać dziecko?! Ona umrze ze wstydu!

— Nazwij to po imieniu — syczę. — Jestem według ciebie zwykłą kurwą?

— To ty powiedziałaś. Zastanów się, czy nie ma w tym racji? Dostał ci się taki mężczyzna! Mieszkanie, samochód, prestiż! A ty? Zmarnowałaś to wszystko! Dla jakiej idei? Żadnej! Zwierzęca chuć, ot co!

Patrzyłam na nią i było mi jej żal. Znała Stanisława z młodości. Kochał jej siostrę — infantylną, dziecięcą Inkę. Drobną, małą, ulotną. Ona sama — Anna — ciężka, męska w rysach, nie wzbudzała zainteresowania mężczyzn. Kochała Stanisława głęboko, nieszczęśliwie, potajemnie. Wiedziałam to! Teraz plecie coś o chuci, chociaż sama zdycha z miłości. Zapewne jest dziewicą. Nie wie, co to miłość wielka i żarliwa. Taka, że się wszystko kładzie na szali. Nawet własne dziecko...

— Obrażaj mnie, jeśli ci z tym lżej, Anno.

— Nie obrażam. Stwierdzam fakty i proszę, daj Gosi wzrastać bez świadomości, jaką ma matkę. To dziecko załamie się, gdy się dowie, coś ty za jedna.

Wracałam do domu podcięta psychicznie. „Kurwa"? Ja?

Kupiłam w sklepie jarzębiak i zanim Andrzej wrócił z pracy, upiłam się i poszłam spać.

Rok później nasza wielka miłość rozsypała się w drobny mak. Żona Andrzeja zrobiła wszystko, żeby wrócił, chociaż wiedziała, że jej nie kocha. Pisała, przyjeżdżała, naciskom nie było końca. Wrócił do chłopców — jak to uzasadniał, nie do niej. Ciężkie warunki też chyba go przerosły.

Zostawił mnie po długich rozmowach.

Tym razem postanowiłam jednak żyć.

Umieranie, nawet psychiczne, już mnie nie ratowało. „Trzeba żyć dalej" — powtarzałam sobie świadoma klęski. „Muszę znów założyć skorupę. W końcu kiedyś mi się uda… gdzieś jest drugi brzeg, dobry ląd, jakiś mały kawałek szczęścia przeznaczony dla mnie. Tato, prawda? Tato, nie daj mi utonąć! Mam już dość nieszczęść, łez. Powinnam posłuchać mamy, tatku. Schrzaniłam swoje życie, nie dałam szansy szczęściu, dokonywałam złych wyborów. Głupia, głupia jestem, tato!".

Wracam do mamy

Zimą, tuż przed świętami, odwiedził mnie Piotr.

— Basiu? — spytał po wejściu do mojej klitki. — Jak ty żyjesz, dziecko! Tak nie można.

Pomógł mi posprzątać i zrobił herbaty.

— Basiu. Przestań już się tak buntować. Na jakiś czas pochyl głowę, zdystansuj się.

— Łatwo ci mówić, Piotruś. A ja, czego się tknę, to źle. Gdybym się zapisała do ZMS-u, już dziś byłabym docentem na mojej mikrobiologii. Goldbaum mnie rzucił, bo może nie byłam dla niego odpowiednią kandydatką na żonę, jestem gojką! Nie posłuchałam mamy i wyszłam za Stanisława bez miłości — schrzaniłam kawałek życia. Mogłabym być milsza dla Maliny i już bym miała karierę w kieszeni! Ale ja oczywiście, pod prąd! Więc na cholerę mi była ta mikrobiologia, skoro tu, w Toruniu, przewalam papierki w administracji? Matka ze mnie, aż strach pomyśleć. Wszyscy mówili: „Nie wiąż się z żonatym", ale ja jestem srala-mądrala i uwierzyłam w bajki! Piotr! Co ze mną jest nie tak? Czemu ja stale przegrywam?! — wypłakałam już to ostatnie zdanie.

— Baśka. Daj spokój. Nie maż się. Wróć do rodziny. Przyjedź na święta. Przecież nie będziesz tu siedzieć sama. Jaka jest, taka jest, ale to rodzina. Ja, Hanka, Zbyszek i… mama. Ty wiesz, jak ona za tobą tęskni? Przyjedź. Może w domu się jakoś odnajdziesz? Basiu… no? Przyjadę po ciebie. Tak? Popatrz na mnie.

— Nie. Nie Piotruś. Ja sama. Przyjadę. Obiecuję.

Pociąg wyjechał z Torunia o czasie. To osobowy. Teraz jedzie przez pół świata do Olsztyna. Tatam, tatam, tatam — stuka, jak każdy pociąg, mijając obojętnie wszystko — pola, miejscowości, lasy, zagajniki, wsie…

W przedziale siedzę sama. To środek tygodnia i przedpołudnie, mało ludzi jeździ do Olsztyna zimą, w środy, o dwunastej. Tatam, tatam, tatam. Jednostajnie, uporczywie, miarowo. Teraz widzę pole bezkresne, ginące gdzieś w oddali, całe zaśnieżone. Chyba pegeerowskie, takie duże, zaorane, bez pozostałości. Widać czubki skib — brązowe, bo śniegu nie za dużo. Może do świąt dopada? Brzeg pola, ten blisko mnie, ucieka szybko. Dalszy plan powoli. Jak w filmie *Pociąg* z Lucyną Winnicką i Niemczykiem. Ale tam było lato…

Czuję się jak ona. Dotykam czołem szyby. Zimno. Patrzę przed siebie i mam w sobie taki sam smutek, niepokój, żal… Też jestem po rozstaniu, zraniona, poharatana i nieszczęśliwa. Tylko Niemczyka nie ma ze mną w przedziale, a na żadnej stacji Cybulski nie wskoczy do pociągu, żeby mnie epatować straceńczą miłością. Andrzej jest w Warszawie i nie wskakuje do pociągów… A już na pewno nie do mojego.

Na siedzenia i oparcia ponakładane są zielonoseledynowe pokrowce z typowym wzorkiem PKP. W metalowej popielniczce pety niewyrzucone chyba z poprzedniego kursu... A co mi tam! Opieram się o zagłówek i zamykam oczy. Nuży mnie ta równina. Życie mnie nuży. Nic się już nie wydarzy. Nic! Andrzej pojechał do Warszawy. „Do chłopców" — jak twierdzi. Kłóciliśmy się już od dawna i miłość chyba w nas zgasła. Karmiliśmy się wyrzutami, mamy inne oczekiwania.

Właściwie rozstaliśmy się jesienią. Andrzej zamykał swoje sprawy zawodowe i zapowiedział, że wraca do Warszawy. Ja tkwię w Toruniu. Sądziłam, że kiedy się tak bardzo kocha, nie można zrezygnować. Że jeśli jest taka miłość jak między nami, to żadne obowiązki jej nie przełamią. Myliłam się. Poprawiam włosy jak Winnicka i przeglądam się w szybie. Tyle razy byłam na *Pociągu*, że znam każdy jej gest.

To było jeszcze przed wakacjami, wiosną, kiedy żona Andrzeja zapowiedziała, że skoro chce być z chłopcami, musi pojechać z nimi do Bułgarii, bo jadą tam na całe lato, ona i dzieci. Do zaprzyjaźnionej chłopki pod Warną. I Andrzej zdecydował, że pojedzie! Wmawiał mi, że robi to dla chłopców, że młodszy strasznie tęskni, a starszy zamknął się w sobie i to jest wina jego, Andrzeja, że odszedł z domu. W domyśle, że romansował ze mną. Łatwo mówił o rozwodzie z nią. Później okazało się to nie na jego siły... Żona wiedziała, jaką mu urządzić „mykwę", żeby wrócił.

Przyjechał z tej Bułgarii opalony, odmieniony, z mocnym postanowieniem, że wraca do chłopców.

— Bynajmniej nie do żony, Basiu — tłumaczył się idiotycznie.

„Bynajmniej" to, że jej nie kocha — wierzę. Ożenił się z tanią bazarówą. Krzykliwą naśladowczynią aktorek i modelek z pism. Tleniona, jazgotliwa małpa. Czym ona go tak omotała, że poszedł z nią do ołtarza? Tym, że kupiła mu samochód? Że mieszkała w segmencie na Kępie? Mnie spotkał dużo później. Nie mógł zaczekać?! Andrzej, brak mi cię...

Smutno mi. Znów patrzę za okno. W oddali jakaś wieś. Szare domki z drewna, płociny z drewna i patyków, stodoły też drewniane. Z kominów smuży się dym. Powoli. Leniwie. Pewnie gotują ziemniaki do obiadu. Żyją normalnie... Jak oni mogą?! Ja mam serce jak kamień. Jestem tak smutna, że nawet nie chce mi się jechać do mamy. Wyć mi się chce. Duszę się. Serce mam porwane na kawałki. Nie chcę ich wszystkich widzieć, uśmiechać się sztucznie. Mogłabym tak jechać i jechać tym pociągiem. Donikąd.

Śpiewam sobie cicho:

Zapomniałam twoje ręce,
Pogubiłam twoje słowa,
Nie pamiętam, żebyś kiedyś mnie całował.
Potem okruch przypomnienia
Odnajduję w jakichś wierszach,

Wtedy, zobacz, jestem z wszystkich najsmutniejsza.
Jeśli znałam twoje ręce,
Wsłuchiwałam w twoje słowa
Wtedy byłam najładniejsza, kolorowa.

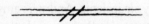

Ostatnie wersy fałszuję, bo płaczę. Lubię tę piosenkę Sipińskiej. Złościły mnie krytyczne uwagi, że tekst, że coś tam… Ładnie to zaśpiewała na tamtym festiwalu. Jest taka świeżutka, prawdziwa, delikatna. Blondyneczka. Wzruszyła mnie, że miała takie wilgotne oczy, takie rzęsy wywinięte i natchnioną twarz. Też się tak czesałam jak ona. Tylko że ja — brunetka. Od czasu spektaklu Teatru Telewizji *Godziny miłości* porównywano mnie do Marty Lipińskiej. Jakieś pół roku temu to oglądałam. Grała tam z Zapasiewiczem, stewardesę. Też chciałam być jak ona — taka lekka, nostalgiczna, urokliwa.

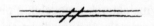

No widzisz, no widzisz, co stało się z nami?
Snujemy się teraz innymi drogami.
Sam widzisz, zmartwienie się wkradło,
Pod nogi nam prosto upadło.

(słowa: I. KORNISZEWSKA)

Wychlipałam to parlando. Nie sądziłam, że będę tak osobiście odbierać tę piosenkę.

Nie marznę. Dobrze, że grzeją w tych pociągach. Mogłabym iść na herbatę do warsu, ale mi się nie chce. Nie chcę się rozstawać z moim smutkiem. Mam go w sobie już od lata, ale sądziłam, że to kryzys, że Andrzej zrozumie, że czasem poświecić trzeba wszystko. Wszystko — jak ja. Odeszłam od Stanisława — mojego męża, i zostawiłam Gosię. To straszny grzech, powiedziała druhna Anna. Pryncypialna, święta, stara panna z zasadami. Przyjaciółka Staszka. Harcmistrz Polski Ludowej i komendantka drużyny, w której jest Gosia. Święta Anna. To dziwne, bo nie znosiła mnie od początku.

Nie możesz, mówiła, jako taka grzesznica widywać Gosi. Może ma rację? Może ja rzeczywiście nie nadaję się na matkę. Oddałam całą siebie Andrzejowi, ogołocona ze wszystkiego — męża, córki, domu. A on się ugiął! Wraca do synów. „Dla ich dobra”. Boże! Jak to boli! To piękne — subiektywnie, ale boli jak solona rana. Wraca do Warszawy, poświęca naszą miłość dla swoich dzieci. Dla mnie już za późno. Popaliłam mosty. Nie ma dla mnie powrotu. Jestem grzesznicą skazaną na niebyt. Nie. Na samotność w tłumie.

Beczę. Łzy cieką mi po twarzy, a drugie na zewnątrz — po szybie. Jakaś odwilż czy co? Mży.

Na stacji czeka Stefan, syn Karolaka, i jego furmanka, zaprzężona w ich wielką, siwą kobyłę. Strasznie dorosły się zrobił! Jest miły i cichy. Nie zagaduje mnie na siłę. Mama pomaga w lekcjach całej rodzinie Karolaków, kiedyś Stefanowi, teraz Bartusiowi, Oli, a oni jej w gospodarce, transporcie. Ze Stefanem, mimo że taki szczeniak, nie raz bawiliśmy się w lesie, na strudze, na piaskowym wyrobisku. Zawsze był taki dojrzały, poważny. Prawa ręka ojca, zaraz po Czarku. Dziś już jest prawie pełnoletni. Taki… chłop.

— O kurczę! Nie poznałbym cię, Baśka! Jak podróż? — pyta cicho.

— Spokojna. Dziękuję.

— W pociągu choć ciepło?

— Tak, Stefan. Tylko teraz jakoś mnie trzęsie.

— Zakryj się, Basiu. Niedaleko, to nie zmarzniesz. Pani Bronia piernatów nadawała.

Pomaga mi wsiąść na wóz. Pełno w nim słomy, żeby mi w nogi było ciepło, i baranica na kolana i koc. To mama prosiła, żeby mnie tak opatulił. Miastowa jestem, według tutejszej nomenklatury, znaczy: słabowita i trzeba mnie dogrzać.

— Wieeee! Malutka!

Zaciął powietrze batem, aż świsnęło. Kobyły nawet nie musiał tknąć. Szarpnęła wóz z potężną siłą i zakolebała wielkim zadem. Równym tempem przebierając kopytami, szybko gnała do domu. Już późno… Właściwie ciemno, a to dopiero połowa dnia!

— Na długo? — spytał Stefan z uprzejmości chyba.

— Nie wiem, chyba powinnam pobyć z mamą i Kaśką jakiś czas…

— To nie pracujesz nigdzie? — zdziwił się.

— Złożyłam wymówienie. Miałam dobrą propozycję na uniwersytecie, ale przyjęli kogoś innego. Piotr — mój brat — stara się o coś jeszcze dla mnie. Zobaczymy.

— Wam, miastowym, to łatwiej. Macie wykształcenie, wkoło tyle miejsc w biurach, sklepach, a tu, u nas, tylko na roli — powiedział, nie patrząc na mnie.

— Stefan! Ale przecież Bartuś, wasza Olka dobrze się uczy, to może, choć oni? A ty? Pracujesz z Czarkiem u ojca, źle ci?

— Nieeee — zakończył rozmowę. — Tak tylko mówię.

Wyjął zmiętą paczkę sportów, zapałki i podpalił sobie, chowając zapaloną zapałkę w dłoni. Papierosa trzymał jak wszyscy tutaj, kciukiem i wskazującym palcem, do dołu. Zaciągnął się i postawił kołnierz, bo zaczęło sypać.

— Nie za wcześnie na papierosy? — pytam z przyganą.

— Okryj się — rzucił, jakby mnie nie słuchał, i już nic nie mówił. Kobyły nie gonił. Zwolniła trochę. Truchtała lekko.

Gapiłam się na nocne już niebo, na światełka Pasymia w oddali, na zad kobyły. Byłam markotna i było mi wszystko jedno.

Zobaczyłam zza zakrętu światła naszego domu. Zawsze jak go widzę, drżę z radości. Mój dom dzieciństwa. Moja, niegdyś, bezpieczna arka! Jakoś mi ulżyło...
Stoi sobie, stary, poniemiecki, z czerwonej cegły. Duży.
Kiedyś cała prawa strona była nieużytkowana, zagracona jakimiś skrzyniami, deskami, a w ostatnim pomieszczeniu był zawalony sufit. Pamiętam! A teraz ładny jest! Taki przysadzisty, czerwony, zadbany...
Właściwie jako żona Stanisława, warszawianka, nie przyjeżdżałam tu za często. Żyłam w innym świecie, a później było mi wstyd...
Z domu wybiegły obie — mama i Kaśka.
Mama suchutka, otulona grubym szalem, z włosami, jak zawsze, upiętymi w kok z warkocza. Poprzetykane srebrem! Pięknie wygląda taka szpakowata! Tylko oczy jej nie postarzały się nic a nic. Są brązowe, błyszczące.
— Córcia! Moja kochana! — przytula mnie, stając na paluszkach, mimo że ja jestem mała, ale ona jeszcze bardziej się skurczyła. Trzyma moją twarz w dłoniach i patrzy zachłannie. Nikt tak na mnie nie patrzył. Nawet Andrzej.
Kaśka stoi obok w wełnianym serdaku. Jest taka kochana! Uśmiecha się swoimi grubymi wargami i wyciąga niezdarnie ręce. Taka duża jest! Obejmuje mnie ciut za gwałtownie i okazuje maksimum serdeczności. Mama jej tak kazała. I tak będzie się musiała do mnie przyzwyczajać. Oczywiście Kaśka pamięta, kim jestem, ale nie widziała mnie długo, więc jest speszona.
— Kasiu! Jak ci włosy urosły! — mówię zachwycona.
Rzeczywiście warkocze ma do pasa. Grube i piękne. Już kilka razy Rościszewska ze Szczytna z zakładu fryzjerskiego proponowała jej, że je odkupi. Dobrze by na tym zarobiła! Kaśka nie chciała. Traktuje te swoje włosy jak coś bardzo osobistego i nie rozumie, jak mogłaby ściąć je dla pieniędzy. Tym bardziej, że znaczenia pieniędzy nie rozumie.
Utyła. Jest dorosłą kobietą. Mama mi pisała, że kocha się w niej Czarek, najstarszy syn Karolaków. Pamiętam, jak się urodził. Też taki psychiczny. Szpetny, śliniący się trochę i nerwowy. Pani Czesia wstydziła się go, że taki nieudany... Od dawna są parą. Czarek przychodzi i siedzą razem... Ona mu wyciera ślinę, on gapi się jak szpak i trzyma ją za rękę. Tak pofiglowali kiedyś latem, że Kaśkę trzeba było „wytrzebić" — jak napisała mi wówczas mama.
Patrzę na nią i wspominam. Bawiłam się nią jak lalką. Woziłam w wielkim, żółtym, tekturowym wózku i usypiałam wieczorem bajkami, których słuchała z wypiekami na twarzy. Historie o królewnach i smokach brała bardzo poważnie. Pamiętam też, że nie nauczyła się pływać. Zawsze latem nad jeziorem musiałam siłą ją ciągnąć na głębszą wodę. Tam łapała mnie, panicznie bojąc się moich lekcji. Biedna Kaśka! Nadokuczałam jej. Próbowałam. Pływanie dla mnie to pestka, ale jej nauczyć mi się nie udało.

— ...Basia — powiedziała w kuchni, gapiąc się na mnie cały czas.

— Mamo? — spytałam. — A Piotruś z Hanią? Będą?

— Jakoś mają być w przeddzień Wilii — (mama nigdy nie mówi „Wigilia" tylko „Wilia" — za swoją mamą). — Ty musisz ze wszystkim sobie poradzić z Kaśką. Mnie ból jakiś wlazł w plecy... — Mętnie tłumaczyła ten ból, więc wywnioskowałam, że chce mnie czymś zająć, żebym już nie myślała. Zna mój problem z moich opowiadań i listów, bo piszemy do siebie. Mama pięknie pisze. Ma śliczny charakter pisma — przedwojenna kaligrafia! Wciąż używa stalówki, obsadki i kałamarza. Nie lubi wiecznych piór. Co najwyżej chemiczny ołówek, jak chce coś szybko zanotować na zrywanym kalendarzu. Wtedy ślini go i pisze.

Ostatni list od mamy:

Basiu, kochanie!

Piszesz mi, dziecko, że Andrzej odchodzi od Ciebie. Wraca do domu, do dzieci. To pięknie o Nim świadczy, choć wiesz, że sympatią Go nie darzę, ale zaimponował mi! To heroiczne — wyrwać z serca taką miłość (bo zakładam, że rzeczywiście kochał Cię wielką miłością, Ciebie nie sposób kochać inaczej). To piękne poświęcić własne szczęście dla dzieci.

Ty, niestety, przegrałaś tę możliwość lub nie walczyłaś dość żarliwie. Wybacz matce — tak myślę. Wiem, że „siła złego na jednego". Że ta druhna Anna sporo zamętu wprowadziła w Wasze sprawy. Nigdy tego pojąć nie mogłam, że ona gra pierwsze skrzypce w światopoglądzie Stanisława, a nie jego własny rozum.

Wiem, tłumaczyłaś mi tę zależność, że jest siostrą Inki, że Stanisław z Anną stanowili jakiś wspólny element pamięci o tej Ince, jego szczeniackiej, okupacyjnej miłości. Wiesz, Basiu, to dla mnie marne tłumaczenie. Widać on bardziej kochał wspomnienia niż Ciebie. Po co się żenił? Bóg to wie.

Swoim lekkim, a może nieprzemyślanym podejściem do żeniaczki ukrzywdził Cię. Ale i Ty nie bez winy! Ach! Już tyle razy to wałkowałyśmy!

Sądziłam, że pisane Ci szczęście z Andrzejem, że odzyskasz Gosię. Mój Boże! Jak Ona się chowa bez matki? Co Stanisław Jej odpowiada na pytania? Jak Twoje serce to wytrzymuje?! Moje pękłoby.

Dość już. To Twój krzyż.

Przyjedź na święta. Odpoczniesz. Uronisz resztę łez (daj Boże) i spróbujesz zapomnieć. Kobieta może żyć bez mężczyzny, ale bez swego dziecka?... Stanisław źle zrobił, ale nie mnie jest rozsądzać. Mam nadzieję tylko, że wychowa Gosię na dobrego człowieka i nie nasączy Jej jadem.

Przyjedź zatem do matki. Bo któż Ci, dziecko, łzy obetrze? Mama. Modlę się za Ciebie. Żeby ta Twoja kara boska skończyła się rychło jakoś. Żebyś już nie wypłakiwała oczu.

Tym razem nie wysyłam Ci paczki. Przyjedź! Kasia czeka na Ciebie. Dużo z Nią rozmawiam o Tobie. Przypominam dzieciństwo, Wandzię, Wieśka, Wasze zabawy, psoty!

Całuję mocno Twoje mokre oczy. Jeszcze przyjdzie Twój dzień! Jeszcze ucieszy się Twoje serce! Bóg jest miłością, Basiu! Pomódl się czasem.

Czekamy — Mama i Kasia.

Kochana moja! Tak bardzo zabolała ją moja zdrada, sprzeniewierzenie się przysiędze małżeńskiej! Nawet cywilnej. Stanisław przebąkiwał coś o tym, że powinnam przejść na katolicyzm, to poszlibyśmy do ołtarza w Pasymiu, po cichu, żeby w Warszawie nie było o tym za głośno. Ale nie było to dla nas aż tak ważne. I tak praktykował rzadko, raczej na wyjazdach, bo nie chciał, żeby się w jego pracy rozniosło, że taki z niego katolik. Był partyjny… Anna też, będąc w laickim harcerstwie (nad czym ubolewała) w tajemnicy, jeździła praktykować do sióstr, do Lasek. Do ociemniałej nauczycielki z konspiracji. Oficjalnie uprawiała partyjną propagandę. Chciała? Musiała? Nie mnie oceniać.

Mama szanowała instytucję małżeństwa, nawet niezawartego w świątyni. Uważała, że Bóg i tak widzi, co się w kraju wyrabia, że Gomułka krzywo patrzy na Kościół i rozumie, że chwilowo nie jest to możliwe, by ślubowali wszyscy w kościołach. Dane słowo było i jest dla niej święte, i ja to słowo złamałam, odchodząc do Andrzeja. Zdradziłam!

Jak wielka musi być siła jej macierzyńskiej miłości, że stara się mnie zrozumieć, wybaczyć, dotula do serca? Dzięki ci, Panie, za taką matkę!

Przy kolacji milczałyśmy właściwie, bo grało radio. Nadawano jakieś słuchowisko i Kaśka jednym uchem słuchała. Pojęcia nie mam, co ona z tego rozumie, ale słucha! Nie jestem jeszcze gotowa do zwierzeń, opowieści, więc dobrze, że gra muzyka, że spiker coś mówi… Zbieram się powoli. Mam wie, że mi nie łatwo.

Nic się ta mamy kuchnia nie zmieniła. Tylko lodówka doszła. Stół, krzesła, zazdroski w oknach, pelargonie i kredens — teraz niebieski. Nowy żyrandol. „Stary się stłukł" — tłumaczy mi Kasia.

Jadłam odsmażane ziemniaki. Mama podała je w głębokim talerzu, moim ukochanym, w wielkie kwiaty. Z białego, porcelanowego dzbanka z ukruszonym dzióbkiem nalała mleka z wieczornego udoju, do kubeczka kwiecistego jak łąka.

Kaśka przed półgodziną wróciła z obory z wiadrem mleka. Przecedziła je przez lnianą ściereczkę i wstawiła w śnieg, żeby straciło biologiczne ciepło. Nie lubię takiego prosto od krowy. Jest w tym coś obrzydliwego, organicznego. Schłodzone — jest pyszne. Na ogół mama wita mnie ciastem, ale jest adwent i post, więc nie ma rozpieszczania.

Sama je tylko chleb z mlekiem. Rwie go sobie na kawałki i wrzuca do mleka. Tak samo robił tatko. Pamiętam go, jak siedział przy stole, już prawie bezzębny, i rwał tak chałkę, wrzucając ją do kawy z mlekiem. Zbożowej, w tym kwietnym kubku. Pachnącej cykorią. Innej nie dostawał. Innej się u nas w domu nie piło.

Mama nie pijała prawdziwej kawy w ogóle. Owszem, miała ją w dużej, amerykańskiej puszce z namalowanymi kwiatami i Murzynkami w turbanach na głowie. Stała w kredensie i jak trzeba było, mama wyjmowała ją, mieliła w młynku i pozwalała mi otwierać małą szufladkę ze zmieloną, pachnącą kawą. Tak podejmowała pastora, lekarza, lepszych gości.

Kiedy przywiozłam puszkę kawy Marago, nie okazała zachwytu. Przywykła do zbożówki z cykorią. Skondensowane mleko również jej nie oczarowało.

— Dziecko! Piłam to w czasie okupacji! Niemcy nam zostawili, jak kwaterowali w majątku. Nie pamiętasz? Nic specjalnego! Mam swoje, od naszej krówki, i takie jest najlepsze!

Teraz mama trzyma mnie za rękę i pyta cicho:

— Basiu? Zostaniesz dłużej? No, choć ze dwa tygodnie. Taka chudziutka jesteś, odpasę cię, życia nabierzesz, nagadamy się. Co? Dobrze?

— Zostanę, mamo. Rzeczywiście, muszę jakoś dojść do siebie! Czarek dziś do Kasi nie przyjdzie?

— Nie. Nie lubi obcych. Pojawi się po świętach. I roboty teraz mają…

Mój pokój wciąż na mnie czeka. Mama nic w nim nie zmienia. Wisi tu słomiana mata. Kaśka przypina na niej mnóstwo fotosów. Ola Karolakówna ją tego uczy. Taka mała, a już ją interesują aktorzy! Siadają obie przy moim starym biurku i wycinają z „Zarzewia", „Filmu", „Panoramy" fotosy.

Kogo tu mamy? O, proszę! Olbrychski z Czyżewską z *Małżeństwa z rozsądku*, Cybulski (wcale się nie dziwię, ja też go lubię, choć mnie draż-

ni) z *Popiołu i diamentu*, oczywiście faraon w kilku odmianach — Zelnik z Krzyżewską, Zelnik sam, Zelnik z Mikołajewską i z Brylską. Zgadzam się, piękny jest!

Pewnie Gosia też ma taką słomianą matę z aktorami! A może nie ma? Boże! Nie znam jej wcale...

Zasypiałam jakoś lżej. Mama powiesiła mi nad biurkiem, wysoko, zdjęcie taty i jej, zrobione na dyplomie Hani, w Toruniu. Tacy dostojni, ładni. Tatko siwiutki, wysoki, przystojny jeszcze, mama trzyma go pod rękę, włosy ma upięte w wysoki kok, z grzebieniami, a sama sięga mu ledwie do ramienia. Kołnierz ma ogromny, koronkowy, na ciemnej sukni. Moi rodzice. Do końca, zawsze razem...

Leżąc w łóżku, poczułam się znów „swoja". Jakbym zdjęła kostium teatralny, zmyła charakteryzację i wróciła do swojego „ja". Jestem Baśka „stąd", a nie żadna miejska „pańcia". W Warszawie i Toruniu żyłam jakimś nie swoim życiem, które już poza mną. Odległe jak zagrane role. Inne od tutejszego życia. Poczułam, jakbym wróciła z daleka.

Dziwne, bo gdy przyjeżdżaliśmy tu samochodem z mężem, tacy miastowi, pachnący dobrymi kosmetykami i eleganccy — czułam się tu nieswojo. Teraz znów jestem tutejszą Baśką. Baśką znad rozlewiska, córką mojej mamy.

Rano obudziłam się późno. Słyszałam przez sen, jak Kaśka dokłada mi do pieca, żebym „ciepło wstała". Co prawda to stare dobre piece i trzymają, ale mama dba, żebym się czuła kochana i „zaopiekowana", rozpieszczona.

Za młodu tak nie było. Kiedy wstawałam do szkoły o szóstej, piec był ledwo ciepły. W kuchni już grzała się woda do mycia i tam myłam się na wielkim taborecie w emaliowanej misce. Potem piłam gorące mleko i jadłam jajecznicę, jak już było bogato, albo chleb ze smalcem lub z powidłami. I jazda do szkoły, na piechotę albo jak miałam szczęście, ktoś z tartaku jechał do Pasymia, to stawał i gwizdał. W lecie czasami dostawałam rower. Rzadko.

Ile razy wracałam przemoczona do nitki! Jak my, wszystkie dzieci z okolicznych kolonii i wsi. Ile razy buty miałam ubłocone razem z rajtuzami, aż po kolana. Ale zawsze wracałam ze szkoły roześmiana. Wanda, ja i Wiesiek stanowiliśmy świetną kompanię i dużo śpiewaliśmy na całe gardło.

— Mamo — powiedziałam, siadając przy stole. — Co dzisiaj robimy?

Mama podała mi chleb i powidła. Brunatne, gęste i pyszne. Kawa z mlekiem smakowała jak dawniej.

— Trzeba byłoby pogotować wędliny. Są już w sieni, uwędzone u Łosińskiego, bo miesiąc temu było świniobicie. Część trzeba wnieść na strych, część ugotować. No i mam pytanie — kupujemy chleb czy pieczemy?

— Pieczemy! — udałam entuzjazm, bo jednak byłam przygnębiona. Zastanowiłam się. Przygnębiona? Wczoraj tak. Dziś już jakoś mi lżej.

— Pieczemy, prawda, Kasiu?

— Taaak, dobrze upiec jest — Kaśka patrzy na mnie znad kubeczka. Ona lubi te zajęcia. Rozpali chlebownik, doskonale jej to idzie. Ja zawsze zapominam wyciągnąć stosowny szyberek i zadymiam kuchnię.

— Masz, mamo, zakwas czy lecieć do Karolakowej?

— Leć. Nie robiłam już dawno, to i zakwasu nie mam. Pójdziesz? Spacer dobry jest na smęty.

Dziarskim krokiem idę do Karolaków. Mają taki jakby tartak, stolarnię. Las jakoś wyrósł, i jest inny niż w dzieciństwie, ośnieżony lekko, prowadzi mnie duktem do warsztatu i obejścia. Słońca nie ma, ale jest jasno, i śnieg prószy lekko. Wesoło mi, bo pamiętam, jak robiliśmy na skraju polanki i lasu bitwę śnieżną. Przychodziła Wanda z bratem, Stefan z Czarkiem i ja z Kaśką. Budowaliśmy pół dnia fortece i lepiliśmy masę kul. Później szliśmy do domu na obiad. Wanda z Wieśkiem jedli u nas, żeby nie iść do domu aż pod Pasym.

Mama dawała nam żuru z ziemniakami na świńskiej skórze, uchu albo nóżce i wio! Pod las na bitwę! Później zaczęliśmy budować takie zamki, flanki, wieżyczki, cuda, że na bój brakowało nam sił i konceptu. Raz urządziliśmy cały piastowski gród i podgrodzie. Tydzień to budowaliśmy w czasie ferii! Mury były wysokie jak my, chaty, płoty, zamek — wszystko jak w książce od historii. W nocy ktoś nam to rozwalił i jak Stefan się dowiedział, że to Reinhold z bandą, pobili się tak, że Bartek ma do dziś szramę przy ustach, a Stefek złamany nos, co widać.

— Dzień dobry, pani Karolakowa! — zawołałam od progu.

— Basiu! — Czesia objęła mnie i przytuliła do wielkich piersi. — Dzieciaku! Jaka pani się z ciebie zrobiła! Od razu widać, że miastowa! Siadaj, ja ci zaraz kiślu dam. Właśnie zrobiłam, gorący jeszcze. Jabłuszko wetrę, będzie taki, jak lubisz. Basiu! Tyle lat! Zapomniałaś o nas?

— Nie, pani Czesiu. Pani wie, że mi się życie pokomplikowało. Teraz mieszkam w Toruniu…

— Wiem, wiem, — machnęła ścierką w powietrzu. — To je sobie odkomplikuj! Oj, Boże, Boże! Dasz radę, dziecko. Kobieta wszystko zniesie. Aby między bliskimi być. Posiedzisz trochę?

— Nie, nie teraz, bo ja przyszłam po zakwas. Mama chleb będzie piekła!

— Ale ja pytam, dzieciaku, czy tu, u mamy, posiedzisz?

— Posiedzę, pani Czesiu.

Zakwas dostałam w słoiku, owinięty w gazetę, żeby zimna nie złapał, bo pani Czesia też chleb będzie piekła, i obiecałam go nieść za pazuchą.

W domu było gorąco i parno, bo w garze od bielizny mama już gotowała wędzonkę. Na szybach były krople pary spływające w dół, geranium i pelargonia pokrywała ciepła rosa z parnego powietrza, a Kaśka miała wilgotne kosmyki wokół twarzy. Jak gorąco!

— Otworzę okno.

— Otwórz, Basiu. Już powoli dochodzą. Zrobię ci zalewajkę na obiad, co? Taki tłuściutki ten wywar, na zupę akurat! Obierz ziemniaki, Kasiu!

Znów siedziałam w kuchni, ja — mała córeczka mojej małej mamy. Ona jak zawsze uwijała się szybko i sprawnie, zapominając o rzekomym bólu pleców.

— Jak plecy, mamo? — spytałam, chcąc ją przyłapać na konfabulacji.

— Au, Kaśka mnie natarła wczoraj kamforą, a dziś rano wypiłam pabialginę. Pielęgniarka mówiła, że ta w fiolce, do zastrzyków, lepiej działa. Uch! Ale gorzka! Nic nie boli, na razie.

Po zalewajce naczosnkowanej i pieprznej, po ziemniakach „amerykanach", rozsypujących się na talerzu, napiłyśmy się herbaty z cytryną, bo udało mi się wystać dla mamy kilo cytryn w delikatesach, w Toruniu. Później wyniosłam z Kasią do sieni wielki gar z wędzonką w wywarze. Musi tam stygnąć w tym swoim rosole, żeby nie była sucha. A te wędliny na później, bez gotowania, nasolone i podwędzone trzymane są w drewnianej skrzyni, na strychu. Mogą leżeć tak aż do Wielkiejnocy! Byle miały sucho.

Obok, w mniejszej skrzynce, przesypana grubą solą leży lekko podwędzona słonina, gruba na cztery palce! Uwielbiam ją, bo jak już tak poleży, to robi się mięciutka, i kroi się ją jak masło. Na czarny chleb. Z ogórkiem solonym albo korniszonkiem mamowym. Pyszność!

Latem, gdy biegałyśmy z Wandą i chłopakami do lasu, na strugę, kąpać się, zawijałyśmy tę słoninę i chleb w gazetę, a w szklanej butelce po litrowym occie herbatę z kwaskiem. Mogłam się kąpać calutki dzień, dojadając chleb z tą słoniną. Nie czuło się głodu.

Wieczorem na strugę przychodziła Karolakowa spławić i napoić krowy. Słońce już czerwone przezierało przez drzewa i pani Czesia wołała:

— Wróble! Do domu! Gęby sine! Skóra rozmoczona! Do domu!

Kaśka była z nami i siadywała na brzegu, ale szybko wracała, bo się jej nudziło.

Dzisiaj zabieramy się za pieczenie chleba. To cały rytuał.

Mama wiedziała, że lubię to robić, lubię go jeść, więc w jej pokoju stoi od wczoraj mąka i nabiera „duszy" — jak mówi.

Kaśka przyniosła wielką drewnianą dzieżę, co to mama ją z majątku uratowała.

Trzyma ją owiniętą lnianym prześcieradłem, na strychu, zaraz za schodami na lewo. Teraz wsypuje mąkę i sprawdza łokciem wodę, czy nie za ciepła, bo „fermentu" nie będzie. Dalej zakwas, co od wczoraj rośnie koło pieca w mniejszej, drewnianej dzieżce, ciutka soli i cukru, i powoli mama rozczynia ciasto.

— Chodź — mówi do mnie. — Umyj ręce i włóż fartuch, ja już w tej pozycji nie dam rady.

W szafie w sieni wiszą białe fartuchy do pieczenia chleba, robienia wyrobów, ciast. Kaśka zawiązuje mi fartuch z tyłu i już wkładam ręce do dzieży. Jest w tym jakieś czarodziejstwo. Takie lube, ciepłe błoto mieszam i mieszam, a mama dosypuje mąki drewnianym czerpakiem.

— Wyjmuj ręce, o tak, i wkładaj, mieś, ciśnij, byle nie za długo. Nabieraj powietrza ciastem i wciskaj je. Kaśko, szykuj ręczniki.

Na stole leżą ciepłe ręczniki, lniane i używane tylko do okrywania ciasta chlebowego albo drożdżowego. Są ładnie obmereżkowane przez mamę. Robiła to, jak my z Kaśką byłyśmy malutkie. Pamiętam ją, jak zimą siadywała na szlabanku, przy piecu, mereżkowała i śpiewała.

Ileż ona znała tych pieśni, dumek, pioseneczek dziecięcych!

Tam pod lasem chłopiec stoi,
Sprawdźże, dziewczę, czy to twój.
Czy się droczy, czy się boi?
Obcy to czy swój?

Oj, kalino, kalino,
Któremu serce dać?
Oj, kalino, kalino,
Którego wybrać — radź!

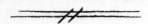

Szlabanek był z nami od zawsze. Drewniana niby-ławeczka, z wygiętymi podłokietnikami, wytartymi na gładko od ludzkich rąk, stoi sobie zawsze koło pieca. Ma wysuwaną część, do której kładzie się słomę i na tak powiększonym można spać. Oczywiście na szmatach, kilimkach, derkach. Takie rozkładane łóżko, mniej eleganckie, dla dzieci albo służby. Jest stare. Na oparciu ma owal, a na nim malunek. Zamazane jakieś jezioro i lilie. Łabądek też, tylko już starty.

— Basiu — pyta mama nagle. — Córciu, czy ty jeszcze wierzysz w Boga?

Milczę i namyślam się. Wreszcie nabieram powietrza i mówię:

— Mamo, ja wierzę w jego dobroć, w to, że jest jakąś siłą wyższą, sprawczą... Ale wiem, że to nie żaden magik-czarodziej. Wiesz, że fantastycznie to przedstawiła poetka, jakby powiedzieli Rosjanie „poetessa" — Maria Pawlikowska-Jasnorzewska? Jej zdaniem Bóg to małżeństwo. On i Ona jako jedno. On jest jak... Leonardo da Vinci — myśliciel, sprawca, konstruktor. Chemik i fizyk, mechanik i technik. Ona jest typową artystką. Jej zabawki to farby, szmatki, woale, przędze, listki złota i srebra. Jest jak Coco Chanel,

Helena Rubinstein, Boznańska, Łempicka... Czasem, jak się nudziła, zabierała mu to, co stworzył, i malowała, barwiła, skrapiała perfumami, bryzgała złotem, doklejała świecidła, blaszki, cekiny, piórka i kłaczki. Kwiaty wymyślił On, a pomalowała Ona. Dlatego natura jest taka mądra i piękna. No i obydwoje mają na nas wpływ. On racjonalista, pragmatyk ona romantyczka, poetka. Zależy, które bardziej nami kieruje...

— Ale to ładne! — powiedziała mama w zamyśleniu. — Czytałam jej poezje, ale nigdzie na taki wiersz nie trafiłam.

— Bo to jej proza, mamo. Przypadkowo to znalazłam. Mnie się od razu spodobało. Prawdziwsze, takie życiowe. Jeśli Bóg, to dwie postaci w jednym, to jest to obraz idealnego związku kobiety i mężczyzny. Naprawdę ładne!

— Ale do kościoła nie chodzisz?

— Nie-e — odpowiedziałam jak za młodu.

Milczymy chwilę. Mama sprawdza, czy już ciasto jest urobione wstępnie, i nakrywa je ręcznikiem. Będzie stało kilka godzin.

— Kto będzie na Wilii? — pytam po maminemu.

— Ja, Kaśka, Hania z mężem i Piotruś. No i ty!

— Piotr to taki stary kawaler. Mamo, czemu on się nie ożenił?

— Nie wiem, dziecko, i pytać nie trzeba! — powiedziała to dobitnie, tak, jakby coś wiedziała.

— Hanka to mnie nie lubi... — burknęłam, szorując zlew pastą.

— Oj, Basiu! Ona jest neofitką. Dla tego swojego Zbyszka przechrzciła się na katoliczkę i robi za świętą, jest bardzo... zasadnicza. Po śmierci jej dzieciątka tak jej na religijność poszło, że owszem, lubi cię, ale oburza ją twoja rozwiązłość, jak to ona nazywa. Daj spokój!

Hania i Piotr zawsze przyjeżdżają do mamy w święta. Hania wyszła za mąż za Zbyszka i urodziła martwe dziecko, czy też zmarło trochę później... Mama mi pisała. A Piotr nigdy się nie ożenił. Jest dobrotliwy, czasem jakby ironizuje, żarty się go trzymają, ale lubi mnie bardzo. Hania jakoś nie. Zrobiła się zamknięta w sobie, święta i powściągliwa.

Zaraz przyjadą. Jutro w dzień, najpóźniej wieczorem, bo trzeba popiec ciasta, a Hanka jest specjalistką wielkiej klasy. Piecze takie pyszności, że zwariować można!

— Mamo, a choinkę mamy?

— Nie. O, właśnie! Poprosisz Stefana albo Czarka, pójdziecie do lasu... Albo skocz do Zawojów, do leśniczówki. Już stary coś ładnego ci znajdzie! Ja się zabiorę z Kasią za porządki w pokojach. Idź zamówić tę choinkę i wróć przed nocą, żeby cię jakieś wilki w tym lesie nie pojadły! — patrzy filuternie.

Ciasto musi postać kilka dobrych godzin, więc ubieram się ciepło, wkładam moje stare, filcowe boty i idę do leśniczówki. Chcę połazić po lesie. Odetchnąć, pogadać sama ze sobą. Do zmroku jest jeszcze kilka godzin. Poradzę. Do tartaku byłoby szybko i znów pani Czesia kazałaby opowiadać o mieście.

Lubię Zawojów. Pan starszy — tak o nim zawsze mówił tatko — mądry i wielki znawca lasu! Panowie często grywali w wista, remika. Mój tatko pod wrażeniem wąsów pana Zawoi też zapuścił swoje i obaj nosili takie mlecznobiałe snopy pod nosem. Stary Zawoja! Teraz na emeryturze, syn przejął leśniczówkę, bo po szkołach. Taki był chłystek z tego Tomka! Pamiętam szczupłego smarkacza, co nas zawsze podglądał na strudze, w lesie.

W lesie leży śnieg, taki czysty, nietknięty. Jest już tak… popołudniowo. Szarówka. Las jakby się zamykał powoli. Staję. Para mi idzie z ust. Jest cicho. Słucham tej ciszy i wydaje mi się, że ona jest wielka i potężna, jest tu od wieków i mówi do mnie: „Przestań, Baśka, czym ty się przejmujesz?".

Racja. Już dość. Taszczę ze sobą to pęknięte serce, jak wór. Może czas porzucić je w tym lesie? Niech zostanie tu, wraz z bólem. Moją idiotyczną miłością. Moim grzechem i karą. Przede mną widzę gawrę pod wywalonym korzeniem. Zieje pustką, więc wymyślam sobie, że tam kładę te moje smutki, wór z pękniętym sercem. Klękam i zasypuję śniegiem, grzebię jak wściekła. Jakby mnie ktoś zobaczył, uznałby, że zwariowałam. Aż się zadyszałam. Zdjęłam czapkę i podniosłam do góry głowę.

— Weź sobie! Weź sobie moje złamane serce! — krzyknęłam nie wiadomo do kogo.

Echo zabrało mój gniew. Znów ucichło.

Idiotka — myślę. Ale urządzam cyrk! Wstałam i otrzepałam kolana. Lżej mi! Nie targa mną rozpacz jak dotąd, nie chce mi się płakać… Stoję i gapię się w to stoickie, leśne wnętrze. Czuję się jak Jonasz we wnętrzu wieloryba. Jestem w środku, świat jest na zewnątrz, daleko. Podchodzę do dębu, stojącego opodal. Jest wielki i prosty, jak egipska kolumna. Obejmuję go i czuję przypływ sił.

Jak wtedy, kiedy tatko był taki młody i silny, że nosił mnie na barana, a jak wracał, obejmowałam go, stojąc na taboreciku, i mówiłam: „Ja tatkę tak kocham mocno, że nikt tatki tak nie kocha!". On utulał mnie mocno, mocno i łzy ciekły mu po twarzy. „Moja Basieńka, moja" — szeptał. Teraz czuję, jakbym go znów obejmowała, jakby wybaczył mi wszystko i zrozumiał. Odjął cierpienie i wydaje mi się, że słyszę jego szept: „Już dość, Basiu, łez. Już dobrze!".

Nie wiem, ile tak stałam przy tym dębie. Zrobiło się już ciemnawo, a mój spacer był taki meandrowaty, że nie pamiętałam, jak dojść do leśniczówki. Łaziłam byle jak, skakałam po pniach i sądziłam, że wiem. Zgubiłam się. Zaraz… tu?

Muszę się skupić! Tędy się szło nad strugę?… E, chyba tam, za tymi sosnami… Powinnam wziąć Budrysa — naszego psa, wielkiego jak stodoła. Znalazłby drogę. Spięłam wszystkie myśli. Idę. Muszę dokądś dojść!

Już ciemno. Żadnych świateł, od drogi tej bocznej przy lesie i tak odgradza nas wysoki wał. Światła pasymskie nie docierają. Na gwiazdach się nie znam… Trzeba będzie wołać! Ale głupio! Już słyszę kpiny: „Baśka już miastowa, zgubiła się w swoim lesie!". Zawołałam w końcu: „Uuuuu!", ze dwa razy i... nic! Wydaje mi się, że słyszę jakieś odległe szczekanie, ale czy na pewno? Idę w stronę szczekania. Pies jest zawsze przy ludziach.

Trochę już mi straszno. Szczekanie gdzieś daleko milknie, później znów się wzmaga...

Nagle widzę w oddaleniu latarkę i głos:

— Kto tu?

— Baśka. Ja szłam do... do leśniczówki...

— Basia? — to leśniczy! Starszy pan Zawoja! Poznaję jego głos.

— Zabłądziłam chyba...

Okazało się, że byłam dość blisko leśniczówki. Pani Aniela, żona pana Zawoi, była ogromnie zaskoczona, że to ja. Wychodziła niedawno do kurnika, jak usłyszała moje „Uuuuu!". I wysłała męża. Dotykała mnie radośnie i wodziła rękoma po twarzy, bo już jest prawie ślepa. Porusza się po omacku. Całe gospodarstwo zna na pamięć.

— Nie, nie chcę siadać. Pójdę do domu, bo tam mama umiera z niepokoju! — tłumaczę się.

— Dobrze, odprowadzę cię, panno Basiu, choć do krzyżówki.

Wracam ze starym Zawoją. Rozmawiamy o Toruniu, o tym, co w polityce (kompletnie nie wiem i nie chcę wiedzieć, ale słucham go), aż dochodzimy do mojej drogi.

— Szkoda, że nie ma Tomka, ucieszyłby się, mogąc cię, panno Basiu, odprowadzić!

— A gdzie on?

— Pojechał odwieźć synową na pociąg. Coś go długo nie ma. Z jej ojcem słabo, sami są i ona zawsze na święta do nich jeździ. Pani Broni proszę ode mnie rączki ucałować!

— Do widzenia, dziękuję i wesołych świąt!

— Wesołych, kochana, i może wpadniecie jakoś po świętach?

— Ach, panie Zawoja! Ja przecież szłam w sprawie choinki! Pan to wie, gdzie takie ładniutkie rosną!

— Się załatwi, moja panno! Idź już, idź, dziecko, czy może pójść z tobą?

— Nie, stąd już blisko, trafię!

Mama naturalnie zmyła mi głowę za niefrasobliwość. Kaśka nawet wychodziła pod las z naszym Budrysem, czy mnie nie widać. To on tak szczekał i hałasował, bo mu rzucała patyki.

Byłam zmarznięta i głodna, więc pochłonęłam talerz makaronu z masłem i białym twarogiem. Do tego oczywiście mleko.

Chlebownik był już rozpalony. Stół uprzątnięty i zdjęta cerata. Blat wyszorowany, suchy i gotowy na chleby. Mama zaczęła swoje czary.

— Wiesz co? Dostałam taki przepis na sybirski chleb. Piecze się go tak jak nasz w lecie — na liściu chrzanowym, tylko że zamiast liścia daje się plastry słoniny. Dobre to musi być, prawda? Skocz po słoninę, Kasiu. Ty, Basieńko, pokrój ją w cienkie plastry. No, robimy taki chleb pierwszy raz!

Na omączonym stole mama zgrabnie kształtowała bochenek. Ciasto, już wyrobione, rwała na kawały i turlała krótko, nadając podłużny kształt. Formę wyłożyła słoniną i położyła ciasto. Poklepała, pogłaskała, posypała ciutką grubszej mąki i na ławkę, pod ręcznik!

— Czemu nie do pieca?

— Jeszcze troszkę podrośnie i dopiero.

Z tą słoniną zrobiła trzy blaszki. Inne międliła z kminkiem (to mój ulubiony), jeszcze inne bez. W końcu zaczęła przygotowywać piec. Kaśka rozgarnęła resztki żaru, zrobiła czystą „lochę", jak mówiła na to wnętrze, i wsuwała blaszki.

— Teraz poróbcie sobie bułeczki — mówiąc to, mama podała nam ciasto z dzieży i mąkę pszenną. Od dziecka to pamiętam! Rozmącałyśmy mąkę z odrobiną wody i łączyły z ciastem żytnim, mamowym. Teraz robimy to tak samo, formujemy bułeczki, kładziemy je na płaskiej blasze, oprószonej mąką. Też pod ręcznik! Kaśka już nie robi tego tak zapalczywie jak kiedyś. Wydoroślała.

Moje bułeczki są maleńkie. Posypuję je czarnuszką. Kaśki są podłużne i wygięte. Jak rogaliki. Nigdy jej nie wychodzą. Prostują się podczas pieczenia.

Mamy chleby są wyjmowane na brzeg, maźnięte zimną wodą i jeszcze „na rumieńca" lądują w piecu na „zdrowaśkę" i „ojczenaszka". Skórka jest wtedy chrupiąca i łamie się z trzaskiem. Nasze pieczywo — bułeczki — piecze się ostatnie. Piec już nie jest tak gorący.

Jutro pójdę raz jeszcze do leśniczówki, z chlebem, po choinkę. Zawsze tak jest, jak mama piecze albo Karolakowa. Nosi się im, bo pani Aniela nie piecze, a swojski chleb jest o niebo lepszy od kupnego. Wezmę sanki, by przywieźć choinkę od Zawoi.

Już północ! Ziewamy, sprzątając. Chleby leżą w gościnnym. Ze świeżym chlebem nie można spać w jednym pokoju. Mama ma na ten temat swoją teorię.

— Zapach cię zadusi, no i chleb musi odetchnąć w chłodzie. Nie lubi ludzkiego zapachu, i może „siąść".

Nie pytam nawet. Ziewam jak smok, zasypiam na stojąco i kładę się prawie bez mycia. Mój sen jest jak czarna studnia. Jak narkoza. Zapadam się w otchłań i budzę dopiero o ósmej, wyspana, nowa, inna. Lżejsza?

Myję się w chłodnej łazience, w chłodnej wodzie, radośnie niemal. Po niedawnej żałości śladu nie ma! Odeszła. Patrzę w lustro. To inna ja!

Umaluję się trochę! Włosy zwiążę wysoko, w ogon!

Mama pojechała ze Stefanem na stację po Hankę, Zbyszka i Piotra. Po drodze załatwią resztę zakupów. Jeszcze muszą wstąpić do Kaczorowskiego po ryby. Może w GS-ie pojawią się śledzie? Będzie widać! Po kolejce.

Biorą ze sobą Olkę Karolakównę, tę ich małą, to stanie z Kaśką i kupi, a oni wracając ze stacji, je zabiorą. Może i marynowane będą? Kaśka tak je lubi!

Ja wyciągam sanki z obórki i idę po choinkę. Mam w torbie, w lnianym ręczniku zawinięty w pergamin ten chleb na słoninie. Pachnie fantastycznie! Słonina jak skwarka wytopiła się i wkleiła w spód chleba. Tłuści palce! Ach, odkroić jej kawałek! Na śniadanie jadłam bułki moje i Kaśkowe, z margaryną i powidłami. Adwent. Nic więcej nie dostaniemy!

Dzisiaj nawet słońce przyświeca i skrzy w śniegu. Idę przez las dziarsko, po śladach furmanki Stefanowej. Na krzyżówce skręcam w lewo. Droga lekko przysypana wczorajszym śniegiem, znaczy się między drzewami. Widać już zagajnik, piaszczysta górka, polana, gdzie jesienią rosną kanie, sośnina i drugi zagajnik, młodniaczek. Dalej bór mieszany, dębniak i leśniczówka! Jakie to proste! W dzień, bo w nocy łatwo zabłądzić.

Jak cudownie pachnie u Zawojów. Przyjechała siostra pani Anieli i pieką sernik. Starszy pan woła Tomka, żeby zobaczył „chleb z duszą", jak mówią na Syberii.

Wchodzi Tomasz z podwórka, gdzie rąbał drewno. O matko! Jak on się zmienił! Taki był... pętak, smarkacz! Maleńki Tomuś. Pamiętam, jak sikał w krzakach, z Wieśkiem, jak kazał do siebie mówić „Tomasz", później taki chłystek pryszczaty podglądał mnie w lesie, jak się kąpałam w strudze.

A teraz zwalisty, wielki chłop. Przystojny za ojcem. Oczy ciemnoniebieskie jak „niebo przed burzą" — to mama tak mówi. Uśmiecha się, widząc mnie. Całuje rękę. Jego dłoń drży? Czy mi się zdaje?

Każdy z nas dostaje pajdę tego chleba, bo chłopy nie mogą się doczekać. Pani Aniela podaje nam mleko i cicho żujemy tę nowość.

— Dobre! Dobre! Trzeba to powtarzać, bo dobre! — śmieje się starszy pan Zawoja. — Na Syberii pewnie słoninę grubszą dają.

— To ja kroiłam — tłumaczę się.

— Jemu to i kroić nie potrzeba — pani Aniela wtrąca wesoło. — Położyć płat cały i na tym chleb upiec! To by mu się podobało!

Tak sobie paplaliśmy, jak to sąsiedzi, szybko wykręciłam się robotą i poszłam po sanki. Na nich właśnie Tomasz uwiązywał mi zieloną piękność. Niewielka, taka metr trzydzieści, ale szeroka, jak moja spódnica na halkach. Też zielona.

— Pójdę z tobą kawałek — mówi i bierze sznurek od sanek.

Patrzymy na siebie od czasu do czasu. Milczymy, bo rozmawiać nie ma, o czym. Tomek idzie obok mnie taki... obcy. Dawno nie widzieliśmy się, a ponadto nigdy nie był moim kolegą w dzieciństwie. Młodziak! Podobno już żonaty... Szkoda, bo taki przystojny, z dobrego domu. Przydałby się tu, choćby do spacerów, gadania. Wanda i Wiesiek wyjechali, nie ma tu już właściwie żadnych moich przyjaciół.

Na krzyżówce proszę go o oddanie sanek. Sama sobie poradzę. Patrzy na mnie z lekkim uśmiechem, prosto w oczy. Po chwili całuje mnie w rękę, kłania się i odchodzi. „Szkoda" — przemyka mi przez myśl i zaraz się ganię. „Żonaty jest! Znaczy — nietykalny! Już nigdy więcej żonatych!".

— Basiu! — słyszę za sobą. — Uśmiechaj się częściej! Będzie dobrze! Pomachał mi i poszedł. „Będzie dobrze"? A co mu do tego?

W domu nie było jeszcze nikogo. Na półce nad drzwiami namacałam klucz i weszłam. Dom pachnie już świętami. Czuć pastę do podłogi, a na płocie wiszą dywaniki z pokojów. Włączyłam radio.

— Tu Polskie Radio. Zespół Śląsk odśpiewał dla państwa ludowe melodie i pastorałki, za chwilę godzina dwunasta. Po sygnale z wieży mariackiej nadamy wiadomości.

Wyłączyłam. Już dwunasta?

Poszłam do siebie zapakować prezenty. Mamie dam śliczny materiał wełniany na sukienkę. Czarny, w drobniutkie różyczki z listkiem. Kupiłam to w Cepelii. Wzór jest stylizowany na motywach chust śląskich. Kasi kupiłam dziesięć par grubych pończoch w bardzo dobrym gatunku. Mama stale narzeka, że nie może na nią nic porządnego dostać. Ale najbardziej Kaśka się ucieszy z nowego pasa do pończoch. Jej stary jest okropny. Gumki popękały w materiale, powyłaziły i przez to się zdefasonował. Ten, co kupiłam, jest enerdowski! W ładnym kakaowym kolorze, duży, bo Kaśka jest duża. Stanik też jej kupiłam, ale taki zwyczajny. Sobie wzięłam ostatni krzyk mody — „bardotkę". Fantastyczny, bo piersi w nim układają się zupełnie inaczej niż w dotychczasowych, spiczastych. W taki „balkonik". To mój prezent od Mikołaja, dla mnie samej! Hani kupiłam Być Może, dyskretne perfumy, szał ostatnich lat. Zbyszek, mąż Hani, i Piotr — dostaną wodę po goleniu Prastarą w wiklinie.

Bardzo mnie pochłonęło pakowanie i pisanie karteczek. Teraz chcę, żeby się ucieszyli, a jak kupowałam te prezenty, jeszcze w Toruniu, było mi wszystko jedno... Jednak mi ulżyło!

Przygotowywałam obiad, stale wyglądając na drogę. Długo ich nie ma! Ziemniaki już dochodzą, a jajka w sosie chrzanowym mogą być na adwent. Dla Hani i mamy post o wodzie i chlebie trwa już od kilku dni.

Nagle słyszę szczekanie Budrysa. Są! Wchodzą dość cicho i spokojnie do domu i witamy się wszyscy sztywnawo.

— Basiu! Stałam długo po śledzie, wiesz? — informuje mnie Kaśka od progu. — I Ola Karolaków stała. Taaak. I kupiłyśmy dla nich i dla nas! Ola dała pani pieniążki, a ja mówiłam, że śledzi chcemy! Sama!

— Kasiu! Świetnie! Zaraz mi je pokażesz — chwalę Kasisko i proszę do stołu w dużym pokoju.

— Ależ po co? — Hania unosi brwi. — Można było w kuchni! My zwyczajni!

— Wiem, Haniu, ale tu na stole, pakunki kładziemy, te śledzie, wiesz i robi się rozgardiasz, a ja chciałam was szybko z drogi ugościć! Siadajmy, już niosę!

— Wyobraź sobie — mówi do mnie mama — że do GS-u rzucili po dwie beczki śledzi solonych i marynowanych! Kaśka i Ola i kupiły po dwa kilo! Wzięły jeszcze, bo poprosiłam Olę, dorsza wędzonego. Niech tam sobie gadają, a mnie smakuje lepiej od piklinga. W piklingu za dużo ości. Kiedyś Michał się strasznie zadławił!

— My też często kupujemy dorsza, prawda, Zbyszku? — wtrąca Hania.

— Naturalnie, Haneczko — Zbyszek kiwa głową.

Jest blady i ma wysokie czoło. Włosy już szpakowate, a przecież jeszcze nie ma pięćdziesiątki! Staro wygląda i ma twarz męczennika. Nieszczęśliwca. No tak, ożenił się z kobietą o twardych zasadach, a teraz jeszcze Hanka pretenduje do świętej.

Rozumiem ją, to straszne — śmierć dziecka, ale taka się od tamtej pory zrobiła trudna. A to już tyle lat! Bogobojna, świątobliwa, surowa jak święta Tereska, tylko mniej miła. Nie uśmiecha się wcale, a jeżeli już, to ma taki ten uśmiech, jakby ją szczęki bolały. Zbyszka trzyma twardą ręką, a on... widocznie to lubi.

Za to Piotra lubię ogromnie, bo jest poczciwy. Wysoki, podobny trochę do... Andrzeja Szalawskiego, tylko szczuplejszy. Zamknięty w sobie, ale żartuje, czasem się śmieje, wtedy oczy ma takie... pełne wesołych iskierek. Przeważnie siedzi i czyta. Hanka też burczy na niego, ale on sobie z tego nic nie robi. Znalazł mi tę pracę w Toruniu w sekretariacie na uniwersytecie, mimo że wyleciałam z partii, i to na własne życzenie. Piotruś nakłada sobie, usługuje mamie, mnie i Kasi, jest w nim radość, humor, a przecież jest samotny. O, właśnie. Nigdy go nie pytałam — czemu?

Pieczenie Haninych ciast to wielki rytuał, więc wychodzę, bo czuję, że byłabym w kuchni persona non grata. Hanka bałaby się, że moja grzeszna osoba spowodowałaby — ja wiem? — opadnięcie biszkoptów, zakalec w keksie, ścięcie sera w serniku, a już na pewno rodzynki zamieniłyby się w robaki. Bóg wie, co jeszcze mogłabym spowodować! Idę więc do pokoju mamy. Kaśka ogląda tam telewizję.

E, tam! Nie mam ochoty na to. Pójdę nad rozlewisko. Pomyślę. Poszukam starych ścieżek. Wkładam botki i właśnie wychodzi do sieni Piotr.

— Idziemy razem? Chcę pooddychać tutejszym powietrzem, no i kobiety mnie z kuchni wygoniły.

— A Zbyszek?

— On jest do zadań specjalnych. Hania przywiozła skórki pomarańczowe i teraz Zbyszek je kroi na paseczki. W fartuszku! — parska.

Nad rozlewiskiem już się ściemnia. Brniemy w śniegu. Ścieżkę zaniosło śniegiem. Tylko suche chaberdzie po bokach pokazują, gdzie była latem.

— Basiu? — pyta serdecznie. — Basiu, przeszło ci już?

— Co, Piotrze?

— No, te twoje sercowe rozterki? Uśmiechnij się! Jeszcze nigdy nie było tak źle, żeby nie mogło być gorzej!

— Dziękuję. Piotruś? Jesteś moim bratem, prawda?

— No, prawda. A co?

— Nic.

Milczymy, bo ja się zbieram na odwagę, chcąc wejść w tajemnice Piotra. Idziemy chwilę. Robię kulę ze śniegu, rzucam na taflę rozlewiska. Nadciągnął zmrok i ta cisza wkoło stała się taka intymna. Z daleka dom wygląda tak bezpiecznie i ciepło. Światła pozapalane... O, a teraz też zapaliło się w oborze. Może to Kaśka poszła doić? Nie za wcześnie?

— Piotr, już dawno miałam cię spytać. Mogę?

— Piętnasta czterdzieści — śmieje się.

— Oj, Piotr! Nie żartuj! Powiedz, czemu ty jesteś sam?

— To takie ciekawe, Basiu?

— Jasne! Zawsze sądziłam, że ukrywasz jakąś piękną historię miłosną. Tak?

Piotr westchnął i patrzył na mnie badawczo. Chyba wahał się — mówić? Czy nie?

— Basiu — zaczął i zamilkł.

— Piotrusiu, ja jestem bardzo dyskretna. Zresztą, jak nie chcesz, to nie mów!

Milczał i nagle zaczął:

— Jesteś na tyle dorosła i masz za sobą taki bagaż przeżyć, że... mogę ci zaufać. Zresztą ty też wtajemniczyłaś mnie w swoje intymności.

Opowieść Piotra

Zawsze byłem inny. Z Hanką rozumieliśmy się doskonale, ale dzieci z pobliskich majątków przerażały mnie tymi swoimi głośnymi zabawami. Byłem chłopcem spokojnym, kochałem książki i dużo sobie z Hanką czytaliśmy na głos.

Moja matka, Berta, miała fantastyczny księgozbiór! Może ciut osobliwy? Wiesz zapewne, że była niezrównoważona emocjonalnie. Wariatka. Szalała konno po okolicy, czasem w samej tylko koszuli, z włosem rozwianym jak u Podkowińskiego.

— Tamta była naga — wtrąciłam.

— Eeee! A kto wie, czy Berta też nago nie jeździła? Podobno tak się jej porobiło po tym romansie z Cyganem. Miała szesnaście lat! Zwariowali ponoć, na swoim punkcie, ona i ten Cygan, i kochali się na zabój. Kiedy dziadek się dowiedział o wszystkim, wysłał ją „do wód" — by tam bez wstydu urodziła owoc tego grzechu, a jego wychłostał do krwi. Dobrze, że Cyganie nie podpalili mu dworu.

Berta urodziła Julka i w tajemnicy chował się on na wsi, po sąsiedzku — u mamki. Julek to pierwszy mąż Broni, wiedziałaś o tym?

— To wszystko akurat wiem — sprowadziłam go na odpowiedni tor.

— Hmmm. No i… Na czym stanąłem?

— Piotr. Nie musisz, jeśli to za trudne.

— Nie. Tylko nie wiem, od czego zacząć. Wiesz, w Toruniu, na studiach poznałem Maksa. Maksymiliana. Był moim najlepszym przyjacielem. Miał piękną siostrę, Ewę. Trzymaliśmy się zawsze razem. Długo. Założyliśmy kółko dramatyczne. Ach, co myśmy grywali!

— We trójkę?

— Nie, no więcej nas było! Wkrótce Maks poszedł do wojska. Ja nie, bo mam oczy, jak wiesz, do niczego, i platfusa… Jak ja zacząłem cierpieć! Nie zdawałem sobie sprawy, co to jest, takie rozstanie!

— A ta siostra?

— Ewa? Nic, cierpieliśmy razem. Nie kochałem jej, jeśli ci o to chodzi, choć ona jak łania była. Śliczna! Kiedy Maks przyjechał do domu na przepustkę, zadzwonił do mnie. Jego rodzice byli na jakichś imieninach, Ewa u koleżanki… Pobiegłem jak oszalały… Rozumiesz już?

— Mów — powiedziałam łagodnie.

— Był sam. Rzuciliśmy się sobie w ramiona. Mocny, męski uścisk wkrótce zamienił się w taki, którego pragnąłem nocami. Tulił mnie, a ja jego. Właśnie wtedy stało się.

Milczałam. Nie mogłam pokazać po sobie szoku. Piotr?! Mój brat?! O mamo!

— Już po wszystkim zastała nas u niego w pokoju jego siostra i od tej pory spotykaliśmy się rzadko i okazjonalnie. Cierpieliśmy strasznie, bo jego rodzina zrobiła wszystko, żebyśmy się ze sobą nie widywali.

— Wypaplała?!

— Chyba tak... Mnie się zdaje, Basiu, że ona liczyła na mnie.

— Kochała cię?

— Tak podejrzewam i w złości mogła rodzicom wygadać. Tak czy inaczej, było nam obu bardzo ciężko. To były godziny, dosłownie podstępem wyrwane z życiorysu...

Wyjechali do Gdyni. Zmienili mieszkanie. Spotykaliśmy się w pół drogi, rzadko. Dowiedziałem się od Hanki, a ona od Ewy, że rodzice postanowili go „wyleczyć". Przymusili go do ożenku z przepiękną dziewczyną, córką sąsiadów. Maksymilian poddał się. Presja rodziców, a zwłaszcza ojca, była ogromna.

— Ożenił się? — spytałam, rozumiejąc już ból Piotra.

— Tak... — zamilkł. — W noc poślubną, gdy panna młoda poszła się przebrać w koszulę, zastrzelił się.

— Żartujesz! — szepnęłam zszokowana.

Milczeliśmy. Piotr był bardzo poruszony. Stał w świetle księżyca, podparty pod boki i niezdarnie pociągał nosem.

Podeszłam i pogładziłam go po policzku.

— Piotruś... Zawsze już byłeś sam?

— Nie do końca. Wiesz, jaka jest Hania. Ledwo dała radę domysłom. Udawała, że mnie to wszystko z Maksem nie dotyczyło. Wiesz, skąd wiem? Bo zerwała kontakty z Ewą. Zamknęła sprawę, bo tamta chyba coś jej pisała o nas. Hania jakiś czas swatała mnie, jak gdyby nigdy nic, z koleżankami z pracy, aż zajęła się Zbyszkiem, a potem to dziecko — i wiesz.

— I...? — nie dałam za wygraną.

— Aleś ty! No, dobrze. Przez wiele lat jeździłem do Bydgoszczy, prawda?

— W interesach, tak, pamiętam! — oczy miałam szeroko otwarte, jak buzię.

— Tak. Tam mieszkał. Byliśmy ze sobą wiele lat. Pracował w naszym oddziale bydgoskim. Miał własne mieszkanie i nikogo nie dziwiło, że jeździłem tam i bilanse robiliśmy razem.

— Ciągle...?

— Nie, Basiu. Zmarł dwa lata temu na żółtaczkę czy sepsę. Różnie mówili w szpitalu. Poszedł na ropny wyrostek... Chyba jakieś fatum nade mną wisi. Hanka powiedziałaby: „Kara za grzech". U niej wszystko jest grzeszne! — dodał gniewnie.

— To biedny jesteś.

— Dziękuję, Basiu. Choć ty jedna mnie rozumiesz.

— A mama? — zainteresowałam się.

— Mama? Dla mamy jestem samotnikiem i stale mi powtarza, że kogoś sobie znajdę.

— Ale wie?

— Nie. Chyba nie... Nie wiem.

To był niesamowity spacer. Nie czułam zimna, nic! Wracaliśmy, milcząc, pogrążeni w myślach. Zanim dotarliśmy do drogi, pocałowałam Piotrusia.

— Dzięki ci, braciszku! Nikomu nic! Sza!

Popatrzył na mnie jakoś tak melancholijnie, jakby przepraszająco. Musiało mu być ciężko!

Tajemnice rodzinne, nawet najbardziej skrywane, zawsze kiedyś wyłażą z szafy. Po co je skrywać? Fakt — wiadomość o tym, że Piotr jest inny, była dla mnie szokiem, ale nie takim, żebym zmieniła do niego mój stosunek, przestała go lubić, kochać jak brata. Owszem jestem zaskoczona, ale i zdziwiona. Jestem dorosła, po co te tajemnice? A mama? Rzeczywiście nic nie wie?

Do wieczora były ważne tylko Hani wypieki. Dom pachniał wanilią, skórką, kajmakiem. W pokoju zawsze używanym jako składzik-spiżarka, stoi nasz stary stół, a na nim owinięte w pergamin: sernik, stefanka, kajmak kilkupiętrowy, makowiec i strucla śliwkowa. Że im się chce! Ja kiepsko sobie radzę z ciastami i nie wchodzę w komitywę mamy i Hanki. Niech pieką, gadają... Zbyszek, cień, siedzi tam, jakby go nie było. Kroi, kręci, pomaga i po prostu — jest.

Kaśka wieczorem, po sprzątnięciu po kolacji, nastawiła radio, bo jest świąteczny odcinek „Matysiaków". O Boże! Wszyscy siedzą cicho i słuchają! Lubię „Matysiaków", ale nie mam nastroju. Przeglądam „Zarzewie", „Ty i ja" z podwójną krzyżówką, ale tę już rozwiązywałam. Sama, choć to dla pary. Ale ja pary nie mam... W końcu wciąga mnie krzyżówka z „Przekroju". Jak zawsze trudna upiornie. Trzeba myśleć, bo hasła są zagadkami.

I całkiem nagle przypomniałam sobie Gosię.

Niby przecież mam córkę. Po wyjeździe z Warszawy próbowałam do niej pisać jakieś listy z wytłumaczeniem, ale zawsze wracały nieodpieczętowane. Zresztą takie były warunki Stanisława, żeby nie niepokoić Gosi pod żadnym pozorem. Podpisałam takie zobowiązanie, podsunięte mi przez prawniczkę męża, gdy chciałam rozwodu, żeby wyjść za Andrzeja.

„Przestań się niepokoić. Bez ciebie będzie jej lepiej. Nie byłaś dobrą matką, a teraz będzie się stale wstydzić. Oszczędź jej tego. Ja sobie poradzę".

Moja córka. Właściwie, racja, nie byłam dobrą matką. Taka nieporadna — pamiętam to! Te bóle wezbranych mlekiem piersi, stan zapalny, gorączka „połogowa" i „popołogowa" i w ogóle ciągnąca się gorączka. Zapłakane niemowlę i moja niewiedza. Niechęć do wszystkiego, czego nie potrafiłam zrobić. Przypalone mleko. Kaszki z grudami. Inne umiały. Nawet ciotki studenci bujający Gosię w hamaczku umieli ją ululać. Ciotka niechętnie, ale pilnowała mleka i jej — nigdy się nie przypaliło. Pleśniawki, odparzenia, kupki, nocniczek... śmierdzący linomag i talk, od którego się krztusiłam.

Moja nieporadność, jak chorowała, i jak zadawała tysiące pytań, gdy już była szkrabem, nie dzieckiem. Czasem mnie irytowało.

— Co to?

— Co, Gosiu?

— No tam, to duże.

— Tam? Latarnia.

— Nie! Wysoko, tam!

— A! To księżyc.

— A co to księżyc?

Zwariuję. Jak takiej małej wyjaśnić, co to księżyc, gdy właśnie sprawdzam kartkówkę?

— To takie ciało... niebieskie.

— A czemu niebieskie, jak białe?

— Gosiu! Daj mi spokój!

— ...i świeci. Żarówkę ma?

— Gosiu! Cicho bądź! Sprawdzam klasówki!

Milkła, ale wiedziałam, że może jeszcze tymi pytaniami zahaczyć o całą astronomię. Patrzyła na mnie spod grzywki.

Może ja nie powinnam być matką? Jak Małgosia poszła do przedszkola, bardzo kochała swoją panią i nawet deklarowała tę miłość werbalnie — wprost: „Kocham panią Tusię!".

Wyrosła na miłe i dobre dziecko, ale... czy to dzięki mnie? Czy kolejnym niańkom, pani Tusi, Annie, Halince, Misi... Stanisławowi?

Nie zdałam egzaminu z macierzyństwa. Tak jak oblałam egzamin z propedeutyki. Zdawałam z niego poprawkę dwa razy.

A z macierzyństwa? Pan Bóg chyba nie daje poprawek. Tak sądziłam, zrezygnowana. Nie wiedziałam jeszcze wtedy, jak się myliłam...

Hanka z mamą ubierają choinkę. Do sylwestra będzie ubrana na biało. Trzydziestego pierwszego mama przebierze ją na kolorowo i tak postoi jeszcze dwa tygodnie. Równo piętnastego mama ją rozbiera. Taki obyczaj panuje u nas od zawsze. Tak było u mamy w rodzinnym domu, tak jest u nas, nad rozlewiskiem.

Piotr rąbie drewno na opał. Zbyszek nosi, bo musi być go dużo na tyle dni świąt.

Mama celowo zostawiła chłopakom tę robotę, żeby się nie nudzili. Już czuję podniecenie i ten specyficzny nastrój. Ruszamy się szybciej, ciągle jest coś niezrobione, nieprzyniesione, jeszcze grzybki ze spiżarni, jeszcze dosmaczyć barszcz grzybowy:

— Haniu, sprawdź, dziecko, nie za mało pikantny?

— Basiu! Pozwijaj ładnie serwetki, tak to pięknie robisz, w rozetki!

— Zbyyyyszek! Chłopcy! Dywanik z łazienki już trzeci dzień wisi na płocie! Proszę przynieść! Kasiu, sprawdź, czy krowa ma podścielone!

Wychodzę na werandę. Zawsze jestem ta najmłodsza i zawadzam gosposi Hani i mamie. To one są królowymi w kuchni. Oczywiście do lepienia pierogów jestem wołana. Kaśka też, ale jak tylko koniec, od razu dają do zrozumienia, że powinnam się zmyć.

Opieram się o stary słup i wydycham parę. Jestem rozgrzana kuchnią i przygotowaniami, podekscytowana — czym? Nie jestem już dzieckiem, na prezenty nie czekam z wypiekami na twarzy. Przecież Wigilia to taka bardziej uroczysta kolacja. W Warszawie tak było. Halinka wyręczała mnie we wszystkim. A tu ja jestem ta najmłodsza, w kuchni rządzi mama z Hanką, a Zbyszek i Kaśka są do podawania. Ja znów mam etat „małej córeczki". Mogę podkradać polewę z makutry, orzechy, mogę włączać radio i pomagać Kasi i nudzić się. Traktują mnie jak jakąś niemotę, rekonwalescentkę po sanatorium dla szaleńców, a mnie z tym dobrze.

Wigilia... Też mi coś!

Hance się nie przyznam do takich myśli, boby mnie wyklęła. Dla niej to jest misterium religijne. Czuję żal, że dla mnie nie. Zaakceptowałam niegdyś laicki świat, jakiego wymagał od nas Gomułka i jego biuro polityczne.

Stanisław swego czasu poddał się i zapisał do partii. Inaczej zero awansu. Zweryfikował część swoich poglądów, częściowo się dostosował. Ja wstąpiłam, bo jako żona po prostu „powinnam". Życie świeckie, laicyzacja świąt jakoś go nie zniechęciły. Stwierdził, że żyje się między ludźmi i trzeba iść z postępem. Skoro wszyscy dookoła są nowocześni i nie wierzą w zabobony, my też się dostosujmy! Zamiast choinki przynosił z Cepelii „podłaźniczkę". To taka jodłowa, zdobiona gałąź, wieszana pod sufitem, robiona na południu Polski, a obecnie sprzedawana w Cepelii na święta. Pod pozorem, że niby choinka prószy tymi swoimi kolkami, a to jest ludowy akcent. Dodawał jeszcze kilka bombek i już! Było pięknie!

Na Wigilię zapraszał znajomych i robiliśmy to metodą składkową. Opłatek leżał symbolicznie na stole, ale nie dzieliliśmy się nim, bo to „nienowoczesne". Przy śledziu już lała się czysta wódeczka, a do deserów jarzębiak. Czasem ktoś przynosił gruziński koniak. Później kawa rozpuszczalna, papierosy, jakieś rozmowy durne...

Prezenty zawsze te same. Kobiety — perfumy, czekoladki, a mężczyźni wody po goleniu. Jedynie dla Gosi zawsze się wysilaliśmy. A to sanki, a to lalka...

Do modnych, małych wnętrz nie pasuje tradycja...

To śmieszne, bo jak ktoś, jakaś rodzina mieszkała z rodzicami, było tradycyjnie! Czasem nawet się tego wstydzili. „Wiesz — mówili — musimy się dostosować, bo mama taka staroświecka!".

Dlaczego w Warszawie tak gładko przestałam święcić te święta? Czcić? Kochać? Przecież to nie jest sprawa religii. Nie chodzę do kościoła za często, ale zawsze u mamy czuję, że Wigilia to coś więcej niż wiara w narodziny Jezusa. W Warszawie było inaczej... Ja byłam inna.

Wracam myślami do dzieciństwa.

Jak ja czekałam na Święty Dzień! Jak śpiewałam z mamą:

Czas, abyśmy ze snu wstali!
Pana czynem uwielbiali!
Pan nam z nieba przypomina,
Że nadeszła już godzina.

Albo:

Córko syjońska, wesel bardzo się,
Śpiewaj pieśń radosną, o Jeruzalem,
Oto sprawiedliwy Król twój idzie już;
Znawca On, prawdziwy hołd Mu z serca złóż!

Na to Kaśka basowała katolicką kolędę:

Aniołowie się radują,
Pod niebiosa wyśpiewują
Gloooria! Gloooria! Gloooria!
In excelsis Deeee-o

Kaśka lubiła śpiewać i nawet swoim niskim głosem trzymała tonację. Jakoś teraz cicho, nikt nie śpiewa, bo Hanka od dawna epatuje nas swoją powagą...

Weszłam do kuchni z głośnym:

U nas w Betlejem, u nas w Betlejem
Wesoła nowina!
Że panna czysta, że panna czysta
Porodziła syna!

Kaśka mi przerywa, śmiejąc się:
— Nie tak! „Dzisiaj w Betlejem” się śpiewa!
— Kaśko, a u nas nie może być Betlejem? Przecież Bóg się rodzi w każdym domu, tak?
Kaśka kręci głową. Kolęda to kolęda... Kaśka jest dokładna i śpiewa tak, jak ją ksiądz nauczył. Fakt. Bóg narodzi się jutro.
Widziałam, że przerwałam w czymś mamie i Hani. Szepczą tak już od Hanki przyjazdu. Ile można o ciastach, pierogach? Kaśka dołączyła chętnie, drąc się niemiłosiernie:

Chrystus się rodzi,
Nas oswobodzi,
Anieli grają, króle witają,
Pasterze śpiewają,
Cuda, cuda...

Hanka patrzyła na nas ciut zgorszona. Może zdziwiona? Wycierała talerze i miała całkiem obojętne oczy. „Jaka ona wypalona..." — przemknęło mi przez myśl.

Wyłyśmy głośno, jak w dzieciństwie na sankach, aż mama nas ofuknęła: — Dziewczynki! Spokój! To dzień skupienia i oczekiwania! No, do pokoju, rozsunąć stół! — Mama dziwnie się uśmiechała, udając surową. Nagle zrozumiałam, że coś się dzieje między nią a Hanką. Jakieś tajemnicze spojrzenia na zegar, na okno, na drzwi...

— Czekamy na kogoś? — spytałam czujnie.

— Nnie. Nie! Choć to zawsze przecież może być ktoś z drogi — mama ucięła moje domysły i podała sztućce. — Powycieraj! A potem do pokoi, przebrać się!

Właśnie kiedy wkładałam halkę, usłyszałam dzwonki sań. Po chwili ktoś wszedł do sieni. Usłyszałam stłumione okrzyki radości.

— Broniu!

— O Jezusie Nazareński! Ludwiś! Nareszcie!

Jakieś szurania. Nie mogę zapiąć pończochy, gumka mi się urwała, więc biorę guzik, przewlekam przez metalowe „oczko" i jakoś jest. Jeszcze tylko włosy. Kto tam jest?!

Czeszę się z opaską, wywijam szybko końcówki włosów i ślinię brwi. To Wigilia domowa. Nie maluję się. Po co?

W kuchni stoi w marynarce starszy pan i wita się z mamą.

— Dzień dobry. Jestem Basia, córka... — dygam jak jakaś gimnazjalistka, bo starszy, lekko nalany, siwy pan mnie onieśmiela.

— Basiu! To Ludwik! Kuzyn Michała. Podczas okupacji pogubiliśmy się, później z rzadka pisaliśmy pocztówki. Ludwik od tego lata mieszka w Olsztynie! O, Boże! Jak to dobrze, Ludku, żeś jest! Tyle lat! Tyle lat! Od twojego listu nie mogłam sobie miejsca znaleźć! Nic nie mówiłam nikomu, tylko Hani. No, pokój wam musiała naszykować. Basiu! Pamiętasz, jak opowiadałam o Ludwiku? A to jego wnuk.

Obejrzałam się. Koło pieca stał oparty o parapet młody mężczyzna z grzywą zaczesaną do tyłu, w przyciemnianych szkłach i motocyklowej kurtce.

— Zbigniew Cybulski, jak sądzę — wycięłam złośliwie. Tania podróbka!

— Szymon Kościelniak. A pani? Niech zgadnę... Marta Lipińska? O! Może Kalina Jędrusik?

— Jestem Baśka i nie naśladuję nikogo! — warknęłam.

— Baśka? — powtórzył. — Hajduczek?

„Potrzebny nam tu pajac!". Mama szybko przebrała się w swoją sukienkę świąteczną. I kiedy Kaśka po raz trzeci dobitnie przypomniała, że gwiazdka już świeci, poszliśmy do jadalnego.

Od zawsze w rodzinie taty mieszały się tradycje katolickie i ewangelickie. U nas i u wielu innych Wigilia była 24 grudnia. Zawsze.

Kasia była chrzczona w tutejszym, katolickim kościele, rodziców miała katolików. Mama to uszanowała, wychowując ją w naszej rodzinie. A jak Hanka przeszła na katolicyzm, żeby wyjść za Zbyszka, i okazało się, że ta wiara bardziej jej pasuje, do naszego domu weszły obyczaje obu Kościołów.

Mama, ku naszemu zdziwieniu, zrezygnowała z majestatycznego, corocznego czytania fragmentu z Biblii, i pacierza, który w Wigilię zmawiała głośno po łacinie. Zrobiła to ze względu na naszych gości. To dziwne, że złamała swoje zasady... Zaczęła dzielenie się opłatkiem, jak zwykle od Hani i dalej już było normalnie. Jutro jest według maminej religii Dzień Narodzenia Pańskiego, i mama rano o szóstej będzie się modlić w swoim pokoju tak, jak lubi.

— No, no, jakie zwyczaje! — powiedział cicho ten Szymon, a ja uznałam to za grubiaństwo. Hanka w ogóle nie zwracała na niego uwagi.

Usiedliśmy. Zaczyna krążyć półmisek ze śledziem. Na stole stoi kryształowa, rżnięta karafka zmrożonej wódki. Mama podaje ją Piotrowi.

— Nalej, kochanie, wódki — mówi mama — musimy z Ludwikiem wypić za spotkanie! Mówiłam wam nieraz, ile mu zawdzięczamy, ile zawdzięcza mu Polska!

Opowieść niespecjalnie była na tę okazję. Rozmowa zeszła na konspirację, czasy przedwojenne, politykę... Nudziło mnie to, więc zajęłam się zmianą talerzyków i nawet chętnie zmywałam, żeby tylko odczepić się od towarzystwa.

Do kuchni wszedł Szymon.

— Cudne, co? — spytał z kpiącym uśmiechem.

— Co?

— Ta cała szopka. Wybacz, ale to nie mój styl, dlatego patrzę na to jak na przedstawienie. Zapalisz? — wyjął paczkę papierosów.

— Tu, nie. Na werandzie — powiedziałam, wytarłam ręce i poszliśmy odetchnąć.

Czemu go słucham? Czemu sięgam po papierosa?! Przecież denerwuje mnie ten bubek. Jednocześnie pociąga. Chcę go ujarzmić, zatrzymać, przekonać, że nie wylądował w średniowieczu, że ma przed sobą normalną, nowocześnie myślącą kobietę! Potrząsam włosami i układam je za uchem. Patrzę może zbyt wyzywająco, ale nie chcę, żeby nas oceniał za szybko. Nie, mój panie! Nie jesteśmy zaściankiem, a ja już z pewnością Zosią od kur!

— Co robisz w Warszawie? — spytałam tego Szymona.

— Studiuję, patrzę, słucham, i żyję! — odparł, uśmiechając się zagadkowo.

Chyba chciał być zagadkowy. Mnie wydawał się nadęty.

Wyjął zapałki i przypalił mi papierosa.

Naturalnie, nie paliłam sto lat. Ostatnio na jakiejś zabawie studenckiej, wcześniej w gimnazjum na jakichś imieninach, a przedtem tu, nad rozlewiskiem, jak miałam... dziesięć lat, w krzakach, w lesie. Kaszlę i dym mi drażni oczy.

— Palaczka to ty nie jesteś! — śmieje się Szymon i zabiera mi papierosa. Wyrzuca swojego, a mojego dotyka zmysłowo wargami.

— Jakbym dotykał twoich ust…

— Pajac!

— Nie złość, się! Brzydka jesteś! Przecież ty też czujesz się tu jak na weselu, na które cię nikt nie zapraszał. Zróbmy coś szalonego!

— Dobrze, ale jeszcze deser. Nie wypada tak wstać w pół wieczerzy.

— Przestań! Jakiej „wieczerzy"? Zwykła kolacja. Żarcie jak żarcie. Po co nadawać temu jakiś metafizyczny wymiar? Wierzysz w te bajdy? Gagarin był w kosmosie, nic nie widział! Niebo jak niebo.

— Trywializujesz. Z grzeczności chociaż skończmy, ciasta są dobre…

Opieram twarz o słup werandy i robię minę Winnickiej. Taką „wiele myślącą i tajemniczą". Co ja wyprawiam? Popisuję się przed głupim Szymonem, tanią imitacją Cybulskiego. A ten bierze moją dłoń, ogląda ją jak chiromanta, i nagle całuje sam środek. Wyrywam rękę.

— O co ten lęk? Nie zrobiłem nic złego! — śmieje się, przytrzymując mnie na werandzie.

— Chodź już! — ponaglam go całkiem zbita i odarta z mojej życiowej zbroi. Złości mnie ta jego roześmiana gęba, a jednak chcę, żeby był, żartował, bo wprowadził do mojej duszy nowy element. Jakbym się przebudziła ze snu, którym tu zasnęłam.

Przecież on jest posłańcem z innego świata! Zapomniałam o tym, że ja jestem już z miasta! Że znam się na modzie, wiem, co to szpilki, szmizjerka, świetnie tańczę do big-beatowej muzyki i tylko tu… zaśniedziałam.

Przy stole już po zmianie talerzyków. Ludwik przekonuje o konieczności, zdaniem tego Ludwika, laicyzacji życia. Mama jest wstrząśnięta.

— Nie można tak! Ktoś musi wyznaczać pion moralny — mówi surowo.

— Broniu! Trzeba „…z żywymi naprzód iść, po życie sięgać nowe!". Już latamy w kosmos! Tam nikogo nie ma! Wiara, zabobony, religia to przestarzała sprawa.

— Tak! Naturalnie! — rzuca mama. — „Opium dla mas"? To już nie pamiętasz, kto, co było ostoją polskości? Kościół!

— A ty, mnie się zdaje, byłaś ewangeliczką?

— A co to ma do rzeczy? My tu przy stole ewangelicy i katolicy — razem. Hania i Kasia — katoliczki. Ja i Piotr, ewangelicy, ale z polskiego domu o polskich tradycjach. Boga mamy wspólnego, wspólne zasady moralne. A oni? Bezbożnicy? Ludwiku! Kto będzie mówił twoim wnukom, co jest dobre, a co złe? Gagarin? Gomułka? Chruszczow?... nie już teraz... Kto tam jest teraz?

— Breżniew — rzucił Zbyszek.

— No tak. Przynajmniej maniery ma... ale też ateista! — machnęła ręką mama.

— Dobro i zło to prawdy uniwersalne — wtrącił niedbale Szymon.

— Tak? A skąd się wzięły? — mama nie dawała za wygraną, lekceważąc Szymona. — Z kapelusza? Nie sądziłam, Ludwiku... Twoi rodzice, jak słyszałam od Michała, byli katolikami! Wychowali cię w wierze!

— Broniu, ja się rozwijam! Dużo rozmawiam z Szymkiem. Słucham i patrzę! Przyszło nowe. Trzeba do przodu — prawda, Szymonie? O! Mój wnuk studiuje... co ty studiujesz, Szymek?

— Architekturę, dziadku.

— No właśnie, i u Szymka na zajęciach dużo się mówi o postępie, o nowoczesności, która jest jak woda — nie zatrzymasz jej! Wszelkie zaprzaństwo trzeba wyplenić! Żadnych pozostałości po przeszłości. Tych naszych wiecznych łez, umęczenia, poddania. Całe życie na kolanach! Cała ta religia tylko schyla nam karki!

Hanka nie wytrzymała i wyszła do kuchni. Zbyszek pozieleniał, a że siedział pod oknem, nie mógł się wygrzebać. Został.

A Piotr? Obserwowałam go. Siedział i bawił się w najlepsze!

— Trzeba — kontynuował Ludwik — wyrwać się z tego kręgu, ku wolności. Żeby już nie bać się niepotrzebnie jakiejś „kary boskiej", „opatrzności', żeby każdy robił to, co chce robić, kochał, kogo chce kochać, i żeby...
— zabrakło mu chyba konceptu — ...dobrze wreszcie było! Tak, Szymku?

— Co ty pleciesz? — mówi mama spokojnie, strzepując okruszki w dłoń.
— Czy wiara przeszkadza ci w tym? Zaparłeś się obyczajów przodków? Po co ci to „nowe"? Ta cała partia tylko wam w głowie mąci i studentów bije. Nasz sąsiad Zawoja był w Warszawie, rozmawiał z ludźmi. To nie tak było, jak pokazali w telewizji. A Żydzi? Co im Żydzi przeszkadzają? Zawsze byli. Krawcy, szewcy, sklepikarze.

— I bankierzy! Wiedzą, jak pieniędzmi kręcić! — zaperzył się Ludwik.

— To ich zaprosić do Polski, a nie wyrzucać! — powiedziała mama. — Uczyć się od nich! A nie bolszewika słuchać! — mama wykazywała żelazną logikę.

— Ciiiicho, Broniu! Bo jeszcze kto usłyszy! — syczał Ludwik.

— U mnie? Ode mnie nikt na nikogo nie donosi! Ileż to porządnych ludzi z kraju przegnali, cholery jedne! Teraz do tradycji chcą się dobrać, narodowość wykorzeniać, to i otumaniają was! „Laickie święta!" Sratatata! Te święta są najświętsze na świecie i wara im, Gomułkom i całej tej reszcie, od nich!

Piotr nabrał powietrza, a ja przeprosiłam towarzystwo i wyszłam. Naturalnie po chwili miałam za plecami Szymona.

— Chodź, zapalimy. Strasznie tu gorąco! — syknęłam.

Znów staliśmy na werandzie.

— Ale politycznie poszło! — zagaiłam zdumiona mamą.

— A co ty o tym sądzisz? Czyj był marzec? — spytał.

— Nnnie wiem. Ja tego nie śledziłam, ja byłam w Toruniu i tam... Ja miałam inne, ważniejsze sprawy na głowie niż ganianki studentów i milicji!

Czułam, że coś mi umknęło. Nikogo nie słuchałam, bo wtedy... Wtedy szalałam z miłości do Andrzeja, odchodziłam od męża i decydowałam o całym moim przyszłym życiu. Mąż pozbawił mnie córki, a kochanek wrócił do synów i żony. Miałam w nosie politykę, cały świat! Szymon tego nie zrozumie, nie ogarnie mojego świata. Jest młody, z miasta, i przesiąknięty miejskością. Interesuje go polityka, społeczeństwo, a nie pieluchy, zdrady, koreczki do brydża, rozwód, rozdarcie po straconym Andrzeju. Jest wolny!

Jakoś w marcu nie zwróciłam uwagi na zamieszki w Warszawie. Radio było pełne doniesień o „wrogach klasowych" i „elementach wywrotowych". Zupełnie mnie to nie obeszło. Miałam swoje sprawy.

Szymon zaczął:

— I co ty na to? Jak zareagowałaś?

— Na co?

— Na zamieszki na uniwerku, w marcu? Basiu! To twoja uczelnia!

— Nic nie wiem, tylko tyle, że nie chcieli zdjęcia *Dziadów* z afisza. Co tam takiego było?

— Gdzie ty żyjesz? Baśka, to nie chodziło o teatr! Wytłumaczę ci to. Chodziło o interpretację dzieła. Holoubek, kojarzysz go, to ucieleśnienie polskiej inteligencji, a to, jak podał tekst Mickiewicza! Mówię ci! Oklaski na sali sprawiły, że *Dziady* stały się wielkim protestem przeciw... niewoli! Rozumiesz? Wymierzone przeciw partii i jej dyktatowi oraz przeciw naszemu Wielkiemu Bratu. Czujesz, czemu je zdjęto? A w partii zalęgła się partyzantka. Moczar ze swojakami opluwali wszystko, co żydowskie, inteligentne, no... wszystko! Jak profesorowie poparli studentów, to się zaczęło! Zwolnienia, relegowanie, krytykowanie. Nie pamiętasz? Wiesz, co Gomułka powiedział?! Że za marzec odpowiada Kisielewski, bo nazwał takich jak Gomuł i reszta — ciemnogrodem.

— Kisielewski?...

— Stefan. Nie czytujesz go? Baśka, ale masz niedociągnięcia. Co ty w ogóle czytasz?

— „Panoramę", „Poznaj Świat".

— Tak, tak. Babskie bzdury. Przyniosę ci kilka kawałków. Moi starzy są ogólnie po „tamtej" stronie, to wiesz, i nie wiedzą, że syneczek im się wyłamał. Jak się widzimy, nie politykujemy. Tak się porobiło! Ale mam dostęp do informacji...

— A ta partyzantka to co? Dlaczego? Komu potrzebny głupi naród? Przecież myśliciele, filozofowie, profesorowie, pisarze to jądro mądrości i kultury. Co Moczar miał do nich?

— Oj, Basiu! Głupimi i ciemnymi łatwiej rządzić. Zastraszyć. Żydów won, profesorów won. Żydów, żeby się Ruskim przypodobać. Profesorów i myślących studentów, żeby nie judzili nas. Rozumiesz? Przecież wiesz, ilu wyjechało ostatnio? Całe pociągi! Szczęście, że dziadek ma starczą głupawkę... Całkiem by się pogubił!

— Aż mi się wierzyć nie chce... — powiedziałam, żeby coś powiedzieć.

— A Ochab? Wiesz, że złożył dymisję w akcie protestu? A że Kisiela, Kołakowskiego i Jasienicę wywalili? Też nie wiedziałaś?

Nie wiedziałam. Nie ogarniałam tego wszystkiego. Idealistka! Sądziłam, że nam wszystkim chodzi o dobro Polski. Mądry naród, rozwój... Głupia! Według tego, co mówi Szymon, chodzi tylko o władzę... Smutne. Ileż ten Szymon wie!

Palił i patrzył przed siebie. Nie mam pojęcia, co mi się stało. Nie poznawałam siebie. Zamiast mnie drażnić, zaczął fascynować. Ma jakąś tajemnicę i chyba nie jest takim zwykłym dupkiem... Dużo wie, nie babrze się w bieżącym życiu — ziemniakach, mleku, ciepłej posadce — a chce czegoś więcej, widzi więcej! Młody, wolny, uskrzydlony! Bywa tu i tam, rozumie! Takim go teraz zobaczyłam. Wyjęłam mu z ust tego papierosa i zaciągnęłam się lekko.

— Co robisz? — spytał.

— Palę — odpowiedziałam zdziwiona, zamyślona i wydawało się — romantyczna.

— W życiu, co robisz? Pracujesz? Studiujesz?

— Aaaa! W życiu? Już nic nie robię — roześmiałam się diabolicznie, a przynajmniej tak chciałam.

Szła mi ta gra bez wysiłku. Udawałam inną, niż jestem. Winnicka coraz mocniej siedziała we mnie. Ten jej uśmiech, spojrzenie, jakieś zdanie urwane w pół, grymas ust... Mój kostium, moja nowa rola były skrojone, jak na mnie. Szymon toczył ze mną tę lekką rozmowę wciąż nonszalancki, chłodny. Opowiadał o szalonym, studenckim życiu, o piwnicach pełnych wina i muzyki, o jazzie, którego nie lubiłam. O tym, o czym się rozmawia w tych knajpach i czego oni tak naprawdę pragną. Brzmiało to trochę zawile, ale trzymało się kupy i fascynowało mnie, bo czułam jakąś wewnętrzną jałowość.

Zawsze miałam poczucie, że w niczym ważnym nie uczestniczę. Zamiast być pionierką polskiej szkoły mikrobiologii, biochemii, urodziłam Gosię, zamiast brać udział w życiu studenckim, kochałam się w pokoiku z facetem, który po prostu mnie rzucił, zamiast włączyć się w nurt życia, schowałam się za bezpiecznego Stanisława, robiłam kawki do kanapek i urządzałam wieczorki. Puste, beznadziejnie mieszczańskie życie bez szaleństwa. Bez sensu?

Andrzej też nie był szaleństwem, tylko ucieczką... Nie, o tym sza. Boli.

Patrzyłam w ciemność i szklił mi się wzrok. Szymon popatrzył mi w oczy tym razem ciepło, z fascynacją.

— Co w tobie siedzi, Baśka?

Gdy zrobiło się nam chłodno, przyniósł płaszcz i kurtkę i zaproponował spacer.

Mama nie powiedziała ani słowa. Hanka i Zbyszek poszli z Kasią na pasterkę. Z Ludwikiem i mamą został tylko rozbawiony Piotruś i rżnięta karafka.

Szymon ciągnął monolog. Mój Boże! Ile mnie ominęło! Czarowne życie studentów w akademikach, klubach, kabaretach... Negacja, wódka, dyskusje do rana, potańcówki. Udawałam, że wiem, o czym mówi, że czuję ten klimat. Zazdrościłam. Nie było tego, kiedy studiowałam. Później pieluchy, praca i mieszkanie. Zwykłe, puste życie. Nowe zasłonki z Cepelii, modne mebelki, lakierowane paznokcie.

Wyszliśmy na ośnieżoną ścieżkę rozjeżdżoną furmanką i ciągnikiem Karolaków, gazikiem Zawoi. Lekka poświata rozświetlała drogę i łąki dookoła. Śnieg odbijał tę jasność. Było cicho i bezwietrznie. Czasem któreś z nas rzucało jakąś myśl, żeby przerwać niezręczną ciszę.

— A skąd ten pomysł zamieszkania w Olsztynie? Przecież studiujesz w Warszawie?

— Była żona dziadka zapisała mu piękne mieszkanie w pobliżu Wysokiej Bramy. Do tej pory mieszkał w Warszawie z moimi rodzicami, ale oni są już tym zmęczeni. Na razie są na placówce. W Moskwie, ale jak wrócą? Wiesz, dziadkowi i mnie przyda się mieszkanie. A co, Olsztyn gorszy od Warszawy?

— Czemu nie zostaniesz z rodzicami? W końcu stolica to stolica.

— Przestań. Grajdoł jak każdy. Wolę być z dziadkiem, wychował mnie.

Znów idziemy w ciszy. Z ust leci nam para. Jest lekki mróz. W oddali słychać szczekanie psów.

— Ty, Baśka, taka... nie wiejska jesteś.

— Uhmmm — odpowiadam.

Nie chcę o tym mówić. Chcę poczuć ten wieczór inaczej. Czuję spokój, ale i niepokój. Nie wiem, co mi jest. Jest dziwnie. Okolica pełna stoickiej ciszy, uspokaja, a Szymon — przybysz z innego świata — drażni.

Przystanął. Staliśmy tuż przed wejściem do lasu.

— Nie boisz się? — spytał.

— To mój las, moja ścieżka. Czego mam się bać?

— Mnie. Ja nie jestem twój. Nie boisz się? — powtórzył.

— A co? Jesteś wilkołakiem? Zjesz mnie? Zapewniam cię, nawet jeśli pożresz mnie, nie stanie się nic złego... — zawiesiłam głos, jak mi się zdawało, dramatycznie.

— O, wyczuwam femme fatale? Bosko! Podobasz mi się!

Odrzucił głowę do tyłu i roześmiał się jak Cybulski. Krótko. Sztucznie.

— Więc chodź! — podał mi rękę i poszliśmy w głąb sośniaka.

Byłam zadziwiona tym, co robię, ale podobało mi się. Nie było zimno. Szłam bez czapki, tylko w płaszczu i moich modnych botkach z dermy. Szymon w tej swojej skórzanej kurtce i trzewikach. Trzymał drugą rękę w kieszeni. Milczał i tylko czasem stawał i patrzył na mnie. Miał ciepłą dłoń. Śnieg odbijał poświatę już mniej intensywnie.

— Chodź, rozpalimy ognisko — powiedział to poważnie.

Wariat!

Nazbieraliśmy szyszek i gałązek. Po chwili zamigotały płomienie. Usiedliśmy na pniaku. Szymon wyjął z wewnętrznej kieszeni piersiówkę.

— Poprawmy nastrój — nalał mi w nakrętkę.

— Co to?

— Napój bogów. Whisky. Kolega mi przywiózł. Spróbuj! Cały Zachód to pije!

— Fascynuje cię?

— Zachód? A bo ja wiem? Mnie nic nie fascynuje. Życie jest nudne... Trzeba coś robić! No, siup! — machnął z butelki.

Wypiłam.

— Trąci myszami — powiedziałam, oddając mu pustą nakrętkę, a on nalał mi następną.

Piliśmy w ciszy pod trzask gałązek. Zagryzałam śniegiem, gdyż zaczęło mnie palić w gardło, odwykłe nieco od alkoholu. Roześmiał się, kiedy zobaczył, że został mi w zębach spory kawałek białej kulki. Nachylił się i dotknął go ustami. Trzymał tak długo, aż do stopienia śniegu. Strużki wody wlewały mi się za kołnierzyk. Dotknął moich ust. Nie poruszyłam się. On też.

Roześmiał się i wtedy zrobiło mi się głupio, bo chciałam, żeby mnie pocałował. Gapił się na mnie badawczo, długo... i wtedy chwycił mnie i dosłownie zatopił w pocałunku. Był żarliwy, nieco egzaltowany i... bardzo mi smakował.

— Przestań — powiedziałam w końcu, łapiąc dech. — To Wigilia. Nie wypada!

— Nie ma żadnej Wigilii. Basiu. Jest las. Ty jesteś. Ja jestem... I nic więcej! Napijmy się za to, że nie ma świata!

Lekko kręciło mi się w głowie. Wszystko tak się oddaliło, porozmywało. Zatarło się dobro i zło. Nie chciałam już moralizowania. Ekspiacji. Chciałam uciec i pobyć trochę w innym świecie. W tym, który oglądałam w kinie — pełnym nostalgii, alkoholu, dymu z papierosów, jak w *Niewinnych czarodziejach*.

Piłam tę okropną wódkę i całowałam się z Szymonem, pozwalając mu na coraz więcej. Głaskał mnie po kolanie, a kiedy jego dłoń dotarła do miejsca, gdzie skończyła się pończocha i dotknął mojego ciała, poczułam niebezpieczny żar. Pragnienie. Odskoczyłam w ostatnim odruchu pijanego rozsądku.

— Nie. Nie można! Tak nie!

— Ach! Wy, kobiety! — sarknął zły, ale i zaśmiał się. — Boskie uwodzicielki. Basiu? Basiu, czego ty chcesz? — spytał scenicznym szeptem.

— Nie tak. Chodźmy już.

— Jutro zabieram cię do Sopotu. Mam tam znajomego. Ma kawalerkę, a teraz jest w podróży. Poszalejemy! Po co masz tu gnić? To zaścianek! Dobrze, chodźmy.

Mama była zdumiona i załamana moim pomysłem, ale nie powiedziała nic ponad to:

— Łamiesz sobie życie. Donikąd nie uciekniesz, dziecko.

— Mamo! — szepnęłam. — Ja muszę! Przepraszam! Muszę!

Z Hanką nawet się nie pożegnałam. Ludwik i Piotr siedzieli przy porannej kawie i nie okazali zdumienia.

— Dziadku, będę jakoś za niedługo — powiedział Szymon i pociągnął mnie za rękaw. Wychodząc, złowiłam spojrzenie Piotra. Nie umiałam go odczytać. Kpiące? Potępiające? A, co mi tam!

W pociągach było pusto i leniwie. W przedziale spaliśmy albo paliliśmy, milcząc. Czasem nachylał się i całował mnie, rozpalając i gasząc. Znów przysypiał daleki, inny.

Co ja wyprawiam, zastanawiałam się oparta o szybę. Jadę gdzieś, nie wiadomo gdzie, z obcym facetem. Ale dlaczego nie? Co ja mam do stracenia? Goldbaum mnie nie chciał, przegrałam małżeństwo, macierzyństwo, a Andrzej uciekł z powrotem do żony. Przegrane życie... A teraz? Choćby potop!

Później przyglądałam się mu, jak spał z głową na moim ramieniu, i sama zapadałam w drzemkę. Było mi głupio, że zawiodłam mamę, Hankę, ale Szymon rozwiał moje wątpliwości, mówiąc:

— Chcesz całe życie robić coś dla kogoś?! Zrób coś dla siebie! Chcesz ze mną jechać? To jedź i nie oglądaj się! Jesteś wolna! Wolna! Jest cudownie! Poczuj to, urwij łeb kołtunowi! Życie bierz garściami!

Tak oto, dwudziestego piątego grudnia, jako WOLNA, zakotwiczyłam z Szymonem w Sopocie na poddaszu jakiegoś domu. W kawalerce jego kolegi. Wiem, że dla mojej mamy to prawdziwy dzień Narodzenia Pańskiego, ale mama nie powiedziała mi ani jednego słowa mogącego brzmieć jak szantaż. Nic.

Wiedziałam, że robię źle, ale Szymon natychmiast wyczuwał mój nastrój i łasił się albo mówił o wolności wyboru, nowoczesnym światopoglądzie i że wieczorem mamy być u jego znajomych na bibce. Poczułam, jak mi krew żywiej krąży. Będę uczestniczyła w czymś, co znam tylko z telewizji, kina. Duszne życie studenckie! Kontestacja, egzystencjalizm! Powłóczyste spojrzenia, machanie ręką na wszystko, że nudne. Papierosy i wino. Jestem złą dziewczynką!

I dobrze! Za moją pomyłkę! Za mój grzech! Za to, że Andrzej taki święty! Za moją samotność!

W pięknej sopockiej willi, w piwnicy, Artur i Magda — małżeństwo studenckie — zrobili sobie „piekiełko". Rodzice, znani architekci, pojechali w góry. W „piekiełku" było mnóstwo ludzi i muzyka. Nieznośny jazz. Nikt mnie o nic nie pytał. Muzyka dręczyła głośniki zawiłym saksofonem i perkusją. Wszyscy siedzieli albo stali, opierając się o coś, i gadali, gadali. Pili wódkę, jarzębiak albo wino, palili carmeny albo ostentacyjnie extra mocne bez filtra.

W mojej zielonej spódnicy na halkach, czarnym swetrze w łódkę czułam się jedną z nich. Z czarnymi kreskami na powiekach wyglądałam naprawdę zabójczo. Papierosy już nie dusiły. Tylko po trzecim było mi niedobrze.

Nad ranem byłam zmęczona i wracaliśmy objęci, bo było zimno, a Szymon miał w czubie i wygłaszał głośny monolog. Uciszałam go. Dwa razy wywróciliśmy się w zaspę.

Padłam na tapczan śpiąca. Szymon obok mnie w ubraniu. Nie mogłam zasnąć, bo czułam zapach papierosów, wódki i szumiało mi w głowie, dopóki nie wyrzygałam się w łazience. Herbata poprawiła mi nastrój. Zasnęłam już spokojnie i głęboko.

Te dni spędzone z Szymonem w coraz to innym miejscu z coraz to innymi ludźmi były jak karuzela. Tyle rozmów, żartów, taka w nich wszystkich lekkość. Muszę się tego nauczyć. Życie jest jedno! Po co się umartwiać?

Sylwestra znów spędziliśmy u Magdy i Artura. Wyglądam na dużo młodszą, niż jestem. Na studentkę. Mimikra.

Drażniło mnie, że na tych towarzyskich spotkaniach Szymon nie zajmuje się mną. Upaja go ględzenie, jakieś pseudofilozoficzne bleblanie, polityka, ale niech ma! Młody jest! Puszy się. Jest inteligentny i oczytany. Ma naturę narcyza. Upaja się sam sobą. Przymila się do rozmówcy, by w końcu przyprzeć go do muru logiką wywodu, przyszpilić argumentem, cytatem.

Kiedy sobie o mnie przypominał, bo na przykład stałam obok, całował mnie w szyję zmysłowo, i znów wchodził w dyskurs. Śmieszyło mnie to i drażniło.

Za to gdy byliśmy sami, było słodko! Szliśmy na molo — marznąc, owinięci kocem — i całowaliśmy się bez opamiętania.

Jedliśmy byle co, byle gdzie. Obskoczyliśmy większość barów mlecznych w Trójmieście. Znów czułam się jak studentka.

Już bez filozoficznych wywodów wcinał jakiś kapuśniak albo pomidorową i leniwe, patrząc na mnie i opowiadając cicho, co to będzie, gdy wrócimy do domu. Mruczał lubieżnie. Czasem wargi mu drżały. Za chwilę wygłupiał się, wciągając głośno makaron z pomidorówki i ściągał gniew kucharki, pytając, czy dostanie „kotlet z ludzia".

Do dziadka dzwonił regularnie z poczty, grzecznie meldując, że jeszcze nie wraca. Wieczorami oczywiście piwnica, „piekiełko" u Magdy i Artka, jakiś klub z tańcami i znów pogadanki, rozmowy, papierosy.

Dwa tygodnie strzeliły jak z bata. Leżeliśmy na tapczanie, po zjedzeniu puszki „Byczków w tomacie" pod bułkę paryską, kiedy spytałam go:

— A kiedy masz zajęcia?

— Nie mam — odpowiedział — mam dziekański. Muszę coś znaleźć w Olsztynie, coś do studiowania, bo starzy przestaną słać forsę.

No, jasne! Skąd miałby pieniądze na te wszystkie papierosy, sardynki, które jedliśmy od czasu do czasu z czerstwym chlebem, czasem nawet sairę? Zaczęło mnie to już z lekka niepokoić. Przecież jakieś pieniądze trzeba zarabiać, żeby żyć? Ciągnąć od rodziców? Dziadka? Jak to? Miał to w nosie. Gadał coś bez sensu o konsumpcjonizmie, materializmie…

— Szymon, masz rację, ale ideami nie zapłacisz czynszu, nie kupisz spodni.

— Mieszczka! — śmiał się, a ja odwracałam się wściekła.

Mieszczka? Bo myślę o życiu normalnie? Bo wiem, że nie ma nic za darmo? Że ciuchy trzeba uprać, dom ogrzać i chleb kupić? Właśnie — ja prałam nasze ciuchy. Szymon nawet się nie zająknął, gdy wrzucił mi do miski z moimi pończochami i majtkami swoje skarpety i gacie. „Myśliciel! Filozof! Gówniarz" — myślałam z rosnącą złością.

Któregoś dnia czytałam sobie „Ty i ja", a on drzemał z głową na moich kolanach, kiedy zapytał niespodziewanie, nie otwierając oczu:

— A ty? Co robiłaś, zanim zeszłaś ze mną na złą drogę? Nic mi nie mówisz o tym?

— Nigdy nie pytałeś. „Jesteśmy wolni" — powtórzyłam jego słowa.

Opowiedziałam mu pobieżnie moją historię. Sądziłam, że go weźmie, że zaskoczę go bogactwem przeżyć, grzechem…

Zapalił papierosa. Patrzył w sufit i puszczał kółka z dymu. Nagle odwrócił się i oparł na łokciu.

— To ile ty masz właściwie lat? Nie jesteś studentką? Nie studiujesz żadnej biologii, prawda?

Poczułam się nieswojo i staro, a on gadał dalej:

— Jak to jest, że się nie skapnąłem? Jezus! Baśka! Mąż?! Dziecko? Kochanek?! W coś ty mnie wpakowała?!

— Ja ciebie? W nic. Mogłam skłamać i tak byś się nie domyślił.

Wymiana zdań była zimna. Szymon poczuł się oszukany. Zdenerwował się czy udawał? Był już chyba po prostu znudzony mną. Spakowałam się i po trzech godzinach siedziałam w pociągu do Torunia. Dość już tego idiotyzmu!

Przepraszam, mamo!

Kiedy latem, przyszedł telegram, że mama zmarła nagle, stałam i ręce mi się trzęsły.

Wspomnienie zeszłorocznych świąt, tego, jak strasznie się sprzeniewierzyłam mamie, jej ideałom, rodzinie, co jakiś czas wracało i kąsało bolesnym wyrzutem. Przygoda z Szymonem była totalną pomyłką. Spychałam to w głąb siebie, wmawiałam sobie, że jestem już świadoma tego, co dobre, co złe, że przyjadę nad rozlewisko, do mamy i spokojnie to sobie wyjaśnimy. A teraz...

Pojechałam do Pasymia natychmiast.

Wlokłam się dusznym pociągiem, zatłoczonym nieludzko. Upał. Sezon wakacyjny! Pakunki, matki z dziećmi, młodzi z plecakami. Zaduch, śmierdząca toaleta, ospałe siedzenie na korytarzu, i rejwach na stacjach. Wreszcie dotarłam. Na stacji czekali z koniem Stefan i Bartuś. Śmieszny dzieciak Karolaków. Jaki on już duży! Ostrzyżony po bokach na łyso, tylko z grzywką nad oczami. Piegus.

Na miejscu jest już Hania i Zbyszek. Przyjechali swoim wartburgiem. Piotr ma dotrzeć jutro. Kołomyja straszna, bo Kaśka jest kompletnie rozbita. Karolakowa dała jej luminalu, gdy ta przyprowadziła ją do leżącej na podłodze Broni. Stale go teraz łyka. Po nim jest jakoś lepiej, ale i tak ciężko.

— Zajmij się Kasią — mówi Hanka tonem nieznoszącym sprzeciwu, jakby obok mnie. Nie patrzy mi w oczy. Od Bożego Narodzenia nie rozmawiałyśmy.

Zbyszek i Hania załatwili wszystko. Ja sprzątałam, zajmowałam Kaśkę gotowaniem i zabierałam na spacer, tłumacząc jej, co to jest śmierć. Była otumaniona, ale zapytała przytomnie:

— A ja? Kto tu ze mną?

No właśnie. Ale ambaras!

Wieczorem po kolacji Kasia poszła do pokoju mamy oglądać jakiś film z Mastroiannim. Hankę to oburzyło.

— W domu żałoba i pozwalasz jej włączać telewizję?!

— Haniu — zaczęłam. — Kasia przecież to taki głuptasek. Nie rozumie.

— To jej wytłumacz! Tak się nie godzi. A zresztą. Zajmij ją czymś, żeby nie słuchała, bo musimy porozmawiać.

Poszłam i powiedziałam Kasi, że nie powinno się w żałobie oglądać filmów. Na oczywiste pytanie „A czemu?" nie miałam sił odpowiadać. Poszukałam jakiejś audycji w radiu i poszłam do kuchni.

— Słucha radia. Może być?

Hanka westchnęła z dezaprobatą i zaczęła:

— Ktoś musi się zaopiekować Kasią.

— „Ktoś"? Mnie masz na myśli? — spytałam.

— Tak. Mam na myśli ciebie. Jako jedyna masz z nią dobry kontakt, wychowałaś się z nią i jesteś wolna.

— Za co ty mnie tak nie lubisz, Haniu? — spytałam zaczepnie.

— Nie jest to temat do rozmowy. Sama dobrze wiesz. Nie to, że cię nie lubię...

— Hanka. Nie jestem ideałem. Pobłądziłam, narozrabiałam, ale jestem twoją siostrą. Ja i Kaśka. Naturalnie możemy drzeć koty, jak w każdej szanującej się rodzinie, ale też możemy rozmawiać szczerze, z empatią. Choć z odrobiną empatii...

— Dziwacznych słów używasz, ale to teraz modne. Ja jestem szczera. Uważam, że ty powinnaś zająć się gospodarstwem. W przeciwnym razie trzeba je sprzedać, a Kasię oddać do sióstr.

— Z sióstr ma tylko ciebie i mnie — powiedziałam dobitnie.

— Tak, tak, tak! Jestem potworem, bo myślę racjonalnie — sarknęła.

Zaraz się skłócimy na amen.

Chłopaki milczą. Może dobrze?

Po krótkim sporze odpuściłam. Było mi wszystko jedno, gdzie żyję. Miałam depresję od stycznia. Nie udało mi się być damskim bon vivantem ani wampem, ani kontestatorką w czerni. Nawet Winnicka, w *Pociągu*, miała zaplecze finansowe, chyba męża, to sobie mogła być femme fatale, a ja co? Żadnego stałego gruntu, stałej pracy, wszystko tymczasowe, byle jakie.

Kontestatorka, wamp, może zapomnieć o tym, że trzeba zająć się domem, Kaśką. Ja — nie. Bo jak?

Tak oto znów życie wywinęło mi szpasa. Kolejna przeprowadzka. Kolejny wir.

Chyba nie dane mi spokojne życie. Zapominanie... Poddałam się. Hanki argumenty są żelazne i logiczne. Nie po to Bronia adoptowała Kaśkę, żeby się jej teraz pozbywać jak starego worka. A dom? Obejście? Wiem, że Karolakowie pomogą. Tylko czy ja dam radę? Odstałam od wiejskiego życia.

Ponadto wyczuwałam w sformułowaniach Hanki, że to kolejna kara dla mnie. Eremickie życie. Za moją rozpustę, która budziła w niej jawny wstręt. Piotr starał się to łagodzić. Łaziliśmy nad rozlewisko i dużo rozmawialiśmy. On tak tego nie widział.

— Hanka to Hanka, a dom to dom — stwierdził filozoficznie.

— No, toś mi pomógł!

— Basiu. Tak naprawdę, to ty tu możesz więcej niż w Toruniu! Postaraj się o posadę nauczycielki biologii, czy tam co. Zobacz, jest tu przestrzeń, powietrze. Mnóstwo codziennych spraw nie pozwoli ci myśleć, rozdrapywać. Tu odnajdziesz siebie, Boga, szczęście. Czuję to.

— Piotr! Przecież to zadupie! Zresztą, OK. Masz rację, można żyć wszędzie. Do Olsztyna dojechać, do Warszawy dojechać, toż to nie Syberia!

— Czuję w podtekście, że czułabyś się zesłana?

— Jakoś chyba tak. Ale mi już wszystko jedno. Spróbuję.

— Jakby co — pisz, dzwoń, pomogę, chociaż się nie znam na gospodarce. Zawsze mogę ci pożyczyć pieniędzy, pozałatwiać coś urzędową drogą. I tak przyjadę za tydzień załatwić sprawy spadkowe.

— Jakie spadkowe?

— Nie bądź dzieckiem. Hanka nie mówi tego wprost, ale na ogół tak bywa, że dziecko zostające na gospodarce i przejmujące ją powinno spłacić resztę rodzeństwa. Uważamy, że skoro bierzesz dom, ziemię i opiekę nad Kasią — nic nam się nie należy. Gdybyś jednak sprzedała wszystko i oddała ją do domu opieki — powinno się dokonać podziału między żyjących.

— Czemu mi nic nie powiedziała wtedy przy kolacji?

— Nie chciała wywierać nacisku.

— Nie chciała! — parsknęłam.

— Wiesz, jaka jest pryncypialna, Basiu. To jak? Przyjadę. Będziesz miała z głowy.

— Dziękuję ci, Piotruś. Myślisz, że mama się tam, w górze, cieszy?

Pocałował mnie w czoło i szepnął:

— Dasz radę, będzie dobrze!

Trzymałam się dzielnie aż do chwili, kiedy weszłam do kościoła i zobaczyłam trumnę z mamą. Wtedy poczułam Prawdę. Że mamy nie ma i już nie będzie. Coś mnie ścisnęło za serce tak, że nie mogłam złapać tchu. Oparłam się o framugę i otwierałam usta jak ryba bez wody.

Podszedł stary pastor i położył mi rękę na plecach, a drugą na czole i powiedział:

— Spokojnie, dziecko, spokojnie. Bronia już jest u Pana, oddychaj spokojnie. Tak.

Powoli wrócił mi oddech. Kaśka stała za mną odurzona luminalem i gapiła się na mnie. Trzymała mnie za rękaw, jakby bała się przestąpić próg kościoła. To nie był jej kościół i jak bywała tu z mamą, ona zawsze trzymała Kaśkę za rękę.

— Chodź, Kasiu — powiedziałam i poszłyśmy zająć miejsca.

Ludzie już dość tłumnie wchodzili. Nie rozglądałam się, ale byli wszyscy, którzy znali mamę. Ilu ich!

Hanka i Piotr już od dawna byli w środku, Zbyszek przywiózł mnie i Kasię.

Pastor rozpoczął nabożeństwo i wtedy Kaśka nachyliła się i spytała mnie:

— Mama gdzie?

A ja, głupia, zamiast jej powiedzieć, że u Boga, powiedziałam, że w tej trumnie.

Kaśka popatrzyła na mnie zrozpaczonym wzrokiem, jakby nie dowierzając. Przecież widziała ze dwa pogrzeby! Wstała i podeszła do trumny. Dotykała jej i na jej twarzy malowało się niedowierzanie. Pastor kontynuował, pokazując nam lekkim gestem, żeby nie reagować. Ale jak usłyszała:

— Żegnamy oto naszą siostrę, parafiankę, człowieka o wielkim sercu — Bronisławę…

Kaśka nagle zrozumiała. Patrzyła na pastora z rosnącym gniewem i nagle zaczęła otwartą dłonią walić w trumnę, wołając:

— Mama!... Mamo! Mamomamomamooooooo!

Spoglądała na nas, jakby spodziewając się pomocy, i nadal waliła. Słychać było szloch kogoś z tyłu, a Hanka popchnęła mnie w kierunku Kaśki.

Podbiegliśmy do niej jednocześnie, pastor i ja. Najpierw nie chciała nas słuchać, ale kiedy pastor położył ciężką dłoń na jej głowie i zaczął mówić głośno:

— Kasiu, Kasiu, dziecko, popatrz na mnie! Kasiu! W trumnie już nie ma Broni jako takiej. Jest u Ojca Niebieskiego. Patrzy na ciebie z góry. Jest z aniołami, Kasiu. Dziecko, dziecko, uspokój się... — głos pastora ucichł. Pchnął nas lekko w kierunku krzeseł.

Kaśka szła otumaniona, ale stale się odwracała. Chyba nie wiedziała, komu z nas wierzyć. Do końca była niespokojna, nieskupiona, wstawała i siadała. Skubała włosy, jak tylko wyswobodziła rękę, za którą trzymałam ją kurczowo.

Podszedł do niej Czarek Karolak, jej wieloletni adorator, też taki mało normalny jak ona, i objął ją niezdarnie.

Wiem, że pastor mówił o mojej mamie pięknie. Hance łzy leciały po twarzy grochem, ale płakała bezgłośnie. Piotrek był cały skulony i twarz miał schowaną w dłoni, którą próbował się zasłonić. Tylko plecy mu drgały.

Słowa pastora o tym, jaka była Bronia — nasza matka — i gdzie teraz jest, i że to dopiero początek jej wiecznego żywota, że jest już z tatą i patrzą tam z góry, na nas, i już zawsze będą nas chronić, te słowa wprowadziły spokój i ukojenie. Jak najlepsza terapia.

Hanka słuchała z uwagą, Piotruś się wyprostował i poczułam, jak moja rozpacz zamieniła się w pogodzenie. Kaśka miała otwarte usta i gapiła się na pastora skupiona. Już się nie wyrywała, nie rozpaczała głośno. Układała sobie w głowie to, gdzie jest teraz mama Bronia i z kim.

Nagle kościół rozbrzmiał dźwiękiem skrzypiec. To stary Safianowicz grał coś rzewnego, rozlewającego się pięknie smutną melodią i wtedy szarpnął mną szloch.

Uspokoiłam się dopiero, gdy Piotr mnie przytulił. Kasia z drugiej strony usiadła wystraszona, otumaniona, i po Piotrusiu ona mnie przytuliła, takim gestem jak mama — za głowę. Zabuczała mi nad uchem:

— Mama w niebie już jest, Basiu. Taaak.

Podczas pochówku już była spokojniejsza. Rozglądała się i zaczęła ją nudzić ta długa uroczystość. Raz tylko popatrzyłam za siebie — chyba cały Pasym szedł na cmentarz, mnóstwo ludzi! Nawet kompletnie mi nieznani.

O! I Ludwik z Szymonem przyszli! Nie zauważyłam ich w kościele. Tylko skinęłam im głową. Nawet się nie przyglądałam zza ciemnej woalki. Naturalnie nie przewidziałam, że Kaśka znów zacznie szaleć, jak trumna została wpuszczona do grobu. Tym razem przytrzymał ją za rękę Czarek i jakoś poszło.

Kondolencje ciągnęły się w nieskończoność. Boże! Ile ludzie mieli do powiedzenia! Miałam już dość. Kaśka i mój brat już dawno pojechali do domu. Mnie i Hance towarzyszył, jak zwykle, dobrotliwy Zbyszek.

Do domu pojechał z nami pastor i starzy Karolakowie. Hanka natychmiast zamieniła się z żałobnicy w panią domu. Mnie zapędziła do pomocy. Kaśce odpuściło i chyba zaczął działać ten luminal, co go łykała przez ostatnie dni, bo lała się nam przez ręce, więc położyłam ją spać. Przy stole było już zwyczajnie. Rozmawialiśmy, jedliśmy kurczaka z mizerią, kawę z ciastem. Pastor wypytywał Hankę i Piotra o życie w Toruniu. Mnie o Warszawę. Karolakowie zabrali się dość szybko. Potem Zbyszek odwiózł pastora. Wreszcie był wieczór i spokój.

Byłam nieziemsko zmęczona.

Po stypie prawie zaraz pojechałam do Torunia pozbierać graty, zakończyć sprawy zawodowe ku uciesze mojej przełożonej, pożegnać moje dotychczasowe życie i wio! Z powrotem do Pasymia.

Podczas mojej nieobecności Kasi pomagała Karolakowa i jej starsza siostra, która przyjechała z Knyszyna, Czarek, nawet mała Ola. Pani Czesia (w kolejnej ciąży) pomogła, kiedy już Stefan przywiózł mnie wyładowaną furmanką ze stacji. Boże, ile ona rodzi tych dzieci! Co rok, to prorok!

— Basiu! Tyle książek! Przeczytałaś je wszystkie?! — dziwiła się, rozkładając je na półkach.

Największe moje bogactwo. Książki.

Zaczęłam je doceniać, gromadzić, gdy wróciłam do Torunia po przygodzie z Szymonem. Tonęłam w literaturze. Nagle odkryłam *Disneyland* Dygata i upajałam się nim, *Łuk triumfalny* Remarque'a — prawie zakochałam się w Ravicu, zaczytywałam się Balzakiem, podziwiając znajomość kobiecej psychiki, a raczej poznając ją, oszalałam na punkcie *Pestki* Anki Kowalskiej. Pochłaniałam wszystko, bo to „wszystko" zabierało mi czas na myślenie. Było moim drugim życiem, bo moje za mdłe, za zwyczajne.

W moim pokoju teraz, nad rozlewiskiem, regał na książki był najważniejszy. Niestety, czasu na czytanie miałam już coraz mniej.

Urządzałam się i uczyłam rozlewiska od początku. Teraz już nie jako dziecko, a dorosła kobieta. Piotruś przyjechał dopiero we wrześniu i zajął się wszystkim.

Kaśka była nieocenioną pomocą. Tłumaczyła mi wszystko starannie z wielkim zaangażowaniem. Jest mądrzejsza o to, gdzie leży lizawka dla krowy, o której karmi się kury i czym, jak się wykłada piernaty na płot, żeby wywietrzyć.

Ja słuchałam jej zadziwiona, ileż ona posiadła... odruchów gospodarskich! Taki, wydawałoby się, głuptas! Krową zajmuje się całkowicie ona. Kury w zasadzie też pielęgnuje sama. Gubi się w kuchni. Nie idzie jej gotowanie. Mama zostawiła nam swój skarb. „Kalendarz gospodyni". W nim uzbierane przepisy, notatki z uwagami, kartki z kalendarza, wycinki z prasy o rzeczach ważnych.

Także stare, wytarte wydanie *365 obiadów* Lucyny Ćwierciakiewiczowej.

W łóżku pochłaniałam to arcydziełko, smakując język i realia.

„…i posadzić dziewki kuchenne, by przetarły mięsa przez gęste sita" — o mój Boże!

U mamy w kalendarzu znalazłam wreszcie przepis na „zieloną zupę". Kuriozum, ale jak mama ją czasem robiła, zajadaliśmy się. Mówiła, że nie może zdradzać tajemnicy zbyt wielu osobom i że z czasem nam opowie, jak ją się robi. To dziwaczny, stary, litewski przepis przysłany jej matce przez przyjaciółkę z Litwy, Olę Jenin. Mama zawsze powtarzała:

— Ja nie umiem nic. Ola to była gospodyni!

ZIELONA ZUPA OLI — LITWINKI

Ogólne przygotowanie składników, z których będzie wiele porcji

2 kilo zielonej pietruszki, młode listki bez łyka, 1 kilogram zielonych listków lubczyku, posiekać bardzo drobno, na miazgę niemal. Do dużego garnka (20 l) wsypać zieloną miazgę i zalać litrem przegotowanego gorącego świeżego, wiejskiego mleka. Nie może być z mleczarni. Musi być prosto od krowy. Drugiego dnia ponownie zagotować litr mleka i gorące wlać do gara. Zamieszać i odstawić. Tak robić przez dziesięć dni. Czyli zagotowywać codziennie litr mleka i dolewać do kiszonki. To będzie fermentować i pienić się, zwiększając objętość i tak ma być! Po 12 dniach stawiamy garnek na kuchnię.

Odparować wodę, mieszając (dłuuugo), aż do uzyskania bardzo gęstej masy. Często mieszając, aby nie przypalić garnka. Masę wystudzić w szerokiej misce, a jak będzie chłodna, formować pałeczki wielkości parówki. Ułożyć na szczytku pieca i powoli poddać suszeniu. (Nie suszyć na słońcu).

Gdy wyschnie na wiór, można przechowywać i kilka lat. Najlepiej w szklanym słoiku, aby nie wietrzało.

Zupa, jako ona

Ugotować wywar z kości, z odrobiną mięsa i chrząstek, kleisty i smaczny, tak koło 2 litrów. Przecedzić lub odszumować. W rosole ugotować kartofle. Pałeczkę tych zasuszonych ziół namoczyć w wodzie na noc. Dodać do wywaru, zagotować, zalać kwaśną śmietaną.

Niesamowite! Muszę spróbować zrobić to sama. Tylko kiedy? I co to jest ten lubczyk? Że zioło to wiem, ale rośnie tu gdzieś?

Obiecano mi od września posadę nauczycielki biologii w Pasymiu, bo starsza pani Wołyńska, która jeszcze mnie uczyła, odeszła na emeryturę, a na razie mam pół etatu w bibliotece publicznej.

Przychodzą do nas Olka i Bartuś Karolakowie — uczyć się. Kontynuuję dzieło oświatowe mamy. Odrabiam z nimi lekcje, czytamy na głos lektury, Kaśka i Czarek słuchają, bo Czarek już się mnie nie wstydzi i znów przychodzi. Łazi za Kaśką do obory i dłużej trwa to dojenie. A, niech tam! Kaśka dzieci mieć nie będzie, więc co im żałować?

Jedyne moje rozrywki to telewizja, która źle odbiera i trzeba kręcić anteną, i książki. Od czasu do czasu wpada do biblioteki Arnold — posterunkowy. Flirtujemy i nic z tego nie wynika, bo on mi „nie na sercu".

Arnolda poznałam przypadkowo. Szłam z miasta naszą drogą, a on jechał za mną na motorze, wzbijając tuman kurzu.

— Dzień dobry! — zawołał, przystając. — Wie pani, może, czy tędy do Karolaków?

— Tt...tak, a coś się stało u nich?

— Nie! Stać to się nic nie stało, ale ja teraz jestem tutaj posterunkowy i poznaję ludzi z okolicy.

— To, zapewne, i do mnie pan posterunkowy zajedzie?

— Nad rozlewisko? — zgadł.

— Ano!

— No... To zajadę! Jak wrócę od Karolaków!

Rzeczywiście zajechał i niestety siedział na werandzie za długo. Zjadł pół blaszki szarlotki z mlekiem i szukał na siłę tematów. Udawał wielkie zainteresowanie moim życiem, śmiercią mamy i tym, czy zamierzam stąd wyjechać czy nie.

Brzydki, ale miły. Wysoki, ryży, z kręconymi włosami, piegowaty jak indycze jajo. Nawet na kościstych rękach ma piegi! Mówi dość powoli, starannie, ale widać, że ma ubogie słownictwo, chce jak najlepiej wypaść.

— To co? — spytał, wstając wreszcie — Mówicie panie, że bezpiecznie tu?

Nic takiego nie mówiłam, ale niech mu będzie! Fakt, że jakoś jeszcze nie byłyśmy napastowane, okradane...

— Skoro tak — kontynuował, zakładając kask — sporządzę notatkę służbowom i... w wolnym czasie pozwolę sobie zaniepokoić panie mojom obecnościom! — starał się być elegancki.

I od tej pory wpada. Na szczęście rzadko i gdy widzi, że jestem zajęta — odfruwa na swojej służbowej WFM-ce. Mówi mi głośno „dzień dobry" na ulicy.

Mój tutejszy zalotnik!

Nawet go lubię...

Często teraz wieczorem wychodzę na spacer, na dróżkę biegnącą w stronę rozlewiska i do lasu. Budrys lata jak wściekły za kretami, kaczkami. Przynosi patyki rzucone mu na odczepnego i nie chce ich oddać. Szczeka, warczy, udaje, że ucieka, i czeka, aż mu odbiorę patyk. Okropnie linieje, jak na wiosnę. Może powinnam mu dać oleju? Tak radził doktor.

Idę otulona swetrem i myślę. Trawa głaszcze mnie po nogach. Coraz suchsza. Blisko wody kołyszą się na wietrze brzydkie już, brązowe, wyschnięte pałki. Las opodal rdzewieje... Sypie liśćmi. Zima blisko.

Taka zmiana w moim życiu! Tyle się dzieje! Może to dobrze, że tu osiadłam? W mieście nie robiłam nic porządnego, potrzebnego. Pracowałam, przewalając papiery, „pobierałam uposażenie", wydawałam je na pończochy, jedzenie, książki. Beznadziejne! Tu robię przynajmniej coś krwistego, potrzebnego. A przynajmniej tak to sobie tłumaczę.

Nad głową lecą ptaki. Klucze ptaków emigrują do ciepła.

— Poleciałabym z wami! — krzyczę i macham ręką.

Gęgają jakoś tak przyjaźnie. Gęsi gęgawe? Chyba tak! Takie gosposie. Ciotki.

Na końcu klucza lecą te najmłodsze. Tegoroczne dzieciaki. W taką podróż, bez czapek, szalików!

A tam, w górze, zimno.

Idzie zima

Cokolwiek tknęłam w domu — przypominało mi mamę. Patrzyła na mnie ze zdjęć, wodziła za mną oczami. Zrobiłam jej taką przykrość! Ostatnie w jej życiu Boże Narodzenie, a ja je po prostu zlekceważyłam! Spostponowałam — mama tak by powiedziała. Po co było zapraszać tego Ludwika z Szymonem? Dlaczego ja się tak zapatrzyłam na tego, pożal się Boże, Mefista? Cybulskiego dla ubogich? Jeszcze mi mało? Co ja chciałam udowodnić? Mamo, tak mi przykro!

Ustawiłam w każdym pokoju i w kuchni zdjęcie mamy. Tak jest nam raźniej z Kaśką. Na toaletce postawiłam w owalnej ramie to zdjęcie, na którym jest z bukietem kwiatów. Gdzie to było robione? Na podwórku, jak Hania ze Zbyszkiem odjeżdżali po jakichś wakacjach. Zrobił je Piotruś swoją niemiecką lustrzanką. Mama ma jasną sukienkę ze stójką koronkową. Bukiet wielki z georginii, kosmosów, pałek i margerytek. Taka jest śliczna, dostojna i uśmiechnięta!

W kuchni wisi jej portret wykonany u fotografa w Szczytnie. Duży, a na nim mama taka poważna, spokojna i dostojna.

Moja mama. Opoka. Dar niebios! Matka matek. Nośnik rodzinnej mądrości, tradycji. Tak podle się zachowałam! Bon vivantka od siedmiu boleści! O, ja głupia, głupia! Patrzę za okno. Cichutko i bez powiadomienia zaczął padać śnieg.

Wtedy wzięła mnie taka nostalgia, że aż mi pierś szarpnął krótki szloch.

— Mamo! mamo, z tobą mogłabym tu mieszkać. Ty wiedziałaś wszystko! Na każdy ból znałaś antidotum! A ja? Jak ja mam tu żyć, bez ciebie, z Kaśką? O mój Boże! Mamo!

Beczałam tak i beczałam, a śnieg padał i padał. Żadnej odpowiedzi. A gdyby? Gdyby tu zeszła? Usiadłaby i poprawiła sukienkę na kolanach i powiedziałaby:

— Przestań się, Basiu, mazgaić. Życie toczy się dalej! Masz rozum, mój kalendarz, masz dobre serce, poradzisz sobie, dziecko!

Wzięłam do rąk mamy różaniec. Ja! Już chyba agnostyczka…

To różaniec jeszcze babci, której nikt z nas nie znał. Była katoliczką, tak jak mama, zanim nie wyszła za mąż za naszego tatę — ewangelika.

Mimo przejścia na protestantyzm często trzymała w dłoniach ten różaniec, twierdząc, że Bogu to obojętne, czy to modlitwa katolicka czy nie, byle była szczera i z głębi serca. Ale jak trzymała ten różaniec, wiadomo było, że rozmawia też ze swoją mamą.

Ten różaniec jest piękny — z kryształu górskiego, i zawsze leży w okrągłym, drewnianym pudełeczku.

Pocałowałam Jezusa, bo ona tak zawsze robiła, i rozpoczęłam modlitwę-rozmowę:

— Mamo. Wiem, że mnie słyszysz. Siedzisz z tatką na niebieskiej ławeczce i patrzycie na mnie. Pomagaj mi. Spraw, żebym umiała Kasię kochać jak ty. Spraw, żebym nie traciła nadziei, umiała wierzyć, że wszystko będzie dobrze, bo na razie wcale tak to nie wygląda. Jestem pogubiona. Pogadaj z Panem Bogiem, może położy swoją dłoń na moje czoło i olśni mnie, jak dalej żyć. Jak to wszystko ogarnąć? Jak nasza krowa się ocieli, to kiedy ją zaprowadzić do buhaja Karolaków, żeby cielak był na wiosnę? Masz to gdzieś zapisanie? Wiesz, strasznie się boję, czy sobie poradzę, czy sprawdzę się jako gospodyni. Bo jestem gospodynią, prawda, mamo? Już nie jestem panienką, rozwódeczką, kobietką-kokietką, lekkoduchem, za którego Hanka mnie uważa. Jestem GOSPODYNIĄ. Powinnam, mamo, być poważna, odpowiedzialna... tak? Dobrze. Postaram się, tylko trzymaj mnie za rękę! Pomagaj! Szepcz do ucha, co mam robić! Kocham cię! Amen.

Aha! Panie Boże, wybacz, że gadam z Tobą przez mamę, ale Ty to rozumiesz — prawda?

Ulżyło mi. Poczyniłam ekspiacje, ale to mało...

Spojrzałam za okno. Pada. Miejsce przy miejscu śnieg pokrywa wszystko płateczkami bieli. Mamo? Czy to znaczy, że mam *carte blanche*? Tak?

Poszłam do kuchni, w której Kasia obierała ziemniaki. Przechodząc obok, pocałowałam ją w głowę i przytuliłam maminym gestem. Uśmiechnęła się. Jak równiutko obiera! Jak starannie! Nigdy nie zwracałam na to uwagi! Moja Kasia!

Zginęłaby sama, beze mnie, mimo że wieś zna lepiej. Taka niby dorosła, ale jak dziewczynka. Taki rozumek niewielki.

Zaczęłam kroić słoninkę na skwarki. Jak mama — równiutko.

Wiedziałam, że zima będzie dla mnie sprawdzianem. Przetworów nie robiłam. Zostało dużo z poprzedniego roku. Zapomniałam o przetworach. Ponadto Stanisław, mój były mąż, zawsze powtarzał: „Po co się urabiać? W sklepach są i korniszony, i dżem...".

Patrzę na półki. Czego tu nie ma! W spiżarni mamowej dobro letnie zatrzymane w szkle. Weki, słoiki, butelki. Różnobarwne słodkości scukrzone, w syropach, rozpływające się sokami stoją tam, mamiąc wzrok i zmysły.

Ręcznie, pięknie wykaligrafowane etykietki informujące o zawartości i roku powstania.

Konfitura z wiśni (z plebanii)
z dodatkiem płatków różanych

Lub:

Korniszony — jakimi je Michał lubił.
Półsłodkie, na occie winnym

Kompot z agrestu — czysty

Maliny leśne przetarte z jabłkami, tymi przy drodze

Prawdziwki w occie. Malutkie, do ryb

Nóżki same, marynowane, do sałatek

Kompoty wiśniowe, jagodowo-malinowe, agrestowe i porzeczkowo-truskawkowe. Powidła ze śliwek, konfitury z wiśni i truskawek, jabłka do szarlotki, kwaszeniaki i korniszony, przecier pomidorowy z napisem „Na zupę", mnóstwo grzybków. Ładnie opisane, poustawiane. Obok stoją puste słoiki, umyte, przykryte i owinięte gazetą. Czekają.

Teraz moja kolej! Teraz ja powinnam kontynuować dzieło mamy. Mama powtarzała: „Jest ogród, ziemia, las, to i jest swoje, to po co kupować?".

Ja? Pojęcia nie mam, jak się robi takie cuda! Ledwo mam czas na prozę życia!

Staram się codziennie chodzić z Kasią do obory i kurnika. To część życia — obejście. Znam to wszystko z dzieciństwa, ale jakoś teraz trudniej mi się wdrożyć.

Obora — jak obora. Duża, ceglana, z półokrągłymi nadprożami. Jak zawsze u mamy — porządek. Krowa w swoim boksie majta ogonem, siano złożone na końcu i drugie — w stercie obok sadziku — na zimę. Słoma na górze, na sąsieku. Tam też pasza treściwa — ześrutowane ziarno i pośad dla kur. Narzędzia ogrodowe poustawiane równo, po lewej za drzwiami. Na półce po prawej — lizawka i specyfiki do mycia krowich cycków. Kaśka zawsze tu zamiata, tak że mogę nawet w rannych kapciach wpadać z wizytą.

Konia już dawno nie ma. Mama sprzedała go, gdy poczuła, że nie da rady z nim...

Tylko wóz został. Po co mi on? Sprzedam go! Karolak pomoże.

Obok, przytulony do obory, stoi niewielki kurnik. Ta drewniana część, co wystaje, z wysokim otworem wejściowym i deską — trapem do włażenia — to w zasadzie ich weranda. Zasadnicza część kurnika jest w oborze, do której wchodzą kokoszki z tej werandy małym otworem. Jeden z boksów jest kokoszarnią, właśnie.

Tam siedzą nasze ślicznotki i mają gniazda w koszach wiklinowych. Wyglądają jak damy w krynolinach, już podstarzałe, takie z *Ożenku* Gogola. Pogdakują i niosą się. Kasisko podbiera jajka i zanosi do GS-u. Zawsze to parę złotych!

Mleko zabiera mleczarz do mleczarni. Raniutko.

Jest ogród i sadzik, ale się nim nie zajęłam. Obie go zapuściłyśmy od pogrzebu mamy. Kaśka z trudem odchwaściła ogród i zebrałyśmy trochę selerów, pietruszki i cebuli. Reszta się zmarnowała. Pomidory zżarła zaraza, bo było wilgotno, sałata porosła w badyle i nawet zakwitła. Kapustę i kalafiory zjadły gąsienice i ślimaki.

W sadziku urodziło się dużo śliwek, jakieś jabłka zimówki i gruszki — też późne. Pogniły w trawie...

Przepraszam, mamo!

Kiedy już weszłam w ten rytm, poranek, szkoła, praca w bibliotece, późny obiad, obejście, lekcje z Karolakami, padałam wieczorem do łóżka, czasem zapominając o telewizji. Z radością czekałam na czwartkowe „Kobry", albo Teatr Sensacji. Coś z Agaty Christie, Arthura Conan Doyle'a, Joe Aleksa. Kryminały. Czekałam też na *Stawkę większą niż życie*. No i czasami musiałam podczas trwania Teatru Sensacji albo „Kobry" trzymać Kaśkę za rękę, bo się bała. Najczęściej jednak przysypiałam.

Nie mam czasu myśleć, a tym bardziej czuć. Jest tyle pracy! A wiosną i latem będzie jeszcze więcej.

Kiedy zdałam sobie sprawę, że przyszedł grudzień, nie chciało mi się wierzyć. Już?! Jak to? Dopiero co przyjechałam. Dopiero co się urządziłam... Jesień mi umknęła. Tyle że zaczęłam pracę w szkole. Później poooszło!

To niesamowite, jak z warszawskiej damulki przeistoczyłam się w wieśniaczkę! Co prawda wychowałam się tu, na wsi, obok mamy, która umiała wszystko, ale lekki byt w mieście rozleniwia. Oczywiście, że nie wyglądam i nie czuję się typową wiejską kumą. Chodzę inaczej ubrana, czytam znacznie więcej, mówię inaczej, ale zdecydowanie wolę życie tu, mimo że cięższe.

Nie mam czasu, jak w Warszawie, malować piłowane w migdał paznokcie i zastanawiać się, jaką fryzurę na karnawał wybrać, jakie koreczki z sera zrobić na sobotnią bibkę lub brydża. Robimy z Kaśką mnóstwo rzeczy potrzebnych, żeby żyć. Jesteśmy potrzebne sobie nawzajem. Piotrowi i Hance.

Jednego mi bardzo brak. Centralnego ogrzewania. Cóż! Nie można mieć wszystkiego. Ja mam drewno w sągu, piece, w których palimy ja i Kasisko, a w miastach są kaloryfery. Oni tam nie mają problemu z popiołem, drewnem... Gosia pewnie nie wie nawet, jak wygląda palenie w takim piecu. Zamyśliłam się, gapiąc w popielnik. Zastanawiam się, jak żyje w Warszawie Stanisław, jak moja córka sobie poradziła z zaistniałą sytuacją. Czy odczuwa dotkliwie brak matki? I jak to na nią wpłynie? Żyje w dostatku. Basen, angielski, harcerstwo, gimnastyka artystyczna, chór... Stanisław kocha ją ogromnie, to wiem, Anna świata poza Gosią nie widzi — to też pewne.

Co ja jej mogę dać? Nie umiałam w Warszawie zajmować się nią, zawsze była niania. Unikałam jej, byłam jakaś niezaangażowana, nieporadna, a potem uciekłam z innym. Gosia już pewnie wie i umiera ze wstydu. Na moje listy pozostaje głucha.

Czy to ona nie chce ze mną kontaktu, czy ktoś jej utrudnia?

Anna, z rzadka indagowana przez telefon, zapiera się, że nic nie wie.

A zresztą uważa, że swoją obecnością, telefonem, listem wzbudziłabym niepotrzebne pytania, zburzyłabym jej spokój, byłaby to „dywersja pedagogiczna" — tym Anna dobiła mnie ostatecznie. Wiem tylko tyle, że Gosia rośnie zdrowa, szczęśliwa i wesoła.

— Zaczyna się ostra nauka przed liceum. Nie możesz jej deprymować! Później może to jakoś zorganizujemy. Zdaj się na mnie! Przepraszam cię, ale jadę na zebranie rady hufca!

Zawsze ta rada hufca. Radzą i radzą. Zwykły wykręt...

Zawsze przy takich myślach serce mam ciężkie jak kamień. Nie wiem, co robić. Znikąd pomocy. Obiecałam temu dziecku nie mącić w głowie. Nie zawstydzać jej moją osobą. Może tak rzeczywiście jest lepiej?

O mój Boże! Zawsze to będzie takie trudne? Niejednoznaczne?

Ścisnął mróz i pada potężnie. Piec buzuje na całego. Nawet lubię to noszenie drewna, bo jak się tak zasiedzę w cieple, krew mi zaraz wolniej krąży.

A teraz pada tyle, że musimy odśnieżać codziennie. Robią to Czarek z Kasią, i ja dołączam, żeby się rozruszać, ale to syzyfowa praca. Pada i pada!

Wieczorem mamy takie eleganckie ścieżki do obory i kurnika, do sągu z drzewem, na letnią werandę, a w nocy zanosi to nowa warstwa śniegu. Doprawdy przesada!

Leżę w łóżku i patrzę w noc. Księżyc jest za domem, z drugiej strony, ale jest jasno na tyle, że widzę, jak wirują i wirują płateczki w powietrzu, zanim położą się cicho i miękko na ziemi. Wystarcza mi minuta tego baletu, żebym zasnęła kamieniem...

Rano budzę się przed budzikiem. Jeszcze trochę w cieple kołdry resztkę snu łapię za ogon, ale on umyka. W kokonie bezpiecznym i przytulnym jeszcze wygrzewam się i budzę powoli. Później słyszę, jak wstaje i szura Kasisko i już po chwili zapalam światło w kuchni. Kaśka, w wielkiej, niebieskiej, flanelowej koszuli cmoka mnie w oko na dzień dobry i śpiąc w środku, wsadza szufelkę do pieca, żeby wygarnąć popiół. Później wkłada gałęzie i wiecheć słomy, drewka i zapala.

Zawsze jej się udaje za pierwszym razem. Na śpiąco! Mnie — nigdy. Biegnę przed dom w chuście z bańką mleka, żeby ją postawić na ławeczce. Później włączam elektryczną maszynkę z czajnikiem. Mimo wszystko szybciej mam kawę, niżbym czekała, aż się zagotuje na piecu. Wyciągam z kredensu margarynę, mamy konfiturę z wiśni i róży i chałkę. Kupiłam wczoraj. Zimą robię nam jajówkę albo parówki na ciepło, jak kupię.

Wychodzę niechętnie. Mam kawał drogi przed sobą. Przydają się tu filcowe, białe boty ze skórzanymi paseczkami wokół łydki, kupione kiedyś u przyjezdnych górali. Mama kupiła wtedy kilka par. Miała nosa!

Po ćmoku idę przez nasze pola, drogą rozjechaną ciągnikiem Karolaków i gazikiem Zawoi. Znaczą ją jabłonie — stare antonówki i dziczki, i kilka świerków. Płoty po bokach niegdyś znaczyły pastwisko babci Bujnowskiej i nasze. Dziś nasza krowa pasie się już bliżej domu. Jest sama. Bujnowska też ma tylko jedną. Kiedyś obie — Bujnowska i moja mama — miały po kilka. Odstawiały dużo mleka. Był z tego całkiem miły pieniążek.

Idę. Śnieg chrzęści mi pod nogami. Skrzypi skóra botków. Gdy idę szybko i zdecydowanie, to nie marznę. Mama zawsze mnie tego uczyła. Z rzadka szosiną coś przejeżdża, ale to droga n-tej kategorii. Kto z Dźwierzut ma tu u nas interes?

Zdarza się, że ktoś od Zawojów albo Karolaków jedzie obok naszego obejścia, do miasta, to się zabieram gazikiem, furmanką, ciągnikiem, saniami. W lecie jeżdżę rowerem. W zimie nie bardzo się da.

Po szkole ta sama droga. Tyle że idzie się za dnia. Jest jasno. Przez miasteczko idę z koleżankami — Krysią polonistką i Jadzią geografką. Gadamy grzecznie i poprawnie o wszystkim. Takie ple-ple. Ja jeszcze na pocztę, po proszek do prania ten lepszy IXI-65 i FF — do prania wełny.

Właśnie mnie zobaczył Arnold i macha ręką.

— Cześć, Basiu — mówi nieśmiało (już jesteśmy na ty!).

Patrzy na mnie zachłannie i nie wstydzi się nikogo. A co? Posterunkowy!

— Cześć. Co robisz? — odpowiadam idiotycznie.

— A... taki tam, obchód i po papierosy wyszłem.

— ...wyszedłem — poprawiam go i zaraz mi głupio. — Przepraszam, Arnold. Nauczycielskie przyzwyczajenie. Dbam, żeby chłopaki oprócz wiedzy o żabie ładnie mówili — tłumaczę się.

— Przepraszam... — już się stropił i jest purpurowy.

— To ja przepraszam... Wybacz. Pójdę już.

— A, Basiu! Wiesz co? Film będzie ładny w kinie! Już w piątek. Kinowy mi mówił! Wieczorem!

— Jaki? — udaję zainteresowanie.

— *Fantomas wraca.* Śmieszny taki! Byś poszła?

— Dobrze. (Bym poszła).

— To ja przyjadę służbówką w piątek po ciebie! — woła szczęśliwy i odchodzi.

O mój Boże! Ale mam amanta! Taki dobrotliwy ten Arnold i... jednak przystojny, mimo piegów, rudej czupryny.

Z początku wydawał mi się brzydki. Ale przywykłam do niego i chyba się myliłam. Jest wysoki, dobrze zbudowany, szerokobarczysty, wysportowany. Grał w piłkę w szkole milicyjnej w Szczytnie, jako napastnik. Ma łagodne, szare oczy i ładny uśmiech. Tylko taki nieśmiały.

Wracam już drogą przez pola. Zimno mi, bo wieje. Z komina mojego domu snuje się dym. Kasia pali w piecu i jest ciepło! Zaraz nastawię ziemniaki i podgrzeję gołąbki. Robię ich cały wielki gar, żeby już tylko odgrzewać. Czarek przyszedł do Kaśki i się przymila:

— Ja lubię, jak te gołąbki są... proszę pani!

— Mów do mnie „Basiu”, Czarek. Sto razy ci mówiłam.

— Dobrze, proszę pani Basiu!

Kaśka się śmieje. Zakochana para... Mama szanowała tę Kaśczyną miłość. Na Czarka mówią „durnowaty”, ale to dobre chłopię. Ojcu w tartaku pomaga. Kocha naszą Kaśkę i zrobi dla niej wszystko! Panna z kawalerem!

Karolakowa robi też postne gołąbki. Z nadzieniem ziemniaczanym. Z tartych, surowych ziemniaków, i zawija je w liście kwaszonej kapusty. Zrobię takie za tydzień. Albo dwa.

Radio gra, Ola i Bartuś dziś nie przyjdą, bo mają ospę. Siedzę w kuchni i czytam. Rok temu dostałam od mamy *Annę Kareninę*. Schowałam ją wtedy w szafie. Wyciągnęłam niedawno, gdy szukałam sprzączek do paska. Leżała zawinięta w szary papier paczka, z maminym napisem: „Basi — św. Mikołaj".

Dookoła narysowane gwiazdki i aniołki. Ależ mama miała talent! W środku *Anna*...

Czytam ją dopiero od wczoraj. Początkowo nic takiego. Szczegółowy opis domu Obłońskich, poraniona psychicznie Dolly, rodzina... Miły ten Lewin. Taki interesujący. A Anna... czy ja wiem? Zobaczymy. Trochę to nudne.

Kiedy już zamknęłam książkę i położyłam dłoń na miękkiej skórze oprawy, uprzytomniłam sobie, że zbliżają się święta. Co ja pocznę?

Powinnam jakoś je zorganizować. Zawsze Hanka i Piotr spędzali je tu, u mamy. Ja zawsze w Warszawie. Najpierw ze Stanisławem, Anną i Gosią później w Toruniu, a rok temu uciekłam.

Jak teraz? Hanka na mnie obrażona. Co z Piotrem? Ciocię Misię z Warszawy mogłabym, chciałabym ściągnąć. Owdowiała, jest samiutka, a Stanisław z pewnością jej nie zaprosi. Żadna to była rodzina. Nasza wieloletnia sąsiadka na Żoliborzu.

Pielęgniarka, co przychodziła do dzieci. Do Gosi... Gdy Gosię dopadła straszna angina, stawiała jej bańki, robiła zastrzyki z gentamycyny. Została przyszywaną ciocią. Gosia biegała do niej po klucze, jak mieliśmy tylko jedną parę. Zjadała u niej obiad, bawiła się.

Malutka, lekko garbata Misia. Bardzo kochała dzieci. Nie miała własnych, więc, jako pielęgniarka na pediatrii, ugłaskiwała swoją duszę, kochając każde dziecko miłością matczyną. Zaproszę ją! A co to! Taki smutny był jej ostatni list, gdy została wdową... Ona jedna stanęła po mojej stronie i korespondowała ze mną po mojej wyprowadzce z Warszawy.

A Hanka? Musi być koniecznie! To też jej dom. Napiszę list.

Haniu!

Piszę do Ciebie pełna nadziei, że jeszcze mnie całkiem nie skreśliłaś.

Popełniłam w życiu sporo błędów, a najgorszy jest ten ostatni. Rok temu uciekłam mamie ze świąt. Z Jej ostatnich świąt. Zbezcześciłam je.

Ciężko mi z tym.

Postanowiłam przeprosić Mamę i Was. Chcę urządzić święta Bożego Narodzenia tu, nad rozlewiskiem, zgodnie z tradycją. Daj mi tę szansę! Za-

Jeszcze tego wszystkiego nie ogarniam, ale powoli łapię.

Jestem też biurem pisania podań. Mam maszynę! To jest to, co mi zostało z domu — mały portable od Stanisława. Przywiózł mi z Londynu. Wypisuję na nim pisma, podania, wnioski. Pomagamy sobie — ja i Karolakowie, każdy jak umie, chociaż ciągle mam wrażenie, że oni bardziej...

Anna Karenina już wie, że musi położyć wszystko na jednaj szali. Nie podejrzewa, że mąż pozostanie kamienny, nieczuły na jej poryw serca i że odbierze jej dziecko. Nie podejrzewa też, że Wroński nie będzie umiał podołać sytuacji, że się ugnie. Biedna Anna. Biedna Dolly, biedna Kiki... Zapędziły się w kozi róg! Niegdysiejsze damy w ciężkich sukniach. Jak Tołstoj potrafił wejść w kobiecą duszę, jakim był świetnym obserwatorem!

Mnie nie grozi, jak Annie, społeczna banicja, a mimo to czuję bliskość, pokrewieństwo dusz. Ja też kochałam. Bardzo. Popłakałam sobie nad *Kareniną*. Lżej mi? Nie za bardzo. Życie woła.

Wczoraj pani Czesia spytała, czy chcę świniaka, bo mama zawsze u niej kupowała i robiła przetwory świąteczne. Przeraziła mnie. Świniaka? I co mam go zabić? Rżnąć? Ciąć? Jak?

— Oj, Basiu, Basiu! U nas chłopaki to zrobią, a ty weźmiesz mięso i zawieziesz ze Stefanem do zrobienia temu, no, Łosińskiemu. On to robi za flaszkę. Trochę grosza mu dasz. Odbierasz gotowe wędliny. Pani Brońcia zawsze robiła trochę dla Hani i Piotra, a trochę na później. Mięso możesz podsmażyć i dać do weków, dziecko. Salcesony i kaszanki by poszły na zapłatę za robotę, i na prezenty. Miastowe je lubio!

— Hmmm. No dobrze, pani Czesiu! Muszę zacząć gospodarować jak mama!

Wieczorem Stefan przywiózł cynową balię pełną mięsa. Łeb, nogi, ogon — osobno, podroby osobno. W kance — krew z octem do kaszanek. Muszę tylko kasze dowieźć Łosińskiemu. Pęczak i gryczaną. Dobrze, że mamy!

Cały następny dzień smażyłyśmy z Kaśką mięsa według przepisu z mamy kalendarza. Kaśka wyparzała weka, przelewała je bimbrem. Mam go od Stefana, a on jeździ po niego aż za Gisiel. Do kogo? Nie wiem!

W żeliwnej rynience smażą się kotlety, a w wielkim garnku mam stopiony łój na smalec, którym zalewam kotlety w wekach. Później mniejsze kawałki, takie gulaszowe z liściem bobkowym i zielem też do słojów, na końcu wszelkie okrawki duszę w rynience do pasztetu. Wątrobę, płucka i jakieś skrawki — też. Mają się dusić osobno.

W kuchni gorąco jak zawsze. Na stole porozkładane gazety, bo tłuszcz chlapie niemiłosiernie. Nasza kotka, Paska, ociera się o nogi. Nienażarta! Z radia sączy się muzyka. Trochę nowości, nawet ładnych — Maryla Rodowicz. Wesoła blondynka z gitarą, No To Co, taki zespół, co śpiewa na ludowo, ale bigbitowo. Ja jednak wolę, jak puszczą Szczepanika, Przybylską...

Pamiętasz, była jesień...
Pokój numer osiem, korytarza mrok...
Już nigdy nie zapomnę Hoteliku Pod Różami,
Choć już minął rok.

(słowa: A. CZEKALSKI, R. PLUCIŃSKI)

Znów jakby o nas. Na chwilę mam wzrok zasnuty mgłą, romantyczka jedna, ale się otrząsam. Koniec! Już po miłości!

Ach! Dobrze nam idzie! Już stoi na stole oddział weków z mięsem na zimę. Mojej roboty! Reszta mięsa jest u Łosińskiego w bejcach z saletry, do wędzenia. Miłości nie zawekuję „na zaś". Na pohybel z nią!

Jutro robimy pasztet! Pierwszy, mój własny, pasztet. Już się nie mogę doczekać.

Chwilowo nie pada. Mam wolne, bo dzieci mają ferie. Wysypiam się i wstaję późno. O ósmej! Kasia już siedzi w kuchni niecierpliwie. Mamy pojechać do Olsztyna po prezenty. Pociągiem! Bardzo lubi te jazdy. Jest taka przejęta!

W Olsztynie wychodzimy z pociągu i wsiadamy do autobusu. Kaśka gapi się na wszystko. Jest zachwycona. Wysiadamy koło ratusza i chodzimy po sklepach dobre kilka godzin. Kaśka jest podekscytowana. Ogląda wszystko i wszystkich. Tu jest inaczej niż na wsi. Kobiety na obcasach, modne jesionki i futerka, jakie noszą u nas, w Pasymiu, tylko żony lekarza i notariusza. Pani sędzina też jest modna. Wszyscy w miasteczku patrzą na nią jak na modelkę i wyrocznię.

W Olsztynie dużo kobiet nosi się modnie i widziałam nawet kilka pań w minispódniczkach i grubych, kolorowych rajstopach, długich botkach ze sztucznej skóry i w grubych swetrach. Do tego kurtki — płaszcze w trapez — szał! Inne noszą kaszkiety ze sztucznego futerka, i do tego okulary przeciwsłoneczne, mimo że to zima. Ze dwie panie miały kolorowe płaszcze z błyszczącej, lakierowanej skóry. Tak się chodzi w kurortach — w Zakopanem, Krynicy, Jastarni i Sopocie. Wielki świat! A ja tu... W zwykłej jesionce. Jak większość.

Ach! Prezenty! Prezenty, a nie — wspominki i melancholia!

Kupuję wełnę w ładnym kolorze na czapę i szalik dla Kasi. W Cepelii materiał na suknię dla Misi. Kosmetyki. Kasia też myszkuje. Śmieje się i wchodzi sama do księgarni. A niech tam! Jakaś mała konfidencja.

Powrót na stację i pociągiem do Pasymia — żywioł Kaśki. Ze stacji wracamy piechotą, a w samym Pasymiu łapiemy Arnolda. Kończy służbę. Milicyjnym wozem odwozi nas do domu. Ale była wycieczka! Jesteśmy głodne i zmęczone. Kaśka biegnie do obory na obrządek, ja robię lane kluski na mleku i chcę jej pomóc, ale zdążyłam na końcówkę dojenia. Najadamy się i idziemy spać.

— Kasiu? — spytałam mojej siostry podczas obiadu tydzień później.
— Mam wielki plan. Upieczemy chleb, jak mama?

— A poradzimy? — spytała z powątpiewaniem.

— Musimy, gwiazdeczko. Pomożesz mi!

— Taaak, pomogę ja — odpowiedziała i pokiwała głową, żebym nie miała żadnych wątpliwości.

Trudno. Najwyżej mi nie wyjdzie, ale jak nie spróbuję, nie będę wiedziała, czy pieczenie chleba to czarodziejska umiejętność, czy mogę i ja ją posiąść?

Wzięłam do rąk kalendarz mamowy:

Chleb nauczyła mię wypiekać Jakubowa, nasza kucharka, w majątku. Zawsze zaczynać trzeba od przyniesienia mąki na dobę do domu, by nabrała Duszy.

Kuchnię uprzątnąć i doskonale umyć. Takoż człowiek ma być czysty przy pieczeniu chleba i dobrze, jeśli po spowiedzi. Przed rozpoczęciem należy zmówić pacierz.

Dzieża ma być czysta, bez pajęczyn i kurzu. Jeśli nieczysta jest, wyszorować i sparzyć wrzątkiem. Ciepła ma być. Uprzedniej nocy w mniejszej dzieżce nastawić zakwas, na tym, co pozostało z ostatniego pieczenia. Ciepła woda i jedna trzecia mąki. Rozgnieść gładko, posypać mąką po wierzchu i pod serwetą czyściuchną pozostawić obok pieca.

Rano w dużej dzieży, ocieplonej, miesić ciasto z reszty mąki i zakwasu, dodając sól, cukru troszkę i jak kto lubi, czarnuszki, kminku. Umieszone ciasto formować i wkładać do forem z wikliny obieranej, posypanych mąką lub forem metalowych — natłuszczonych. Jakubowa robiła w formach metalowych, niemieckich.

Chleb ma jeszcze kilka zdrowasiek stać pod serwetami i rość.

W piecu napalonym drewnem rozgarnąć węgle i wstawiać formy. Na czyste pole sypnąć mąki. Jak zbrązowieje szybko, piec za gorący! Pod koniec pieczenia chleby sprawdzić, wyjąwszy, i pomazać wodą. Wstawić na tyle, żeby skórka się zrobiła jak lakierowana. Chleb gotów!

Wyjąć ostrożnie, krzyże nakreślić i postawić w pustym pokoju dla ostygnięcia powolnego.

To rytuał! Tyle zdrowasiek, modlitw. Cóż! Musi być jak w mamowym przepisie.

Prawie dwa dni zajmują nam te wszystkie czynności, ale teraz siedzimy koło łóżka w gościnnym, na którym Kasia położyła ręczniki, a na nich nasze chleby.

O mamo! Chleb upiekłam! Udał się! Mamo, tatku, widzicie? A widziałaś, jak mi coraz ładniej wychodzi dojenie? Widziałaś, mamo? Weki już porobiłam i teraz czekam na wędliny z wędzarki Łosińskiego. Już pamiętam, co z nimi robić!

Zasypiam w domu pachnącym chlebem, dziwnie rozjarzona wewnętrzną radością. Umiem! Potrafię! Żeby to Hanka zobaczyła! Czemu nie odpisuje?

Przez okno zobaczyłam księżyc „w lisiej czapie". To, jak mówiła mama, tak na mróz ją wkłada…

Piję poranną kawę z mlekiem.

Listonosz idzie w tym swoim granatowym waciaku! Widzę go z okna w kuchni. Latem jeździ rowerem, to zajeżdża co dzień prawie. Teraz, zimą, tylko w razie konieczności, bo jak ma zwykłe listy w niebieskich kopertach bez nalepki *express*, zagląda co drugi albo i co trzeci dzień.

— Telegram, pani Bachno! — woła od progu.

— O Boże! Skąd?

— Z Torunia, pani tu podpisze.

Rozrywam druczek.

„Będziemy 22 Hania".

Oszczędna. Wiadomo już, że przyjedzie. A jeszcze tyle roboty! Mimo to serce mi się cieszy. Przyjadą! Zobaczą, że nie jestem jakąś nieudaczniczką, że radzę sobie z gospodarstwem i Kasią. I jak zawsze mama to robiła — przygotuje im wałówkę, bo to „miastowi" i takich cudów w sklepach nie mają. Jak zawsze jajek im dam, śmietany swojej. W mieście są tylko chłodnicze i wapniaki, a tu u nas świeżutkie! Od Arnolda dostałam litr miodu, bo jego tata hoduje pszczoły. Dam Hance! Ale się ucieszy!

Idę w wolnej chwili do leśniczówki zamówić choinkę. Oczywiście, ze swoim chlebem! Pani Aniela rozczula się i upuszcza łzę na wspomnienie Broni.

— A choć na słoninie ten chlebuś!? — grzmi od progu pan starszy.

— W tym roku nie, panie Zawoja. Chciałam się upewnić, czy chociaż zwyczajny wyjdzie mi tak jak mamie.

— I co? Wyszedł! Basiu! Niedaleko pada jabłko od jabłoni! — mówi pani Aniela. — Ty, jak Bronka, będziesz znamienita gospodyni, bo ty sercem wszystko odbierasz! Ot, widzisz, synowa, Lideczka, dobra, nie powiem, ale chlebów nie upiecze. Serca jej brak — to już dodała szeptem.

W tym momencie zszedł z góry Tomasz.

— Witam! — zawołał. — A skąd to wiatry niosą?

— Przyniosłam chleb i chcę, jak co roku, przymówić się o choinkę!

— Jak co roku, panno Basiu, będzie śliczna. Tomek pani dowiezie jutro — wtrąca pan starszy.

— Lidka przeprasza, że nie wyjdzie się przywitać, ale nagrzała sobie wody i siedzi w… wannie — uśmiechnął się Tomasz przepraszająco.

— Tomek! — upomniała go mama.

— Pani Anielo, nasze pokolenie odczarowało ablucje. Kąpiel, natrysk, manikiur, pedikiur oznaczają tylko, że lubimy czystość. Nie wstydzimy się! Dobrze, poznam ją przy innej okazji! Do widzenia!

— Ale, ale! — Zawoja krzyknął głośno. — Panno Basiu! Proszę przyjąć zaproszenie na pierwszy dzień świąt do nas na obiad. Później pojedziemy na spacer saniami. Hanka i Piotr dawno u nas nie gościli, a rok temu jakoś nie wyszło!

Zrobiłam się purpurowa na wspomnienie zeszłego roku.

— Naturalnie! Chyba nic nie mamy w planach, dziękuję!

Tomasz odprowadził mnie do furtki i powiedział:

— Jutro rano dowiozę ci tę choinkę. Cześć.

Powiedział to sucho i zaraz poszedł. Szkoda. Czasem tak na mnie patrzy, że aż mi gorąco. Kiedy żartuje, zapalają mu się ogniki w oczach, ma zniewalający uśmiech i jest żonaty, i… znacznie młodszy.

Nie, nie! Nie wolno mi nawet o tym myśleć! Trudno! Pozostaje mi adoracja Arnolda, ale nie mogę mu dawać większych nadziei. Nie kocham go. Jest tylko miłym znajomym.

Wracam śnieżnym lasem, moim znajomym traktem, i nucę *Augustowskie noce* Koterbskiej. Piosenka na upał. Ramotka sprzed paru lat, ale ładna! „Noce parne, gorące…", a tu dookoła mróz i śnieg! „Ty przechowasz tę muszelkę…". Kto? Kto przechowa mi muszelkę? Nie ma miejsca na „ktosia" w moim sercu. Na razie — NIE!

W kuchni włożyłam mamy fartuch, westchnęłam i zabrałam się do robienia śledzi. Wystałam je w sklepie. Mamy też szczupaki, które kupiłam u rybaka nad jeziorem. Potem przygotowałam też kapustę z grzybami i prawdziwki na barszcz. Modliłam się w duchu, żeby galareta na rybie ładnie zastygła, bo nie miałam wyczucia z tymi łbami (miałam głowy od innych ryb, ale mama nie napisała, ile ich trzeba).

Klarowanie białkiem też mi jakoś tak ledwo wyszło i Kaśka miała dużo zmywania, bo nabrudziłam mnóstwo naczyń. Zdobienia z gotowanej marchewki rozpływają się w płynnej galarecie. Trudno!

W rżniętej, kryształowej łódce leżą śledzie w oleju, z kolendrą i cebulką. W kwadratowym półmisku, marynowane, ubrane plastrami cebuli i marynowanymi grzybkami. Szczupak wygląda pięknie. Ma oczy z ziaren pieprzu. Żeby tylko w nocy kotka albo myszy nie zniszczyły mojego dzieła!

Wieczorem Kaśka ogląda niemiecko-jugosłowiański western, a ja zaszywam się w pokoju z szydełkiem. Zrobię Kasi czapę na zimę, „pilotkę", szał ostatnich lat. Sama mam dwie. Błękitną i oliwkową. Łatwy splot w grube, wypukłe wzorki. Kupiłam piękną, trawiastozieloną wełnę dla Kasi. Mam już trzy czwarte. Jeszcze tylko ozdobne troki do wiązania i pędzelki na końcach.

Nastawiam radio.

To, to radosny był dzień,
Gdy powtarzałaś mi, że od dziś
Nie rozdzieli nas nic,
Że co dzień list
Będziesz słać do mnie…

Śpiewają Czerwone Gitary moją ulubioną od lata, klaskaną piosenkę.

Znów szybko miną nam dni,
Znów będziesz powtarzać mi,
Że nie rozdzieli nas nic,
Że co dzień list będziesz słać do mnie.

(słowa: CZERWONE GITARY)

Jutro skończę! Szalik to jeden wieczór, no, dwa. Zdążę.

Trochę się obawiam wizyty Hanki. Jestem dorosła, a mimo to czuję się zawsze jak na cenzurowanym. Piotr to co innego. Mamy wspólną tajemnicę. On wszystko wie o mnie i Andrzeju. Wypłakałam mu to kiedyś u niego w domu, na kanapie pod bułgarską pliskę. Zalałam się w trupa. Pierwszy raz w życiu. Chciałam, żeby Piotr znalazł nam w Toruniu mieszkanie i pracę. I znalazł! Patrzył na tę naszą miłość z jakąś tkliwością. Nigdy nie lubił Stanisława. Andrzeja akceptował. Akceptował dramat, jaki był między nami. Lubił nam pomagać, bo uczestniczył w konfidencji uczuciowej. Kochany Piotruś! A ja wtedy nic nie wiedziałam!

To dziwne mieć brata… odmiennej preferencji. W encyklopedii jest napisane „homoseksualista". Brzmi okropnie. Zimno i źle. To taka większa przyjaźń między facetami. No, że się całują, przytulają… A tam! Nie moja sprawa. Jutro sprzątamy pokoje, bo przyjadą po południu.

Na podwórze zajechał wartburg Hanki i Zbyszka i wiśniowa syrena. To Piotr wysiadł z niego. Przywitanie było niezbyt wylewne, jak zawsze.

Hanka pociągała nosem i nie patrzyła mi w oczy. Błądziła wzrokiem nieporadnie, gdzieś obok.

— Pościeliłam wam jak zwykle w gościnnym, tam jest napalone, a ty, Piotruś, śpisz od dziś u mamy, żeby już nie na rozkładówce z Hanką i Zbyszkiem, w jednym pokoju.

— Można było jak dotąd — musiała wtrącić Hanka, ale zaraz się rozejrzała dyskretnie i pokiwała głową. Chyba z aprobatą.

— Jak tylko się rozpakujecie, chodźcie na kolację!

Drżałam z niepokoju. Adwent. Mama i Hanka jadały tylko postne pokarmy. Właśnie — pokarmy, a nie potrawy. Na stole obrus i mleko w dzbanku. Także herbata. Chleb przeze mnie upieczony w koszyczku. Dla chłopaków śledź z cebulą i olejem, i biały twaróg, co był posolony i zawieszony nad płytą kuchenną tydzień temu. Taki jakby półsuchy, podwędzany. Przepis oczywiście z kalendarza mamy! Kaśka była milcząca i przejęta, bo wyczuwała, że zdaję jakiś egzamin. Pod koniec kolacji tylko nie wytrzymała i spytała, czy może iść na telewizję.

— Radzisz sobie, widzę? — Hanka zakopuje topór.

— Staram się bardzo, Haniu. Życie na wsi nie jest łatwe…

— Mama wiedziała o tym doskonale! A... Ten Szymon? — Hanka wie, jak mnie przyszpilić.

— Co Szymon? Był ze dwa razy z tym Ludwikiem. Raz, widziałaś ich, na pogrzebie mamy i raz jakoś jesienią, przejazdem byli. Nic nas, Haniu, nie łączy. To był idiotyczny epizod! Teraz to wiem... Jakoś sobie z Kaśką radzimy! — zmieniam temat — Nawet udało mi się załatwić dwie tony węgla!

— A co to, drewna mało? — znów syczy.

— Nie, ale skoro dało radę, jest...

— Wiele więcej z niego ciepła, nocą to przydatne, a zapowiadają ciężki styczeń... — ratuje mnie Zbyszek, oczywiście zgromiony wzrokiem Hanki.

Chyba nigdy tak długiego zdania sam z siebie nie powiedział. Niestety, nie udała się atmosfera tego wieczoru. Piotr poszedł do pokoju na film z Gerardem Philippem, a ja nieopatrznie spytałam Zbyszka o zdrowie.

— Żylaki mam straszne — powiedział.

— Na nogach? Pokaż?

— ...na nogach i...

— Zbyszek! — ofuknęła go Hanka. — Co za ekshibicjonizmy?

Wstała i zaczęła sprzątać. Ja w tym czasie wysłuchałam wszystkiego o żylakach. Domyśliłam się, że i hemoroidy go trapią. Zbyszek był wręcz wylewny, bo chyba w pokoju mamy Piotr poczęstował go nalewką, a na werandzie przy papierosku też...

Namawiałam go serdecznie na szpital i operację, bo wyglądało to niewesoło. Hankę ewidentnie nosiło, aż wreszcie pękła i niby spokojnie, znad zlewu, zadała mi pytanie słodko jak Brunner Klossowi:

— Zastanawiam się, jaki ty masz w tym interes, Basiu, żeby tak namawiać Zbyszka na szpital?

Ponieważ i mnie Piotr poczęstował tą nalewką, odparłam odważnie:

— A mnie zastanawia, jaki ty masz w tym interes, że mu odradzasz?

Zrobiło się cicho. Zbyszek zrobił się zielony i... Hanka wyszła. Piotr wkroczył roześmiany, bo wszystko słyszał i wyjął piersiówkę wiśniówki.

— Ile ty ich masz? — zapytał Zbyszek.

— Piersiówek? Tyle, ile kieszeni ma męski garnitur! — odpowiedział dziarsko, z chichotem.

Zbyszek oczywiście poleciał do łazienki wyszorować zęby miętową pastą, żeby Hanka nic nie wyczuła, a ja opowiadałam Piotrowi o wszystkim pod wiśnióweczkę.

— Widzę, że powoli się odnajdujesz, Basiu.

— Odnajduję i nawet nie śmiem narzekać. Może się dochowam drugiej krowy, obora duża. Mogłabym za sprzedane później jałówki i mleko odłożyć trochę pieniędzy. Może zrobiłabym prawo jazdy? Na ciągnik, na auto. To chyba nietrudne? W Szczytnie są kursy rolnicze. Zrobiłabym papier.

— Oho! Ambitne plany! Do miasta cię nie ciągnie? Bałem się, kochana, że nie wytrzymasz. Że za miastem zawyjesz z tęsknoty.

— Wyłam i pewnie z czasem mi się „czknie", ale ta przygoda zeszłoroczna z Szymonem uświadomiła mi, że nie mam czego szukać w mieście. Studentką już nie będę. Kawiarnianym wampem też nie. Praca? Mam tu naprawdę porządną pracę i przynajmniej wiem, że jestem potrzebna. Ja moich uczniów uczę nie tylko biologii. Czasem gadamy o życiu. Chłoną jak gąbka każdą wiedzę. To, co robię, to prawdziwa oświata! Oni nic nie wiedzą o świecie! O życiu. A ja już wiem, co jest ważne.

— A życie osobiste? Wybacz, że pytam.

— Piotr! Ty masz prawo pytać mnie o wszystko! Osobiste? Brak. Kręci się obok mnie Arnold, posterunkowy. Ale jakoś nie mam do niego serca. W Domu Kultury w Szczytnie jest niejaki Jan — artysta, prowadzi zajęcia z młodzieżą. Pięknie i ciekawie mówi o sztuce, jest delikatny i miły i... tylko tyle. Spotykamy się, rozmawiamy i wiem, że mogłabym zacieśnić tę znajomość, ale jakoś... Nie. Jan — nie. Mama mówiła, jak mnie ostrzegała przed ślubem ze Stanisławem, że muszę znaleźć tę swoją miłość, wiedzieć, że to ona.

— Nic na siłę, Basiu. Chodźmy spać. Późno się zrobiło. Idź. Ja pozamykam.

— Dobranoc.

— Dobranoc.

Sądziłam, że rano Hanka da popis „kamienia obrazy". Ale nie! Zrobiła nam na śniadanie lane kluski na mleku, bo wstaje wcześnie, i jest jakaś taka radośniejsza... Może rozochocony wiśniówką Zbyszek skorzystał, że w ich pokoju już nie waletuje szwagier? Lekko napity popuścił sobie munsztuk. Hanka zaróżowiona, miła jakaś...

— No to jak? Ciasta dzisiaj? Jakie lubisz?

Jakie lubię?! Ja? Bo się przewrócę. Dla mnie tu przyjechała ciastować? Szybko się spinam:

— Haneczko, sernik to po prostu mus, bo chłopaki bez sernika zdechną. Przepraszam...

— Też tak myślę... — cedzi Hania, nie zważając na mój język.

— Kajmaczek? Chciałoby ci się? O, szarlotka! Nigdy jej nie robisz!

— Skąd wiesz? Nie bywałaś, ale na Wielkanoc zawsze robiłam. Są jeszcze mamy jabłka w spiżarce?

— Są! Zaraz lecę.

— Poczekaj! Ty taka w gorącej wodzie... Co jeszcze? Może zamiast makowca tort makowy? Masz mak?

— Nie wiem, sprawdzę. O!... I piszingera...

— Piszinger jest na Wielkanoc! Ale dobrze, zrobię, skoro chcesz. No, Zbyszek oszaleje! To zresztą przepis jego matki. Basiu... — przerywa i patrzy na mnie. — To jak? Jakoś ci tu... dobrze? Nie tęsknisz za dawnym życiem?

— Haniu. Myślę o tym sporo. Ja nie mam po co wracać do Warszawy. Stanisław, wiem to, jest nieustępliwy.

— A do Gosi?

— To jest problem. Jak mam wrócić do Gosi, skoro między mną a Stanisławem wszystko skończone? Zresztą, mama miała rację, nie powinniśmy się pobierać tylko po to, żeby zagłuszyć samotność.

— A dziecko?

— Co „dziecko"? Ma się wychowywać w chłodzie? U nas już temperatura była tak letnia, że aż zimna. Dlatego przecież, że moje serce było otwarte, spragnione, uciekłam.

— Wiem, wiem, ale nie rozumiem! Przepraszam, Basiu, ale nie rozumiem!

— Trudno, Haniu. Tu nie ma nic do rozumienia. Nie umiałabym tkwić w związku tak zimnym, pustym… I co, całe życie? Nie. Absurd! Ale wiesz, tu jest mi dobrze. Bałam się, że będę się czuła jak na zesłaniu, wygnaniu, ale nie. Podoba mi się chyba coraz bardziej to wiejskie życie i Kaśka mi pomaga. Uspokoiła się po śmierci mamy i czuje się bezpieczna. No, kto miał się nią zająć?

— Wiem — mówi Hanka cicho i dodaje weselej: — Dobrze! Zrobimy też piszingera!

Cieszę się. Dobrze się zaczyna. Co prawda pojęcia nie mam, jak smakuje ten piszinger, bo tylko z listów mamy wiem, że pyszny. Ważne, że Hanka inna, żywsza, chętna. Lody już chyba przełamane! Rozmawiałyśmy nareszcie normalnie.

Pies się rozjazgotał i Kaśka wyjrzała przez okno:

— Tomek Zawojów choinkę przywiózł.

Zarzuciłam szal mamy i wybiegłam do bramy.

— Basiu!

Te oczy! No, ale trafiła ta jego żona! Jeśli on na nią tak patrzy… I uśmiech. Taki jakby do połowy, może drwiący? Nie! Taki ma! Niepewny. Gdyby nie był żonaty — pomyślałabym — uwodzicielski. Ma na sobie barani serdak i czerwony golf — jak wielki, młody krasnal. Przecież krasnale muszą być kiedyś młode!

— Oprawiłem ci ją od razu! — chwali się.

— O, szkoda, chłopaki będą rozczarowanie! Lubią zajęcia w obejściu — udaję zmartwioną.

— To zagoń ich do dojenia!

Paplaliśmy wesoło przy tej bramie i jakoś żadne z nas nie było skłonne zakończyć.

— Basiu! Gdzie jest masło? — usłyszałam z werandy.

— Muszę iść. Cześć, Tomasz, i pozdrów wszystkich. Złóż życzenia rodzicom.

— Pamiętaj, Basiu! W pierwszy dzień świąt!

W kuchni stanęłam w pąsach. Masło! Zapomniałam je odebrać w mleczarni. Zamówiłam trzy kilo i miałam być wczoraj. Piotr zaproponował, że mnie zawiezie wartburgiem Zbyszków.

Jak tylko odjechaliśmy od domu z pięćdziesiąt metrów, zatrzymał się za zakrętem.

— Wysiadaj.

— Co jest?

— Poprowadzisz.

— Zwariowałeś? Ja nie potrafię!

— Kiedyś musi być ten pierwszy raz. No, siadaj, to nietrudne! Spójrz. Tu masz pedały. Ten to hamulec. Bardzo przydatny. Ten to sprzęgło. Wciskasz, kiedy chcesz zmienić bieg. A to gaz. Jak chcesz zasuwać. I teraz odpalamy! Naciśnij sprzęgło i przekręć kluczyk. Nie bój się! Teraz chwyć tu, tę wajchę przy kierownicy, pociągnij do siebie i do góry. Leciutko! I masz jedynkę! Lekko popuść sprzęgło... Mówiłem lekko!

Samochód skoczył i zgasł. Musiałam wszystko powtarzać jeszcze kilka razy. Aż do zwycięstwa. Ruszył.

— Aaaaaa! Jadę! — krzyczę radośnie, ale i ze strachem. Nagle samochód szarpie i... zdycha.

Zaczynam jeszcze raz. Jadę! Pomału, ale prosto!

— Patrz przed siebie, Basiu! Dobrze! Resztę musisz robić „na macankę". Teraz naciśnij sprzęgło i daj wajchę w dół, pojedziemy na dwójce!

Nie wierzę! Sama jadę! Mamo, tato! Widzicie!

— Piotrek, ale tylko do szosy!

— Coś ty! Do samej mleczarni! Przecież Arnold ci odpuści! Jedziesz, Basiu! Jedziesz! Prosto! Nie wężykiem!

Jadę! Już nawet kazał mi wrzucić trójkę! Na liczniku mam czterdzieści! O mamo! Ale jazda! Mam zaciśnięte palce na kierownicy i ściśnięte wnętrzności z przejęcia. Już zaraz podjadę pod górkę, a z niej skręt na drogę do miasta!

— Hamuj delikatnie! Daj sprzęgło i wyrzuć na luz, popatrz w lewo, w prawo i znów w lewo. Jedynka, puść sprzęgło i wio!

Skręciłam dziarsko na szosę. Za dziarsko, bo zatoczyłam łuk jak furmanką. Jadę prawą stroną elegancko i równo. Bieleją mi kostki i mam już mokre dłonie.

— Basiu, nie ściskaj tak mocno! To utrudnia manewr!

Żeby się skupić na tym, co do mnie mówi, zahamowałam i stop! Stoję.

— Dobrze, ja pojadę dalej, ale wracasz ty! — Piotr nie daje za wygraną.

— Och, Piotrek! Jakie to frapujące! Chcę wracać!

Idiotka. Bez kursu! Podoba mi się to. Bartuś Karolaków, taki malutki, też siada do ciągnika. Ojciec ustawia mu gaz i dzieciak daje po polu. To ja też!

Koło rampy znów się przesiadamy. Gaśnie mi kilka razy i robię „hopki", ale wreszcie ruszam! Już wiem, że muszę dać wajchą w dół, żeby była dwójka, potem znów w górę, żeby wskoczyła trójka. Czwórka jest mi na razie nieprzydatna. Tak szybko to ja nie pomknę!

Zatrzymuję się obok bramy i oczywiście gaśnie!

— Ufff!. Piotrek! Ja jechałam!!! — drę się patetycznie, głośno, dziko.

— No widzisz, Basiu? Nietrudno złapać, o co chodzi. Pojeździmy jeszcze trochę i kurs będzie tylko formalnością.

— A miasto? Normalne miasto? — spytałam. — Te całe krzyżówki, światła, pierwszeństwo? To zagmatwane, jak nie wiem co!

— Krzyżówki? Proste jak patyk! Poćwiczymy na kartce papieru. Chwycisz, bo jesteś inteligentna.

Wpadłam do kuchni z tym masłem jak na skrzydłach.

— Haniu! Prowadziłam waszego wartburga! — wołam radosna i wiem, że dostanę zimny prysznic.

— No, tak. Piotr nic mądrego nie wymyśli! A jakbyś walnęła w drzewo, wpadła w rów? — pyta zimno.

— Ale nie walnęłam! — podśpiewuję i ściskam Hankę mocno.

— Puść, wariatko jedna! — Hanka skrywa śmiech. Poddaje się jednak i mówi: — Dawaj to masło i zamień się teraz z kierowcy w podkuchenną. Dwa razy nie będę cię uczyć!

— Uczyć? Miałam ci pomóc tylko…

— Pomóc to mi może Kasia. W rodzinie tajemnice kulinarne przekazuje matka córkom, a jak matki brak, starsza młodszej. Już pora, żebyś sama zajęła się ciastami, bo jak mnie zabraknie? — zawiesiła głos dramatycznie i jakoś tak smutno.

— Zwariowałaś, Haniu! Co ci za myśli chodzą po głowie?

— Ach, nic tam — macha ścierką w powietrzu i stawia na stole makutrę. — Do roboty!

Panowie grają w karty w pokoju mamy i nie wtrącają się. Przenieśli tam telewizor z salonu, bo Hanka nie lubi telewizji przy posiłkach. Słyszę już sygnał „Tele-Echa", ale udaję, że mnie to nie bierze, choć wolałabym posłuchać rozmów Ireny Dziedzic. Ona zawsze taka światowa, elegancka, pryncypialna, w klipsach. Panuje nad każdym! Jakby miała niewidoczny bat.

Mielę ser i zaraz potem Hanka podsuwa mi miskę wczorajszych ziemniaków.

— Po co to? — pytam zdumiona.

— Do sernika! Dłużej trzyma wilgoć!

Przywiozła ze sobą słoik zacukrzonych skórek pociętych cieniutko przez Zbyńka, suszone morele i rodzynki. Skąd? Doprawdy nie wiem! Nawet w delikatesach w Olsztynie nie było takich łakoci.

Sernik pachnie już w piecu. Kaśka, jako niewątpliwa mistrzyni palenia, rozpaliła chlebownik. Teraz szarlotka, z cynamonową pianką na wierzchu. Patrzę oczarowana, jak Hance sprawnie to idzie. Podglądam, co miesza, co dodaje.

— Gdy ubijasz, Basiu, białka nie mogą mieć nic, nawet ciuteczki żółtka, bo się nie ubiją. I dodaj kilka łyżek cukru. Pianka ma być słodkawa.

Pod wieczór czuję już zmęczenie. Pieczenie cieniutkich placków do kajmaku to wyczyn nie lada, żeby ich nie spalić. A już sam kajmak! Nuda! Tyle godzin mieszać mleko z cukrem! Mieszałyśmy na zmianę.

— Można — mówi Hanka — rozpuścić krówki, ale to łatwizna, a przecież trzeba znać jądro przepisu!

Tak. Dla Hani wszelka łatwizna to obrzydliwość, więc po cichu notuję o tych krówkach. Jądro znam, krówki będę topić w przyszłości!

Teraz pora na piszingera. Hanka wyjmuje andruty. Wielkie arkusze wafli.

— Skąd to masz?! — pytam zdumiona. Wafelki widywałam tylko w lodziarni, małe i kwadratowe. Między takie wkłada się gałeczki lodów, ale takie duże?

— Są w sprzedaży — mówi Hania cierpliwie i przynosi miskę namoczonych wczoraj, wędzonych śliwek.

Obieramy je z pestek, co nie jest łatwe ani przyjemne. Wkrótce mamy samą masę śliwkową. Wygląda ohydnie. Mam ją utrzeć w makutrze. Okropność. Kiepsko mi idzie, więc wołamy chłopaków. Zbyszek robi to tak, jakby kręcił w makutrze całe życie. I pewnie kręci! Piotruś, oczywiście, podjada.

Teraz Hania płaty wafli smaruje tą masą ze śliwek i nakłada na siebie warstwami. Na wierzch kładzie serwetkę, na nią tom Encyklopedii Powszechnej i… już!

— Koniec? — pytam rozczarowana.

— Koniec — mówi Hanka i zabiera się za sprzątanie. O matko! Już piąta! Chłopaki dostali dziś tylko zarzutkę z cebulą smażoną na oleju i ziemniaki. Zrobiłam sobie do niej grzanki ze starego chleba. A potem piekłyśmy na blasze podpłomyki z resztek Haninych ciast. Ale się objadłam!

Wieczorem obsmażyłyśmy i dusiłyśmy mięso na świąteczny obiad. Piotr przywiózł w bagażniku comber barani, zawinięty w szmaty z octem, obłożony liśćmi bobkowymi i cebulą.

— Skąd masz? — pytam.

— Byłem w delegacji, w Żywcu, a tam na rynku są baranki! Oscypek ci przywiozłem i bryndzę! Taki pieczony barani comberek to poemat!

— Ale po co? W pierwszy dzień świąt idziemy na obiad do Zawojów!

— No to będzie na później! Nie zepsuje się! — Hanka dziwnie niemarudna i spoglegliwa.

Oddałam jej pole. Siedziałam zmęczona, podczas gdy ona niestrudzenie obsmażała ten puc mięcha na wielkiej żeliwnej patelni. Zapach początkowo drażnił mnie i był daleko inny od schabowego, ale jak pod koniec Hanka wrzuciła listek bobkowy, ziele angielskie i dosłownie garść czosnku, po kuchni rozszedł się taki aromat, że przyciągnął chłopców.

— Dajcie trochę! — skamleli, udając psy. Usiłowali zaczerpnąć skibkami chleba choć sosu z rynienki.

— Adwent! — krzyknęła wesoło Hanka i dała im ścierką po łapach. Potem wzięła kilka kromek mojego (!) chleba, usmażyła na patelni w tym pozostałym z pieczenia tłuszczu, i wtarła w nie czosnek. Jedliśmy tę kolację, popijając mlekiem, i mlaskaliśmy. Taka pycha! Co się Hani stało, że usmażyła je w niepostnym tłuszczu? Nie pytałam. Było mi dobrze w naszej gorącej kuchni, przy stole z moją rodziną. Za oknem śnieg i ziąb, do świata daleko, a my obżeraliśmy się nieprzyzwoicie tymi grzankami, a jak Hanka poszła do pokoju zmówić pacierz, Piotr przyniósł do kuchni wino Gellala i postawił pod stołem. Piliśmy w kubkach, żeby w razie czego nie było…

— Po małym! — zachęcił nas Piotr.

— Tylko? — spytał Zbyszek.

— Zbysiu, po pierwszym kieliszku, mawiał Wańkowicz, wychodzi z nas drugi człowiek i on też by się napił! Powoli, będzie i drugi kubeczek.

— Aaaa! Chyba że tak!

— Zbyszku! — Hanka ponagliła męża z pokoju.

Zbyszek wstał (oj, słabiutką ma głowę!) i powiedział tubalnym głosem:
— Państwo wybaczą, małżeńskie obowiązki wzywają! — i zachichotał.

Hanka weszła do kuchni w szlafroku i wałkach na grzywce.

— Adwent! — zagrzmiała znów, ale wcale nie przymilnie. — Co to? Co to, Piotrze?

Podetkała mu pod nos kubek z winem.

— To?... Ach to! — prychnął z miną pokerzysty. — To wino do sosu, Haniu! — po czym wlał zawartość kubka do baraniej pieczeni.

Hanka patrzyła chwilę i… nie wytrzymała — Ile wypiłeś? — spytała Zbyszka.

— Kubecek…. — odpowiedział jak dzieciak, próbując rozbroić żonę.

— Kubecek? — przedrzeźniła go. — Kilka kubecków!

— Bo, Haniu, mawiał pan Wańkowicz, że po pierwszym wychodzi z człowieka całkiem inny człowiek i tamtemu też chce się pić!…

— Kubkiem? Jak menele? — zasyczała.

— O pojemnościach nie było! — Zbych puścił do nas oko i poszedł do pokoju za swą magnifiką…

Od rana w pokoju pakuję prezenty. Tym razem zależy mi, żeby były celne. Żeby wszystko odbyło się jak najpiękniej.

W kuchni Hania kończy sprzątanie po śniadaniu, przy którym ani słowa nie wspomniała o wczorajszym wieczorze. Nawet była miła.

Rano idziemy na cmentarz. Piechotą, tak jak chodziła mama. W południe ma przyjechać Misia. Odważyła się!

Sporo ludzi na grobach. Światełka pozapalane, toną w śniegu. Ciągle pada! Posprzątane groby i ozdobione choiną z jemiołą. Rodzice patrzą na nas z „porcelanek". Jesteśmy. Wszyscy w zgodzie, mamo! Ja też doszłam ze sobą do ładu i Hanka to uwzględniła.

Modlimy się cicho nad grobem rodziców. Pod ich czujnym, porcelanowym okiem. Czuję spokój i dobrze mi z moją rodziną. Już nie chcę być sama, a jak zaplącze mi się do życia mężczyzna — musi pokochać nas wszystkich!

Kaśka zrobiła bukiet z pałek i choiny, ozdobiła go białymi kokardkami z wstążki, którą Hanka przywiozła ze sobą, do obwiązywania prezentów. Ona, ta nasza głupia Kaśka, ma niezwykły dar robienia takich bukietów. Pójdzie nad rozlewisko, natnie badyli, doda jakichś choinek, kokardek i taką strzeli kompozycję, że siadam z zachwytu. Stoi to teraz w siwaku obok krzyża. W drodze powrotnej poszłam dać na ofiarę i poprosić pastora o wspomnienie o rodzicach podczas nabożeństwa.

Wracamy do domu. Rozmawiamy o ojcu. Słucham Hanki i Piotra, bo ja tatkę znałam już jako starego Michała. Siwy był i taki… dziadkowaty. Między rodzicami była spora różnica wieku. Hanka pamięta go jako nobliwego, w miarę młodego mężczyznę.

Spokojnym głosem opowiada o Julku, Bercie i rodzicach. Zna wszystkie detale. Kolory sukien, marki samochodów, nawet jakieś daty. Jej opowieści nie mają dłużyzn.

Ma znakomitą pamięć do detali, nastrojów.

Mój Boże! Ile tajemnic kryją rodzinne historie? Trzeba to zapamiętać. Nie, spisać!

Po powrocie zastajemy przed bramą na furmance Stefana, Misię.

— Misiu! Długo czekacie? Klucz jest nad drzwiami!

— A skąd! — mały sucharek machnął ręką w lila rękawiczce. — Dopiero mnie pan Stefanek przywiózł! No i zapaliliśmy, jak paniska!

— Misiu! Ty palisz?! Od kiedy?

— Jak poszłam na emeryturę, moje dziecko. Strrrasznie mi się chciało palić, jak w partyzantce! To pewnie rodzina? — upomniała mnie grzecznie.

Stefan wziął małą Misię na ręce jak dzieciaka i zestawił na ziemię. Przedstawiłam wszystkich sobie i weszliśmy do domu. Misia uśmiecha się i szczebiocze starczym skrzekiem:

— Pani Hanko! Wiem od Basi, że z pani przednia gospodyni! Oj! Już mi wróbelki wyćwierkały, że pani ciasta nie mają sobie równych! Już tam święty Mikołaj coś pomyślał w tej materii!

I w tym tonie paple i paple szczęśliwa, że jest między ludźmi. Później zabrała się z panami na telewizję. Hanka patrzyła na nią lekko zdumiona, ale pogodzona z tym, że to moja Wigilia i zaprosiłam też kogoś z „mojego" świata.

Chłopaki z Misią poszli ubierać choinkę. Zdjęłam ze strychu wielkie pudło ozdób robionych mamy rękami. Są misterne pajączki ze słomki i wełnianych pomponików, muchomorki z krepiny i cienkiej bibułki, gwiazdki śniegowe z cieniutkich, białych rurek z papieru misternie łączonych, jakieś lampioniki z kolorowego kartonu. Śliczności. Mama nie lubiła bombek, bo uważała to za niemczyznę. Pikielhauby na czub też nigdy nie zakładała. „Na polskiej choince — tylko gwiazda lub anioł!". U nas jest anioł. Mama go zrobiła z solnej masy. Ma ułamane skrzydło, ale jest piękny, i ma aureolkę z cienkiego drucika. Stale się mięli w pudle, więc trzeba ją prostować na nożu. Hanka pozwoliła od razu ubrać na kolorowo. Oczywiście z łańcuchami Kaśczynej roboty.

Kaśka, Hanka i ja stanęłyśmy do lepienia pierogów i słuchałyśmy świątecznego wydania powieści *W Jezioranach*. Nie rozmawiałyśmy. Lepienie pochłonęło nas całkowicie. Zauważyłam, że każda z nas, biorąc do ręki kółeczko ciasta, nakłada farsz łyżeczką dokładnie maminym gestem. A jakże, przecież ona nas nauczyła.

Ile takich maminych gestów nosimy w sobie? Ile w nas naszej matki w sposobie rozumowania, w tym, jak sprzątamy, jak lepimy, jak postrzegamy świat?

Nawet w mimice. Każdy mi mówi, że robię miny jak mama. Ogólnie jestem, tak sądziłam, podobna do tatki, ale Hanka zauważyła, że marszczę nos jak mama, wysuwam dolną wargę jak mama.

— Nawet włosy odgarniasz jak ona... — Hanka mówi to tak łagodnie, z nostalgicznym uśmiechem, patrząc na pieróg.

Zrobiło mi się miło. Nigdy wcześniej nikt mi nie mówił takich rzeczy.

Ledwo zdążyłyśmy z lepieniem, wzięłyśmy się do sprzątania kuchni, gdy w drzwiach stanęli... Ludwik z Szymonem! Hance wypadła ścierka, ja poczułam niemiły skurcz w brzuchu. „Po cholerę oni tu?!" — pomyślałam „Taki dysonans!".

— Witam... eee... — pan Ludwik plątał się ewidentnie. — Ja wiem, że zaskakujemy panie naszą wizytą, ale Szymon mnie pchnął do tej odwagi... Wracamy z cmentarza od Bronki. Przygarnijcie nas na ten święty wieczór, bo mamy nerwy w strzępach!

Hanka dalej nie mogła wydusić słowa. Stała w pąsach ze złości i patrzyła w podłogę. Piotr, jako jedyny przytomny, się zachował:

— Prosimy! Hania zawsze stawia talerz dla wędrowca. Teraz postawi dwa. Skąd to drogi prowadzą, skąd te nerwy?

— Panie Piotrze! Takie nieszczęście nas wzięło! Córka z zięciem mieli wypadek pod Moskwą! Trzy dni temu! Wczoraj dostaliśmy telegram, a wszystko, i wyjazdy, i informacje, wstrzymano na czas świąt. Leżą w klinice, stan ciężki, a dodzwonić się tam jakoś nie idzie! Wczoraj rozmawiałem z konsulem, że mają wszystko zapewnione, ale Bóg wie, jak to będzie! Miejsca nie mogliśmy sobie znaleźć, to wymyśliłem, że uderzymy do pań... Szymek nalegał. Mówił, że chce normalności, spokoju, że u panny Basi będzie miło.

Patrzyłam zdumiona, jak pan Ludwik stracił cały zeszłoroczny rezon i jeszcze Boga wzywa! Szymon stał obok niego szary i nieobecny. Gryzł wargi i uciekał wzrokiem.

— Może tak do środka? — odezwała się Hanka sarkastycznie. — Zimno wchodzi do domu!

Weszli. Rozebrali się, przywitali z resztą.

Kaśka pociągnęła mnie za rękaw:

— Gwiazdka już od godziny! — zabuczała z przyganą.

— Siadajmy, proszę! — zawołał Piotr, a ja powstrzymałam go:

— Nie! Nie siadamy! Najpierw modlitwa. Taka, jaką zawsze odmawiała z nami mama.

Wzięłam do rąk jej starą Biblię i zaczęłam czytać starannie wyuczoną lekcję:

Ewangelia według świętego Łukasza

NARODZENIE PANA JEZUSA
I stało się w owe dni, wyszedł dekret od cesarza Augusta,
aby spisano wszystek świat.
Ten pierwszy spis dokonany został przez namiestnika Syrii, Cyryna.
I szli wszyscy, aby dać się zapisać, każdy do miasta swego.
Poszedł też i Józef z Galilei, z miasta Nazaret do Judei,
do miasta Dawidowego, które zowią Betlejem, dlatego
że był z domu i pokolenia Dawidowego,
aby dać się zapisać z Maryją, poślubioną sobie małżonką
brzemienną.
I stało się, gdy tam byli, wypełniły się dni, aby porodziła.
I porodziła syna swego pierworodnego, a uwinęła Go
w pieluszki, i położyła Go w żłobie, bo nie było dla nich
miejsca w gospodzie.

PASTERZE U ŻŁÓBKA
A byli w tejże krainie pasterze, czuwający i odbywający
straże nocne przy trzodzie swojej.
I oto Anioł Pański stanął przy nich, a jasność Boża zewsząd
ich oświeciła, i zlękli się bojaźnią wielką.
I rzekł im Anioł: Nie bójcie się; bo oto opowiadam wam
wesele wielkie,
które będzie wszystkiemu ludowi, bo się wam dziś narodził
Zbawiciel, który jest Chrystus Pan, w mieście Dawidowym.
A ten znak dla was: Znajdziecie niemowlątko, uwinięte

w pieluszki i położone w żłobie.
I nagle zjawiło się z Aniołem mnóstwo wojska niebieskiego,
wielbiąc Boga, i mówiąc:
Chwała na wysokości Bogu,
a na ziemi pokój ludziom dobrej woli.

Wszyscy stali cicho, z rękami w postawie modlitewnej. Misia zgięta wpół. Rozmodlona. Tylko Szymon i Ludwik mieli opuszczone ręce i spuszczone głowy. Patrzyłam na nich z jakąś dziwną satysfakcją. Na wszystkich. Ja jestem panią domu! Ja przejęłam schedę po mojej matce Broni i ja jestem strażniczką naszej tradycji! Powiedziałam:

— Módlmy się — i gładko wyrecytowałam, jak mama co rok w Wigilię, po łacinie:

Pater noster, qui es in caelis: sanctificetur nomen tuum; adveniat regnum tuum; fiat voluntas tua, sicut in caelo et in terra. Panem nostrum quotidianum da nobis hodie; et dimitte nobis debita nostra, sicut et nos dimittimus debitoribus nostris; et ne nos inducas in tentationem; sed libera nos a malo. Zbyszku, podaj mi talerz z opłatkiem!

Podeszłam do Hanki z kamienną powagą i podzieliłam się z nią opłatkiem jako z najstarszą w rodzie. Miała łzy w oczach, czerwony nos ze wzruszenia i nerwowo go pocierała.

— Niech ci… niech ci, Basiu, Pan nasz sprzyja — wyszeptała, i mocno mnie objęła.

Teraz już wszyscy dzieliliśmy się i życzyliśmy sobie pomyślności i zdrowia. Szymon mienił się na twarzy i grzecznie poddawał rytuałom. Obserwowałam go czasem, ale byłam ponad to, by się z nim pospolitować. Bikiniarz i politykier z bożej łaski!

Kokoszę się:

— Proszę, śledź w oliwie! Misiu! Bardzo proszę. Jest mamy nalewka na tarninie, spełnijmy toast, za spotkanie!

Hanka nie mrugnęła powieką. Nakładała sobie porcję i uprzejmie pytała Zbyszka, czy też zechce sobie nałożyć. Szymon jadł beznamiętnie. Przynajmniej się nie wymądrzał. Ludwik siedział obok Misi i usługiwał jej. Piotr obsługiwał mnie i Kasię. Wersal! No, no!

Jedliśmy bardzo spięci na samym początku, ale jak podałam maminą zupę grzybową, pan Ludwik się wzruszył, bo „…jego mamusia taką robiła" i zaraz się zaczęło, że „u nich w majątku…".

Spoglądałam na Szymona. Co z nim? Taki był „młody, gniewny", a teraz siedzi jak trusia. Je, słucha, milczy…

— Proszę, szczupak! — z radością podaję rybę, która wygląda pięknie pod galaretą. Moje dzieło! Moja duma! Podsuwam chrzan, który tarłyśmy z Kaśką na zmianę, tak nas żarł w oczy.

— Soliłaś go?! — Hanka pyta poważnie, żując swoją porcję szczupaka.

Biorę do ust, próbuję. O mamo! Tak musiało być! To za moją pychę. Już myślałam, że taka świetna jestem!

— Się posoli! — Ludwik sięga po sól i cmoka. — A chrzanik — malina po prostu!

Nawet Hanka pyta, jak go zrobiłam. Normalnie! Śmietana, sól i pięć łyżek cukru.

— Pięć? — pyta z niedowierzaniem.

Misia je subtelnie, kokietując towarzystwo. Mizdrzy się, żartuje, pije nalewkę mamy i widać, że jest szczęśliwa. Dobrze, że tu jest. Że wszyscy tu jesteśmy. Hanka już chyba się uspokoiła i Kasia taka zadowolona, że jesteśmy razem. Tak ma być. Wychodzę do kuchni, po kompot. Stoję przy stole, i mówię cicho, gapiąc się na wigilijne niebo:

— Mamo! Mamusiu! Udało się. Tak? Już dobrze? Tak będzie już zawsze — obiecuję ci!

Cedzę kompot do dzbanka, gdy wchodzi Szymon. Patrzy na mnie jak Cybulski, znad okularów, chwilę milczy, nabiera powietrza i wypala:

— Baśka, ja nie jestem jakiś skurwysyn…

— Nie mów w moim domu, w Wigilię, takich słów! — odpowiadam hardo.

— Przepraszam. Nie znalazłem żadnego wydziału. Wtedy, kiedy odeszłaś, zabalowałem i… dziadek się wściekł w końcu i zadzwonił do starych. Położył łapę na forsie i pognał mnie do pracy. Fizycznej!

— Kalasz sobie łapki pracą? — kpiłam.

— Kalam. Pracuję na budowie, a teraz ten wypadek… Podobno mama jest na… podtrzymaniu życia. Tam w Moskwie, w klinice, mają świetną opiekę… — obgryzał nerwowo skórkę przy kciuku.

— Ekspiacje? — byłam okrutna. — To nie w twoim stylu.

— Wyobraź sobie! Baśka, ja nie jestem… To nie tak. Ja teraz… — urwał, a ja się wcięłam:

— Bierzesz w dupę od życia? Biedaku!

— Kpisz. Masz prawo — opuścił głowę. — Wiesz, trafiłem tu na zupełnie innych ludzi. Przypadkowo. Przegadaliśmy masę czasu o tym, co było rok temu, w marcu, w Warszawie pod uniwerkiem, o tym, ilu moich kolegów wyjechało, co się tu, w Polsce, wyprawia. Dziadek ma taki kipisz w głowie, że pije. Praktycznie teraz ja się wszystkim zajmuję. Muszę przysiąść i zdać na olsztyńską uczelnię. Może historia teraz, a później, zaocznie, jakoś w Warszawie, nauki polityczne? Chcę stanąć na nogi. Nie wiem, czy rodzice tam, na placówce w Moskwie, zostaną. Ojciec chciał, żebym tam pojechał studiować, ale sama wiesz, czego tam uczą. Pierwszy raz myślę poważnie o przyszłości.

— Dlaczego nie chcesz wyjechać na studia? To szansa — wymądrzam się.

— Basiu! Tam, w Moskwie? Po pierwsze, nie zniósłbym obecności starych, po drugie, tam wbijają w łeb tylko idee komunizmu. A ja chcę poznać różne doktryny, prądy, nawet myślałem, ale nie śmiej się, o filozofii.

— Ale pomyśl, studia zagraniczne…

— Chętnie, ale nie tam. O, ojciec byłby szczęśliwy, bo on chętnie pchnąłby mnie w „dyplomaty", ale ja nie chcę. Zresztą wiesz, że dyplomata ze mnie jak z koziej dupy patefon. Przepraszam. Jest taki dowcip o ich systemie studiów, chcesz? Opowiem.

— Dawaj.

— Na uczelni medycznej profesor stawia przed uczniami jakiś szkielecik i pyta: „Studenty, szto eto takoje?". Cisza. Profesor ponawia zniecierpliwiony: „Nu, ja sprasziwaju, szto eto takoje? Czej eto szkielet?". Cisza, każdy chowa głowę w kołnierz. Profesor grzmi: „Nu, tak, czego my was uczim uże czetyrie goda? A?". Studencina podnosi palec i nieśmiało próbuje zgadnąć: „Towariszcz profesor, możet byt', eto towariszcz Lenin?". Basiu! Na każdym kierunku najpierw zakuwasz prawie przez dwa lata wszystkie tezy wszystkich zjazdów KPZR — to chore! Nie. Tam na studia nie pojadę, zresztą, dziadka z kim zostawię?

Milczałam. Spoważniał? Dojrzał?

I wtedy powiedział cicho:

— Boję się o mamę. Leczenie potrwa długo.

— Nagła dorosłość? — pytam już bez jadu.

— Późno, co?

— Moja mama powiedziałaby, że lepiej późno niż wcale.

— Brak ci jej? — podnosi na mnie wzrok.

— A jak myślisz? Ty wiesz, co to był za człowiek? Jaka Polka? Jaka kobieta? Jaka matka? Można ją było odlać w platynie i wstawić do Sèvres pod Paryżem!

— Zazdroszczę ci — znów opuścił głowę. — Moi starzy to oddani pracownicy ministerstwa, państwa, ambasady, wszystkiego! Tylko tu, w moim życiu, ich nie ma! Teraz jestem dorosły, ale zawsze mi ich brakowało. Zawsze z dziadkami, a po śmierci babci sam z dziadkiem Ludwikiem. Jak byłem mały, inne dzieci miały rodziców, co chodzili na zebrania. U mnie chodziła babcia… Kochałem ją bardziej od mamy. Wiesz? Miałem o to straszne wyrzuty, ale mama chadzała na brydże, na zebrania, na egzekutywy… Egzekutywa — nienawidzę tego słowa. Brzmi jak lewatywa czy coś…

Roześmiałam się. On też.

— Chodźmy już. Nie użalaj się tak. Jest, jak jest! — zaproponowałam, wzięłam dzbanek i poszliśmy do pokoju. Hanka kontrolnie rzuca na mnie okiem, ale posyłam jej pojednawczy uśmiech i stawiam kompot na stole. Misia pozbierała talerze, Zbyszek już je zanosi do zmywania i jak go znam — pozmywa. Czas na Hanine ciasta, kawę i herbatę. Robi się ruch i widzę, jak Ludwik z Szymonem dokładają coś pod choinkę. I jak już rozstawiłam te kawy i herbatki, Misia skrzekliwie zaintonowała:

Dzisiaj w Betlejem, dzisiaj w Betlejem,
Wesoła nowina!
Że Panna czysta, że Panna czysta
Porodziła Syna!

I dalej dołączyliśmy:

Chrystus się rodzi!
Nas oswobodzi!
Anieli grają!
Króle witają!

Kto nas usłyszy? Grzmimy jakoś radośnie, wesoło, chociaż Ludwik be-czy ze wzruszenia, a i Hanka ma szklisty wzrok. Czuję ducha mojej mamy między nami i jestem dumna z siebie. Tak powinno to wyglądać, a nie te wszystkie duperele o laickich świętach, słomiane stroiki zamiast choinek, zdobyczna, delikatesowa saira zamiast ryby z pobliskiego jeziora i koniak pod brydża zamiast kolęd. Idiotyzm!

Za oknem śniegi, nasz las i nasze wszystko. W każdej chacie — znajomi. Jestem we właściwym miejscu!

Zbyszek podlany naleweczką (oj! słaby ma ten łepek!) będzie robił za Mi-kołaja. Hanka się zaśmiewa, widząc go w czapce z krepiny i brodzie z waty.

Rozwijamy prezenty jak dzieciaki. Cieszymy się z drobiazgów. Kaśka przymierza czapę i szal. Wie, że to ode mnie. Chłopaki skrapiają się wodami, a Ludwik i Szymon rozwijają swoje wzajemne prezenty i ze zdumieniem niejakim — od nas. Dostali Broni przetwory. Szymon — prawdziwki w oc-cie, a Ludwik — miód.

Rozwijam prezent od nich — ślicznie rżniętą, kryształową karafkę, cze-ską, z Bohemii! Od Kaśki — kapcie zrobione szydełkiem, z wielkimi pom-ponami. Mama ją nauczyła.

Jakoś nic więcej nie dostaję. Siedzę i cieszę się ich radością. Misia zawija się w wielką cepeliowską chustę. I płacze. Od niej dostałam ładną papeterię. Sama ją zdobiła malunkami. Piękna!

Już koniec! Jestem ciut rozczarowana, bo moi się nie spisali jako Miko-łajowie... Nic to!

— Oj! — woła teatralnie Zbyszek — jakaś paczuszka! Stop!

Nachyla się głęboko pod choinkę. „Basia" — czyta.

Wszyscy patrzą ciekawie. Widzę Hanki charakter pisma, rozwijam kolo-rową bibułkę. Pamiętnik mamy! O Boże! Pamiętnik! Jej osobisty!

— Ja już go przeczytałam — mówi Hania. — Teraz twoja kolej. No i on musi być tu, nad rozlewiskiem!

— Ale ja już dostałam kalendarz mamowy...

— Kalendarz to kalendarz, a tu masz jej całe życie. Poczytaj, Basiu! Fa-scynujące!

Mam łzy w oczach. Taki skarb! Nawet nie wiedziałam, że mama pisała taki intymnik...

— O! A to co?! — woła Zbyszek i podnosi coś jeszcze dla mnie.

Maleństwo. W szarym papierku z kokardką. Może broszka mamy? Ta z kameą? Hanka by ją oddała? Tak ją chciała!

Rozwijam zawiniątko. W małym skórzanym pugilaresiku — kluczyki. Nie rozumiem. Podnoszę oczy na Piotra. Robi głupią minę i nie może się powstrzymać od uśmiechu.

— Pioooootr? — pytam.

— Nnnie wiem, o co chodzi — udaje. — Co to? — nachyla się i ogląda kluczyki. — Takie jak moje od syreny... — mruczy i zaraz mówi głośno i dumnie: — Baśka, ja kupiłem jak Zbyszek, wartburga. Syrenę zostawiam wam — Kasi i tobie. Tylko zrób prawo jazdy na Boga, bo Arnold nie będzie mógł stale przymykać oczu na twoje piratowanie!

— Ale... — zapowietrzam się. Nie dowierzam.

— Będziesz miała zawsze wygodniej. Czy do Olsztyna, czy Biskupca, Szczytna... Basiu! To tylko motorek i tektura! Daj spokój!

Beczę. Łzy mi się leją i brak mi tchu. Nigdy nie dostałam czegoś równie... wspaniałego! Hanka podchodzi i obejmuje mnie ramieniem.

— Samochód, Basiu, tu bardziej przydatny niż w mieście. Ciesz się! I czekaj na nas latem, bo gdzież mamy spędzać wakacje? Będę miała dla ciebie letników! Moja koleżanka z pracy z mężem. Na dobry początek.

Hanka jest niezwykła. Patrzy już bez przygany. Jest spokojna jak mama, zadowolona jak mama i opiekuńcza jak mama. Zbyszek się uśmiecha i mruga do Piotra. Spiskowcy!

Na pasterkę do katolickiego kościoła poszliśmy pieszo. Lubię pasterkę w katolickim kościele, bo to jak teatr. Droga odśnieżona, mróz niewielki. Ludwik i Szymon z nami. W kościele zachowywali się tak, jakby zapomnieli o zeszłorocznych bzdurach, co je pletli przy stole. Szymon modlił się za rodziców, a ja dziękowałam Bogu za taką rodzinę, za to, że mama mnie sprowadziła nad rozlewisko i uspokoiła. Co prawda powinnam się modlić w mamowym, ewangelickim kościele, ale poszliśmy wszyscy do naszego, parafialnego katolickiego. Bóg jest jeden...

To była wyjątkowa Wigilia. Ludwika i Szymona nie puściliśmy do domu. Zanocowali na siennikach w jadalni.

A dwudziestego piątego poszliśmy rano do mamowego kościoła i na spacer, żeby zgłodnieć po obfitym śniadaniu. Piotr poszedł ze mną do mojej (!) syreny i uczył mnie, co i jak. Jutro pojeździmy dalej, po lesie!

Później zapakowaliśmy naszą baraninę i poszliśmy do leśniczówki wszyscy na proszony, świąteczny obiad.

Przez las szła nasza kawalkada wesoła i rozgadana. Zbyszek i Piotr rzucali śniegiem, Kaśka się zaśmiewała i obrzucała ich celnie. Hanka rozpromieniona. Niezwykłe, jak się odmieniła! A może tylko ja ją tak postrzegałam?

Do leśniczówki dotarliśmy zmęczeni i głodni. Żona Tomka pojechała do rodziców. Są starzy i chorzy. Nie poznamy więc Lidki, ale siostra pani Anieli i ona sama zaraz się zakręciły za nakryciami, panowie przynieśli dodatkowy stół z gabinetu starszego pana Zawoi i zasiedliśmy do biesiady.

Czego tu nie było! Maleńkie tymbaliki ze świńskich nóżek, wędliny z dzika, węgorz wędzony, karp w galarecie, sałatki i pikle przeróżne. Oczywiście chleb od nas! Barszczyk w filiżankach z paluszkami z francuskiego ciasta i wreszcie wielki, pieczony szczupak, pulpety rybne w sosie chrzanowym i nasza baranina. Do tego purée ziemniaczane i kiszone ogórki, grzybki, śliwki w occie i gruszki w słodko-kwaśnym syropie. Na deser tort kawowy i bezowy. Szaleństwo!

— Miastowi takich cudów nie mają... — szepnęła z zachwytem Misia.

— A bo my tu w kniei mamy wszystko swoje, a nie ze sklepów. Tomasz! Polewaj paniom i panom! Moje nalewki, proszę bardzo — dla pań ziołóweczka na miodzie i dla panów pieprzówka! Świetna na trawienie!

Rozmowom, żartom nie było końca, aż panowie zniknęli na chwilę, by pojawić się ze słowami:

— A teraz zapraszamy z Tomkiem do sań!

— Sanna będzie? — Misia zrobiła wielkie oczy i klasnęła jak dziecko. — Ja jeździłam w kuligu, dzieckiem będąc. U sióstr nazaretanek. Pamiętam!

Czekały na nas dwie pary sań, a w nich derki i koce. Także latarnie naftowe, bo ciemno już! Wsiadłam, jako ostatnia na kozioł, obok Tomasza. Obok starego Zawoi — Szymon. Już pyta, czy będzie mógł spróbować powozić! A rok temu parskał na wieś i jej obyczaje!

Ruszyliśmy. Za mną siedzą Ludwik, Piotr, Kasia i siostra pani Anieli.

U starego Zawoi Hanka ze Zbyszkiem, Misia i pani Aniela. Szymon na koźle.

Jedziemy drogą, już mi nieznaną, w głąb lasu. Tereny starego Zawoi. Piękne, półdzikie, nierozjeżdżone. Wielkie sosny nie zważają na nas, stoją w czapach śnieżnych, a czasem nad głową widzę wygwieżdżone niebo. Tomasz od czasu do czasu rzuca mi spojrzenie i uśmiecha się. Miły jest. Ich wielki koń jakby nie czuje ciężaru, sanie mkną.

— To co? Zostajesz na stałe, Basiu? — pyta Tomek.

— No przecież! Mogliście mnie odwiedzić!

— Wiesz, jakoś się nie złożyło, zresztą Lidka ma kłopoty z rodzicami, często jeździ do nich, no i taka jest... melancholiczka. Nieśmiała.

— Ośmielę ją! — obiecuję.

Tomasz uśmiecha się jakoś tak... a ja mam wątpliwość, czy na pewno chcę zażyłości z Lidką. Ach! Małpa jestem! On jest żonaty! Jasne, że chcę! Zaprzyjaźnimy się i będę miała pod bokiem życzliwe dusze. Nowych znajomych. Już widzę, jak chodzimy do siebie na kawki, plotki... Nareszcie jakieś koleżeństwo!

— Wiesz, dostałam od Mikołaja syrenę! — chwalę się jak dziecko.

— Zabawkę?

— Głupiś! Dużego, normalnego!

— Jak mu do worka wszedł? — śmieje się Tomek, jakby nie dowierzał.

— Poważnie! — obruszam się.

— A prawko masz?

— Zrobię! Tak się cieszę! A ty co dostałeś?

— Sweter od mamy, od ojca dziadkową strzelbę, a od ciotki tę czapkę z Zakopanego, świetna, co? A od Lidki książkę. *Zapiski myśliwego* Turgieniewa.

— A od Mikołaja? — żartuję.

— ...tę przejażdżkę — mówi poważnie i pogania konia. Nie patrzy na mnie. Wstaje i już galopujemy, bo jest szeroko, to jakieś pola. Przed nami mknie saniami stary Zawoja i poświstuje. Śnieg spod kopyt osiada mi na twarzy. Wiatr smaga tak, że trzymam czapkę, żeby nie zleciała. Łapię pod łokieć Tomka, żeby nie spaść.

— Dobrze! Trzymaj się mnie, Basiu! — krzyczy Tomek i gwiżdże radośnie.

Ale sanna! Ale fantastyczna jazda!

Zostaliśmy odwiezieni pod sam dom. Zatoczyliśmy wielkie koło. W drodze powrotnej mijaliśmy tartak, tylko od tyłu.

— Nigdy tu nie byłam — powiedziałam do Tomka.

— Będziesz chciała, pokażę ci cały las! Jeździsz konno?

— Wiesz, że nie!

— To cię nauczę!

Żegnamy się. W domu nie możemy ochłonąć z wrażenia. Robię herbatę w kuchni, gdy wchodzi Szymon.

— Widziałaś? Powoziłem! Sam!

— Szymek, ty jak dzieciak. Ile ty masz lat? — pytam z politowaniem.

— No co? To nie to samo co jazda motorem!

— Jeździsz motorem?

— Nie, ale będę. Mam zamiar kupić motor. Będę wpadał tu, do ciebie. Głupio wyszło... — powiedział to cicho.

— Z czym? Nie rozumiem?

— No, rok temu.

— Daj spokój, Szymon. Każdy kiedyś dojrzewa...

— Ale ja ostatecznie chyba dojrzałem tu, u ciebie.

— Nie smaruj mi tu! Gadasz jak nawiedzony, a jeszcze rok temu żyłeś jak pajac! I co, niby, że u mnie? Co? Głupstwa — prycham.

— Nic... To ważne być z rodziną. Żadne państwo cię nie wesprze. Tylko rodzina. Żeby być w kupie. Razem. Jakoś mądrze. Ty to już wiesz. Ja dojrzewam. Ten Tomek jest w moim wieku, prawda?

— Chyba tak.

— Zazdroszczę mu takiego ojca, mamy. Domu. Żonaty?

— Tak.

— Ale patrzy na ciebie…

— Szymon, przestań! — fuknęłam.

Potrzebne mi tu jego insynuacje!

Zasypiałam dumna z siebie. Obok, na rozkładówce, śpi, upojona sanną i nalewką, Misia. Szczęśliwa, bo nie sama.

A ja dałam radę. Zdałam egzamin przed mamą. Skoro umiem urządzić święta dla całej rodziny, skoro wiem, jak podjąć wędrowców — Ludwika i Szymona, zaopiekować się Misią, żeby nie więdła w święta sama w tej Warszawie — znaczy, że jestem spadkobierczynią mojej mamy — Bronisławy.

Tylko szczupaka nie posoliłam…

Żyję, mamo!

Stałam na stacji, machając radośnie Misi.
— Pa! Pa, Basiu! — wołała do mnie za szybą.
Nie mogła otworzyć okna, ale wiedziałam, co do mnie woła.
— Pa, Misiu! Pisz!
Wracałam do domu z Piotrem. Oczywiście prowadziłam sama tą moją...
syrenę. Nie bałam się. Może troszkę? Rozpierała mnie radość nie z powodu
samochodu. Nie dlatego, że Misia wyjeżdża i nie będzie już chrapać obok.
Byłam zadowolona z siebie. Rozpierało mnie uczucie... zdanego egzaminu.
Czułam, że załatwiłam jakąś ważną sprawę. Moją ważną sprawę.

Wiosna przyszła niespodziewanie.
Śnieg topniał jakoś niezauważalnie, a może to ja tego nie zauważałam?
Plamy szarego, brudnego zlodowacenia odsłaniały powoli łęgi nad rozlewiskiem. W miasteczku o wiele szybciej odsłoniły się chodniki, uliczki. Pasym
jest na górce i woda z topniejących hałd ścieka strumyczkami, obok krawęż-
ników, do jeziora, a rozlewisko jest w zagłębieniu — tam wszystko dłużej
zalega. Teraz nawet tam widać całe połacie brunatnożółtych traw śpiących
zimą pod śniegiem. Jeszcze tylko w lesie — zima. Resztki śniegu, w brud-
nych zaspach na pół roztopionych. Obok drogi przez pole, w rowie, woda
płynie wesoło, czasem skrzy w słońcu cieplejszym już i ostrzejszym. I powietrze takie łagodne, niesie wilgoć i zapach mokrej ziemi, błota.
Nie zauważyłam nawet, że wracałam ze szkoły do domu bez czapki, bo
za ciepło, że zmieniłam filcaki na dermowe botki, że wielki płaszcz z paskiem zastąpiła lekka budrysówka. Jakoś machinalnie to robiłam. Ciepławe
powietrze zmieniło poranną drogę do szkoły w miły spacer i chyba dopiero
to, że nie kulę się z zimna, że włosy mi na wietrze falują, obudziło mnie
z zimowego snu.
Czasami, rano właśnie, podjeżdżał gazik z leśniczówki i zazwyczaj Tomasz podwoził mnie do miasteczka. Rozmawialiśmy i obgadywaliśmy znajomych.
— Lidka pytała, czy wpadniesz.
— Wpadnę! Pożyczę jej książkę. Fantastyczna! Czytałeś *Pestkę* Kowalskiej?
— Nie, a powinienem?
Wzruszyłam ramionami i mówiłam dalej:
— Nie mam pojęcia, co czytuje, ale to... naprawdę jej się spodoba. Taka
historia o miłości...
— Spodoba! Jak o miłości, to spodoba — uciął wesoło.
Rzeczywiście po południu poszłam do leśniczówki. Niełatwo mi się prze-
bić przez nieśmiałość Lidki, ale już i tak jest dobrze! Znajdujemy wspólne
tematy. Jest wrażliwa i taka... spokojna. Wyższa ode mnie, tęższa, z ciem-
norudymi włosami chwyconymi gumką w koński ogon. Ma ładne rysy, tylko się nie maluje, przez co jest taka... surowa. Lubię siadywać u nich, „na
górce”, i plotkować.

Pijemy herbatę, rozmawiamy cicho o życiu, o przeczytanych książkach. Ją oczarowała *Anna Karenina*, mnie rozczarowała. Nie lubię takich zakończeń.

— Ale wtedy ona inaczej nie mogła — tłumaczy ją Lidka.

— Wiem, jednak trudno mi się z tym pogodzić, bo ja w jakiś sposób powtarzam jej scenariusz. Prawda?

Lidka robi się czerwona. Zna moją historię. Z wypiekami słuchała, jak poszłam za głosem serca, rzucając wszystko na jedną szalę. Wie też, że przegrałam dziecko. A może nie dość walczyłam?...

— Inne są czasy. Ale pod pociąg się nie rzucisz? — mówi w zamyśleniu.

Inne?! A mimo wszystko mój mąż zabronił mi spotkań z Gosią i skutecznie zabrał możliwość widywania jej. Nawet pisania... Jeszcze w czasach szaleństwa z Andrzejem przysłał mi pozew rozwodowy z moim pisemnym zrzeczeniem się wszelkich roszczeń co do Gosi, spotkań, rozmów, kontaktów. Podpisałam. Podpisałam! Za to, że zaprzyjaźniony mecenas rozwiódł nas szybko i bez bólu.

— Nigdy nie próbowałaś? — dziwi się Lidka.

— Próbuję. Pisałam do Gosi, ale listy wracały. Może później, jak będzie starsza? Będzie miała swój rozum? Pomyśl, Lidka, może rzeczywiście byłoby to dla niej niewygodne — taka matka?

— Nie wiem — odpowiada. — Ja w ogóle mało wiem o życiu. Zawsze tylko w domu, przy rodzicach. Później studia i ślub z Tomkiem i teraz tu...

— Źle ci?

— Bo ja wiem... Jakoś dziwnie. Niby państwo Zawojowie jak rodzice, ale i nie rodzice. Tomek jakby mąż, ale i nie mąż, strasznie dużo w lesie jest... mało się odzywa, zacięty jakiś... No, ale i ja niezbyt wyrywna do rozmów. Tu niby wszystko mam, a czuję się jak na końcu świata. Odcięta... Dziwnie.

Nie rozumiałam. Zawojowie jak nie rodzice?! Tacy mili, sympatyczni ludzie i ona nie czuje z nimi bliskości? Chyba ona ma jakiś feler. Ta jej melancholia, spokój, smutek. Ja nawet to u niej lubię. Czasem siedzimy tak koło okna, w starych fotelikach, przy kawie, szydełkujemy coś lub haftujemy i gawędzimy. Wtedy ogarnia mnie spokój, miasto wydaje się odległe i wariackie. Puste. W takie wieczory kocham to moje zesłanie tu, nad rozlewisko.

Ona — nie. Tęskni za ludźmi, gwarem. Leśniczówkę zaczyna traktować jak zesłanie.

Inaczej jest, głośniej, gdy za oknem warczy motor i przyjeżdża Szymon. Jego rodzice wykaraskali się z wypadku, on złożył papiery na studia zaoczne w Warszawie. Będzie wreszcie kontynuował naukę. Wpada jak bomba, wesoły znów, rozpromieniony, usta mu się nie zamykają, znosi mi nowości ze świata. Ostatnio płyty z muzyką zagraniczną.

— Odpoczywam tu, Basiu, u ciebie.

— I dobrze! — odpowiadam, bo nie wiem, co mu odpowiedzieć mądrego.

Czuję na plecach jego spojrzenie, męskie, ale nie nachalne jak wtedy. Rozmawiamy, kłócimy się, słuchamy muzyki, później on odjeżdża, bo jakoś nie chcę go na noc... Jesteśmy tylko kolegami. I Kaśka go nie lubi. Za głośny jest i boi się jej. Nie umie rozmawiać z moją Kasią.

W wolnych chwilach zamiast gazet czytam namiętnie *Milionerów* Fleszarowej, *Pestkę* po raz nie wiem który i ten *Disneyland* Dygata. I ciągle się z kimś utożsamiam. Szukam siebie, recept na życie, przeglądam się w cudzych zwierciadłach.

To Lidka przy robieniu dżemu z malin i jeżyn zauważyła:

— Czemu ty tak się pasjonujesz książkami? Twoje życie jest ciekawsze, prawdziwe.

— Może dlatego, że szukam dalszego ciągu? Recepty, jak powinno się pewne sprawy załatwiać?

— A pisarz wie? Przecież to też zwykły człowiek i większość historii zmyśla, a ty przeżyłaś! I sama wiesz, kiedy robisz dobrze, a kiedy źle — mówi powoli, z rozmysłem.

— Myślisz, Lidka, że wiem?! Pojęcia nie mam!

— No, ale zrobiłaś dobrze, zatrzymując się tu, nad tym waszym rozlewiskiem, zajmując się Kasią i gospodarstwem. To akurat jest dobre, Basiu.

Siedzi taka spokojna i wyciera słoiczki ze słodkich wycieków. Robi to powoli, starannie, mokrą szmatką. Patrzy na mnie wzrokiem stoickim i... bolesnym.

— Lidka, zazdrościsz mi? — pytam.

— Nie wiem. Czasem czuję, że coś mnie w życiu ominęło. Jako nastolatka byłam taka grzeczna, że aż nudna. Jako licealistka, studentka, też taka... „z białym kołnierzykiem" — rozumiesz? Zawsze byłam nieśmiała. Wydawało mi się, że jak wyjdę za Tomka, coś się zmieni. Zakochałam się pierwszy raz, i to tak na zabój. A to, co jest, jest... letnie. Chyba go rozczarowałam.

— Czemu tak myślisz?

— Nie mamy dziecka, ja jakoś nie zachodzę w ciążę, teściowa pyta i pyta, teść się niecierpliwi, a Tomasz się oddalił...

— Przykro ci?

— Nawet nie. On mnie nie rozumie. Wolę, jak łazi po lesie, bo nie milczy tak natrętnie.

„Nie milczy natrętnie" — powinna pisać książki. Doskonałe określenie. Milczy? Tomek? Kiedy jedziemy samochodem, paple jak baba. Zmyśla jakieś śmiesznostki.

Dziwne. Pewnie nie są sobie pisani. Nie moja sprawa.

Kursy na prawo jazdy zrobiłam w lecie, w Olsztynie. Naturalnie czasem woził mnie Tomasz, Arnold albo Szymon. Często korzystałam z autobusu, który jechał ze Szczytna do Olsztyna i zatrzymywał się u nas. Okazało się, że jeździ ze mną na te same kursy Jan ze szczycieńskiego domu kultury. Rozmawiamy, to znaczy on mówi, a ja słucham. O rzeźbie może nieskończenie, o malarstwie wie tyle, że mógłby być wykładowcą na uczelni. Trochę dziwak, trochę oryginał. Wdowiec.

Nagle taki wysyp mężczyzn!

Tomasz żonaty, Jan nie w moim typie, Arnold nieśmiały i jednak odległy memu sercu, Szymona już poznałam dość dobrze i jakoś mnie niespecjalnie pociąga jako mężczyzna na życie. Jako koledzy, wszyscy fantastyczni! Oszczędzam na dojazdach.

Egzamin zdałam za pierwszym podejściem. Czekał na mnie Szymon.

— Zabieram cię na kawę. Trzeba opić twoje prawko.

W kawiarni poznałam jego przypadkowo napotkanych znajomych i było naprawdę miło, chociaż początkowo trochę drętwo. Ciekawi ludzie, „ruszeni politycznie", zaangażowani w coś pozytywnego. Zazdrościłam im. Ja mam obowiązków po sam czubek głowy i… to już nie ten etap. Jestem osadzona w takich realiach, że one mi wystarczają od świtu aż do wieczora!

Później poszliśmy na pocztę, żeby zadzwonić do Piotra. Musiałam się pochwalić!

Następnego dnia Tomasz pomógł mi uruchomić moją syrenę. Łatwo nie było, bo się przez zimę i wiosnę zastała.

Teraz siedzę na werandzie z Kasią i robimy jabłka na zimę, do szarlotki. Te spady z jabłoni przydrożnych. Szkoda ich, jak tak leżą w trawie i na drodze. Mama też je zbierała. Już utarłyśmy je z Kaśką, w wielkiej miednicy, i upychamy do słoików, bez cukru. Później tylko lekka pasteryzacja, jak pisze mama w swoim kalendarzu, i już! Mogą stać na półce w spiżarni.

Patrzę na łąki. Jest ciepłe popołudnie. Nasi letnicy — Hani koleżanka z mężem — są w lesie na jagodach. Też sobie robią przetwory. Korzystają z pokoju obok łazienki. Są mili i spokojni. Jedzą wszystko bez marudzenia. Nawet jak mi się kluski leniwe rozpadły, zjedli ciastowatą masę z masłem i mlekiem bez szemrania...

Wieje lekki wiaterek i słyszę skowronka gdzieś w górze. Zamykam oczy. Tak mi dobrze, a jednocześnie smutno. Mam wszystko, nawet własny samochód! O mój Boże! Oświeć, czemu czasem tak mi źle?

Rok za rokiem życie mija?

Mija szósty rok, od kiedy mieszkam tu nad rozlewiskiem. Piotr miał rację. Lepiej mi tu niż w mieście. Znam każdy zakątek, zakole strugi, drzewa w lesie, ludzi, ich sprawy, plotki. Widzę, jak Kasi jest dobrze, bezpiecznie ze mną. Moja wdówka!

Jakoś tak dwa czy trzy lata po mamie zmarł Czarek. Bałam się, że mi Kaśka zwariuje. Czarek — jej miłość. Opiekowała się nim, uspokajała go, gdy się robił nerwowy, tę ślinę, co mu się zbierała na ustach, wycierała... Takie dwa szpaki dziwaki — siadywali pod piecem i trzymali się za ręce! Zakochana para! Czarek brzydal, prawie łysy, ciągle z jakimiś liszajami, mówiący tak ciężko, niezrozumiale, że trudno było go zrozumieć, za to robotny jak koń! Kochał tę moją Kaśkę całym sobą. Całe szczęście, że doktor Marina podwiązała jej zgrabnie jajniki i wyskrobała macicę z szaleństwa za stodołą.

Mój Boże! Co by to było? Musiałybyśmy z mamą hodować ten dziwny i nie do końca przewidywalny owoc miłości Kaśczynej i Czarkowej.

W Szczytnie widuję taką rodzinę. Matka utyrana, bezzębna, stara, ciągnie za rękę dorosłą córkę ewidentnie chorą psychicznie. Ta, rozczochrana, nosi grube szkła i chichocząc, zaczepia ludzi. Czasem krzyczy coś, klnie, czasem się zaśmiewa. Drugą ręką matka ciągnie dziecko, podobne do jej córki jak dwie krople wody, i jeszcze jedno. Też widać, że „psychiczne". Panna w szkłach, niedawno ją widziałam, znów ma brzuch.

— Pani Basiu! — Kalińska z budy z jarzynami zaraz mnie oświeciła. — Kto ją przyciśnie, ten używa! Matka nic nie robi, a ta głupia pierdoli się, z kim popadnie, i takie same głupki rodzi. Tam u nich bieda aż piszczy. Dobrze, że ojca zabiło dwa lata temu, bo tylko pił i bił...

Te jej dzieci też będzie brał, kto zechce... Okropność!

Na Czarka pogrzebie uhonorowano Kaśkę. Siedziała wśród Karolaków jako narzeczona-wdowa. Oni są bardzo porządni. Kaśka milczy i gapi się na trumnę. Skubie włosy, głośno mówi jakąś swoją modlitwę. Ksiądz odwraca się i jak Kaśka głośno powie: „Polecam cię Panu Bogu, Czarek!" — odpowiada: „Amen" i dalej ciągnie pochówek. Dobry ksiądz... Zna Kaśkę od dawna, opowiada jej różności, jak ją spotyka, koło plebanii albo na cmentarzu. O aniołach, o niebie, a Kasisko słucha jak szpaczek z rozdziawionym dziobem. Kocha historie o aniołach i Bogu.

Sądzę, że nie zdawała sobie sprawy z tego, że Czarek już nigdy nie przyjdzie, nie zaciągnie jej na siano w oborze, nie przytuli, mówiąc czule: „Moja Kasia, moja". A ona nie będzie go już głaskać, mizdrzyć się śmiesznie i chichotać. Wdówka moja biedna!

Burza dziejowa jakoś łagodnie się z nami obeszła. Żyjemy, umieramy...

Nasze tu wydarzenia to ta śmierć Czarka, później leśniczego Zawoi, na zawał. Zwyczajne rzeczy — śmierć, narodziny.

Podczas pogrzebu patrzyłam na Tomasza stojącego z matką — panią Anielą. Taki mi się zdawał młodziaczek, a teraz stoi na cmentarzu — chłop. Dorosły, z bruzdami na twarzy, zasępiony, poważny. Inny. Postarzał się.

Zmarł stary proboszcz, Misia w Warszawie i kilka innych znajomych osób.

Jeśli człowiek ma na miejscowym cmentarzu rodzinę, znajomych, znaczy jest tutejszy. Ja też tutejsza. Żadna tam warszawianka, torunianka. „Jestem TUTEJSZY" — mawiał o sobie Kaziu z Taplar w *Konopielce* i ja za nim to powtarzam.

Pani Aniela wyprowadziła się do Iławy, do siostry. Nie chciała dłużej siedzieć w leśniczówce. Do babci Bujnowskiej, tej spod lasu za nami, wprowadził się wnuk — Janek. Paskudny gówniarz. Ma na twarzy wypisane przestępstwo. Mieszka już kilka lat. Babcia go broni, mówi, że miał ciężko z rodzicami, bo pili...

Zakochała się w nim Olka Karolaków. Mój Boże! Zupełnie nie potrafię do niej trafić! Widzę, jaką ma mgłę w oczach na samą myśl o nim. Jeszcze popłacze przez niego!

Telewizja to nasze okno na świat, ale i Szymon, który poprawia to, co podają nam jako „prawdziwe informacje".

Pamiętam, kilka lat temu, w siedemdziesiątym roku, podczas zaburzeń grudniowych, zajmowałam się gospodarstwem, cała pochłonięta krowami i Kaśką (miała ciężkie zapalenie płuc). Drżącą ręką stawiałam jej bańki, trzymając w ręku *Kalendarz gospodyni* mojej matki, i modliłam się, gdy Kaśki gorączka dobiła do czterdziestu. To było wtedy najważniejsze!

Wieczorem w dzienniku jakieś dziwne doniesienia, że strajki w Gdańsku. „Wrogie siły"? Co na to Szymon? Nie było go pod telefonem, nie zaglądał. Machnęłam ręką.

Ekran telewizora jest płaski, jednowymiarowy. Gdańsk daleko... Pokazywano nam bardzo ogładzoną wersję, chociaż miałam jednak i doniesienia bezpośrednie, bo przyszedł list od Wandy:

Droga moja!

Ty tam w cichym zakolu łąk nie wiesz, jakie piekło rozpętało się u nas, na Wybrzeżu! Basiu, telewizja to okroiła i zamydliła. W prasie też szczątki. Zresztą czy Ty, romantyczna duszo, czytasz prasę?! Wiesz, co się dzieje na świecie?

Wszystko, co przeżyłam, Basiu, jest małą apokalipsą. Mieszkam z Bruniem (nie przyjechałaś na mój ślub! Pamiętam Ci to!) w Gdyni na cichej i miłej uliczce Pomorskiej. Rodzice Brunia w Gdańsku. Blisko centrum. Wiedzieliśmy już, że dwunastego w Gdańsku „szumiało", że trzynastego i czternastego były akcje protestacyjne i jakieś „ruchawki", ale mój teść był nauczycielem geografii i początkowo bagatelizował to. Bruno jest pracow-

nikiem stacji benzynowej, więc wszystko wiedział i mówił mi wieczorem, że sprawy posunęły się za daleko.

Szesnastego, Basiu! Jaki wstyd! Polacy strzelali do Polaków! Przybiegła sąsiadka i powiedziała, że wojsko jedzie na stocznię. Pobiegliśmy do naszych znajomych, co mieszkają przy Śląskiej w wieżowcu. Niewiele było widać, ale te kordony milicji i wojska to przecież Polacy! I nagle taki rosnący szum, warkot, jakby burza szła. I wiesz? Nie mogłam uwierzyć! Czołgi! Jakieś wozy pancerne, jakby kręcili film o wojnie! Nic nie było widać, tylko nagle zaczęły się strzały i dym, i w powietrzu taki smród spalin. Wpadłam w histerię. Bruno, mimo mojego błagania, pobiegł tam z mężem naszej koleżanki. My zostałyśmy, szlochając.

Wrócili obaj przerażeni, Bruno w szoku, bo zobaczył to, co zostało z jakiegoś nieszczęśnika, rozjechanego kołami. Zwłok już nie było, tylko krwawe ślady na jezdni... Dostał gorączki i płakał całą noc. Ja z nim.

Basiu. Cokolwiek usłyszysz w radiu, telewizji, prasie, wiedz, że to nasza władza rozkazała, żeby nasi bracia strzelali do siebie. Jakie to szczęście, że żyjesz na wsi! Jak ja tęsknię za Pasymiem, naszą biedą powojenną! Taki czas beztroski, niewiedzy naiwnej, dziecięcej! To podłe, że zaledwie dwadzieścia pięć lat po wojnie zapomnieliśmy, czym ona jest!

Wybacz taki ton tego listu, ale otrząsnąć się nie mogę. Bruno w domu chory i leczony lekami uspokajającymi.

Całuję, Wanda

O mój Boże! Rzeczywiście my tu tak mało wiemy!

Szymon wreszcie przyjechał i oczywiście chciał mnie epatować doniesieniami, słuchałam, chociaż Kaśce temperatura skoczyła i bredziła w malignie. Robiłam jej okłady z mokrych ręczników, gadając z nim jednocześnie.

— Jak to czołgi? Jak to zabici?! W Polsce?! Niemożliwe! Strzelano ostrymi nabojami do naszych? Na ludzi wezwano czołgi, bo ci ludzie byli realnym zagrożeniem?! Czego? Co może robotnik z gołymi rękami przeciw czołgom? Zdławili robotniczy głos, jak podczas rewolucji październikowej, do krwi?! Co ty mówisz? Szymon? — dopytywałam się.

Usiedliśmy przy stole w kuchni. Byłam pełna sprzecznych uczuć. Może Szymon koloryzuje? Przesadza? Rozlew krwi taki dramatyczny, polskie czołgi na Polaków, a w telewizji „wrogie siły"? Wanda pisze o tym samym... W głowie się nie mieści!

Kaśka zawołała mnie. Uśmiecha się. Ma już niższą gorączkę. Uff! Jaka radość!

A za moim oknem taki spokój! Zamarznięta tafla rozlewiska, trzciny kołysane wiatrem i mój komentarz nad kubkiem kawy, jak już Szymek pojechał:

— Co to się wyprawia! Mamo! Tato! Patrzycie tam, z góry? Do czego to wszystko dąży?

Sądziłam, że jak przyjedzie Piotruś, pogadamy, ale jakoś się nie złożyło.

Cieszyłam się, że prostaka Gomułkę zastąpił dystyngowany, przyjemny pan. Gierek. „Tak, Gierek" — powtórzyłam za lektorem „Dziennika".

Wielokrotnie później radośnie spoglądałam w ekran telewizora na tego Gierka i było mi miło go słuchać. Histerycznych, skandujących przemówień Gomułki nie cierpiałam. No i nienawidzę go za te czołgi. Szuja i prostak. Ten to co innego! Mówi sensownie i tak... blisko człowieka. Może nam się jakoś polepszy? Zmądrzeje ten rząd? Znormalnieje?

Szymonowi już odpuściło. Od dawna już nie gadamy o grudniu, bo on zaraz tak się nakręca, że nie mogę go później ostudzić. Za to ładnie mówi o zagranicy. Ma kolegów, co byli na Zachodzie i opowiadają dziwne rzeczy. Jakby ten Zachód to była kolorowa, bezproblemowa bajka... Może i tak jest, ale ja muszę troszczyć się o opał na zimę, o ziemniaki, których już nie uprawiam, tylko dzierżawię pole Karolakom. Oni uprawiają. Ja dostaję ziemniaki i już! Tak jest łatwiej.

Teraz po latach, jak Szymon wpada na tym swoim motorze, ciągle siaduje w naszej kuchni, i gadamy.

— Tam na Zachodzie — mówi Szymon — wszystko możesz kupić, bo masz forsę. Każdy pracuje i każdy może mieć wszystko!

— No, to świetnie, Szymek, ale ja nie mam wszystkiego i muszę kombinować, zastanawiać się, wybiegać myślami wprzód. W sklepach jest dużo więcej, to fakt, ale ja nie zarabiam aż tyle...

Przyjeżdżał coraz rzadziej. Z czasem przepadał na długo. Wtedy domyślałam się, że miał jakąś babkę. Zazwyczaj krótko to trwało. Latawiec. Mnie traktował jak dobrą ciocię-klocię, co dożywi, posłucha.

— Szymon, kiedy ty wreszcie zagrzejesz miejsce przy jakiejś damie? Jesteś stary kawaler! Lata ci poleciały.

— Nigdy. Dziadek odstrasza każdą. Mieszkamy razem, opiekuję się nim ja i pielęgniarka z przychodni. Jest okropny! Klnie jak szewc i puszcza wiatry. A moje panny są delikatne! Prychają i się mizdrzą. Zresztą, Basiu, nie mam czasu nawet na dupy! Mam masę pracy, piszę książkę! No i czekam, aż ty się zdecydujesz…

— Na ciebie? Nie żartuj! Już jedna pielęgniarka do was przychodzi!

— Basiu, Basiu, ty wiesz, że jesteś doskonałym materiałem na żonę dla takiego utracjusza jak ja. Ja potrzebuję nie tylko kochanki, ale i mamusi, więc może powinniśmy być razem?

Oboje wiemy, że już dawno niepisane nam żadne „razem". Przyjaźń została, i tylko tyle. Aż tyle. Przyjaciel to pojemne pojęcie. Zastanawiam się, czy Lidka była moją przyjaciółką. „Była", bo już jej w leśniczówce nie ma. Jeszcze całkiem niedawno rozmawiałam z nią o stanie jej zdrowia. Jakieś półtora roku temu zauważyłam, że jest bardzo smutna. Bardziej niż zwykle.

— Lideczko? No co ci? — spytałam, gdy nagle zobaczyłam łzy płynące po jej twarzy. Rozmawiałyśmy o wełnie i ona nagle tak…

— Nie wiem, Basiu. Ja, wiesz, rano, już jak się budzę, to „na łzach". Życie mi się wydaje takie bez sensu, szare. Dziecka nie ma i chyba nie będzie. Tylko kiedy ty przychodzisz, jest mi lepiej. A jak już dotkniesz, taki dobry prąd mnie przechodzi, jakbyś była czarodziejką…

— Wybacz, że zapytam, między tobą i Tomkiem źle bardzo?

— Nie, Basiu. On się stara i jest dobry, to ja jestem… drewniana jakaś, no i bezpłodna chyba.

Czas jakiś później okazało się, że zaczęła miłą korespondencję. Znalazła w czasopiśmie list jakiegoś samotnika i zaczęło się. Ożyła. Patrzyła na dróżkę, czy jedzie listonosz. Inaczej wyglądała, inaczej mówiła. Miała po co żyć.

— Wiesz, Basiu, to tylko korespondencja, ale jaka! On czuje każdy mój nastrój tak samo, o wszystkim piszemy i ja nawet zaczęłam poezje czytać — wiesz? Bo on często cytuje wiersze. Kocha Gałczyńskiego!

Serce mi się ścisnęło. Żołądek skoczył i zamarł. Gałczyński! Mój poseł miłości.

Przed oczami stanął mi mój Goldbaum, ale po chwili już nic nie czułam. Nic. Przeszło mi dawno. Zapomniałam!

— Gałczyński? O, kochana moja! Przynieść ci tomik?

— Mam takie wiersze wybrane. Ładne…

— To ci, Lideczko, przyniosę jeszcze kilku poetów, skoro to cię uszczęśliwia, Poświatowską, Jasnorzewską, Asnyka.

Okazało się, że chwyciło. Całymi dniami czytała i zachwycała się.

— Lidka, a ten twój poeta to kto?

— Nauczyciel. Mieszka w Bieszczadach. — Zrobiła się czerwona.

Czas jakiś później odjechała szczęśliwa, uskrzydlona, bo… Tomasz ją do tego namówił! Na odjezdne podarowałam jej płytę Marka Grechuty z najpiękniejszymi, jakie dotąd znałam, piosenkami o miłości:

Na „Barbary" mieli przyjść, jak co roku, wszyscy moi znajomi.

Zawsze dostaję jakieś nietypowe wystudiowane prezenty. Od Szymka płytę Beatlesów *Yellow submarine*, od Tomasza korale z kulek z kory i piórek kraski, długie i śliczne. Bardzo hippisowskie w klimacie. Arnold poleci zwyczajnie — kupi mi perfumy Beata. Wie, że je uwielbiam. No i kwiatki. Janek ze Szczytna — artysta — obraz mi namaluje albo przyniesie rzeźbę. Rok temu był to stylizowany św. Franciszek z ptakami na rękach i głowie. Bardzo surowa rzeźba, piękna i delikatnie polichromowana. Wanda z Brunonem, jak przyjadą, raz na sto lat, podarują mi kosmetyk, bo Wandzia wie, co lubię. Już mi się kończy tusz do kresek, a wiem, że jest taki, co po narysowaniu kreski na powiece zasycha tak, że można go potem ściągać jak gumkę. Bardzo wygodne, bo się nie maże. Jadzia upiecze tort. Czekoladowy, zawsze witany oklaskami. Hanka ze Zbyszkiem przyślą telegram na ozdobnym blankiecie. Piotruś zapomni i dośle kartkę — później.

Te imieniny są śmieszne, bo od kilku lat panowie się spotykają u mnie na „Barbary" i popisują przed sobą. Męskie, samcze toki. Już coraz mniej intensywne.

Szymon się zestarzał w starokawalerstwie, ciągle nieżonaty, Tomasz samotny, Jan wdowiec, ale bardzo powściągliwy. Arnold ostatnio nie przychodzi, wstydzi się. A tak dobrze tańczy!

Rok temu była Wanda, bo stara się przyjeżdżać. Ich mama (jej i Wieśka) jeszcze żyje. Na ogół wpada Jadzia ze szkoły — nauczycielka plastyki i wspaniała cukierniczka, Irka — od geografii, z mężem mechanikiem, i Justyna, moja pomoc w bibliotece. Piękna niezależna. Młody wamp. Karolakowie, Stefan i Olka, nawet babcia Bujnowska zagląda koło trzeciej na herbatę i pogawędkę, kiedy ja szykuję sałatkę. Jak tylko zjeżdżają się goście, umyka pod pretekstem, że po ciemku się boi chodzić.

— Jak tam, Basiu? — pyta mnie nieśmiało. — Sama tak żyjesz, młoda, ładna, mądra…

— Ano, babciu, takie jest życie — odpowiadam pokrętnie, krojąc korniszonka.

— A ty, Basiu, nigdy nie próbowałaś się do tej córki twojej zbliżyć?

— Próbowałam, babciu. Pisałam listy, ale je mój mąż odrzucał. Odsyłał mi. Niektóre — nie, więc może Gosia rzeczywiście nie chce kontaktu? Tylko jego taka znajoma, Anna, ciocia Gosi, czasem do niej dzwonię, opowiada mi o niej, dwa razy przysłała jej zdjęcia z balu w podstawówce i z liceum. Nawet pojechałam na rozdanie matur. Stałam w końcu sali i patrzyłam… Przywitała mnie, owszem, serdecznie, ale była pochłonięta tą maturą i kolegami, gdzieś się wybierali, żeby opić, no i mąż był surowy, wyniosły, jak zawsze... Pojechałam z powrotem. Cóż? Takie jest życie. To ja z niej zrezygnowałam dla miłości-niewypału. Powinna mieć żal.

— Kiedyś się nawróci — powiedział babcia Bujnowska. — Jeszcze zawyje w kobyli róg! — dorzuciła filozoficznie.

Przyglądała mi się, siorbiąc herbatę.

— Mężczyzny ci trzeba, dziecko. Taka niepełna jesteś. Serce próżne, kisi się, dziwaczeje. Czemuś ty, Basiu, sama? Podobasz się chłopakom, mimo żeś w latach. Szczupła, drobna jak dziewczynka. Widzę, jak tu zagląda, a to Arnold, dobry chłopiec, nie powiem, a to ten na motorze, i Tomasz od Zawojów przystaje... On rozwiedziony — tak?

— Tak — powiedziałam dobitnie i milczałam.

— Pasowalibyście do siebie. Stary Zawoja piał na myśl o tobie, Aniela też cię lubiła... Co z nią — nie wiesz? Całkiem już oślepła...

— U siostry siedzi — mruknęłam zamyślona.

— O! — zawołała, wychylając się — następny zalotnik! Pójdę już, Basiu. Ściemnia się, a ja stara jestem, niedowidzę i Jaśkowi trzeba zupę jaką ukręcić. No, do widzenia i jeszcze raz — najlepszego!

Szykuję te imieniny, bo już się z tego zrobiła tradycja.

Dom ożywa na ten wieczór i noc, bo zapraszam wszystkich, których znam i lubię. Chcę się bawić, chcę choć raz w roku poszumieć. To nowa tradycja tego domu — głośna zabawa na „Barbórkę". Moja tradycja!

Zapraszam od kilku lat nawet Janka z pracowni artystycznej Domu Kultury w Szczytnie. Żona mu młodo umarła i on sam ma taką melancholię w oczach. Kiedy mnie widzi, ożywa, uśmiecha się nostalgicznie i ma w sobie taki urok faceta, co wszystko wie. Nie chcę tylko budzić w nim nadziei. Lubię z nim gadać o sztuce, bo wiedzę ma ogromną. Tylko tyle. Ze dwa razy poszliśmy do biblioteki w Olsztynie, bo czegoś szukał. Taki prawdziwy intelektualista! Jedyny w moim gronie. Może spodoba mu się Jadzia? Też samotna...

Robię sałatkę z dorsza. Zawsze robi furorę, a to przecież najbiedniejsza mamy sałatka, z czasów, kiedy szalało to głupie hasło: „Jedzcie dorsze, bo gówno gorsze". Idiotyzm! Jak oni to lubią! Jajka faszerowane — mój przebój, galantyna z ryby, śledzie korzenne mojej roboty, a na ciepło szarpię się i robię węgierski „bogracz" albo leczo! Kiedyś, jak nie miałam pieniędzy, zrobiłam na gorąco plastry mortadeli w panierce na gorąco i wszyscy się zachwycali.

Rok temu dostałam od rybaka węgorze i zrobiłam barszcz biały, według jego przepisu. Fantazja!

BARSZCZ NA WĘGORZACH

Węgorza oczyścić. Natrzeć solą i szorować skórę. Opłukać. Pokroić na odcinki długości małego palca. Wrzucić do wrzątku i gotować z posiekaną drobno włoszczyzną. Malutko jej, tylko tyle, co dla smaku i urody. Liść bobkowy i ziele angielskie. Dwie rozpołowione cebule, które po ugotowaniu wyrzucamy.

Gdy wywar jest aromatyczny, a węgorz miękki (czterdzieści minut — góra), wlewamy domowy zakwas żurkowy z mąki żytniej. Dodajemy śmietanę. Po zagotowaniu kilka wiórków surowego czosnku. Pieprz. Podawać z bułką zrobioną na grzankę.

MORTADELA NA CIEPŁO

Grube plasterki mortadeli pozbawić skórki. Obtoczyć w ostrej panierce (dodać ciut ostrej papryki), to znaczy jajo roztrzepane i potem bułka tarta z papryką. Smażyć na ostrym tłuszczu. Smalec z olejem jest najlepszy!

SAŁATKA Z DORSZA WĘDZONEGO

Bardzo prosta. Dorsza obrać ze skóry i ości. Dokładnie! Sporo cebuli (cukrowa najlepsza, ale pół na pół z ostrą) Pokroić w półpiórka, skropić octem, posolić i dodać pieprz. Wymieszać z oliwą, olejem, co tam kto ma. Odstawić na kilka godzin do lodówki. I już!

W tym roku znów ich zaskoczę! Dostałam bardzo ciekawy przepis od koleżanki, co wróciła z Węgier. Taka jakby pasztetówka, ale inna, na ciepło. Jedyna trudność to flak i maszynka do nadziewania, ale z tym pojechałam do Karolakowej.

WĘGIERSKA PASZTETÓWKA NA CIEPŁO

Udusić płucka, wątróbkę i kilka okrawków mięsnych typu podgardle. Do miękkości.

Zestudzić i przekręcić przez pasztetowe sitko. Może być dwa razy.

Ugotować ryż. Sporo, tak, żeby był pół na pół z masą mięsną (kilo na kilo). Posiekać bardzo drobno cebulkę. Posolić i dodać dużo grubo mielonego pieprzu, trzy, cztery łyżki maggi. Wymieszać składniki na gładką masę nadziać cienki, parówkowy flak. Zamrozić.

Na przyjęcie posmarować blaszkę tłuszczem, poukładać „kiełbaski" i podlać wodą. Do chlebownika (piekarnika) na niezbyt wielki żar. Mają tylko się poddusić, uparować, a na koniec lekko podsmażyć. Podawać z jakąś ostrą sałatką. Najlepiej szwedzką. „Łowicz" produkuje taką. W słoiku.

SAŁATKA SZWEDZKA

Kapustę (ćwiartkę) białą poszatkować, a także paprykę (4 sztuki), może być konserwowa, nawet lepiej! Także cebule (ze dwie spore) w piórka i ogórek konserwowy (5 sporych sztuk) w ukośne plasterki. Wszystko zasypać łyżeczką cukru, solą i skropić octem. Zalać zalewą od papryki konserwowej, dodając świeży liść bobkowy i ziarenka ziela angielskiego. Odstawić na co najmniej dwa dni. Przed podaniem odsączyć z nadmiaru zalewy.

Tomasz się zawsze upija, jak tańczę z Arnoldem albo Janem. Szymon też nie tancerz, więc kręciłam zawsze z Arkiem — jak na konkursach. Wściekle. Jadzia tańczyła z Wieśkiem, jeśli był, i z Jankiem. Jak on dobrze tańczy! Było sporo śmiechu, alkoholu i dobrej muzyki. Piotr kupił mi do spółki z Hanką na gwiazdkę grundiga — magnetofon szpulowy i Szymon nagrywa mi modne kawałki! Mam taką taśmę taneczną. Wszystko tam jest! Wszystkie zagranicz-ne przeboje!

Moja ukochana Mary Hopkins, *Those Were the Days,* oczywiście Tom Jones, *Delilah* — stare, ale cudne, i mnóstwo innych.

Jednak kiedy dostałam jeszcze ciepły longplay z ABBĄ od Szymona, oczywiście — poszaleliśmy! Bywało wesoło i hucznie! Mama na pewno przygląda się z chmurki i cieszy, ale i dziwi, chociaż nie raz opowiadała, jak czcili swoje imieniny w majątku!

Obchodzili je, mama — pierwszego września, a tatko — dwudziestego dziewiątego.

Najczęściej właśnie na tatowe „michały" zjeżdżali się z sąsiednich mająt-ków, z miasteczek ich przyjaciele. Od rana usuwaliśmy się spod nóg Jaku-bowej, Sabiny — służącej, Wacki, dziewczyny kuchennej, Jaśka, chłopaka ze stajni, co na ten dzień służył Jakubowej za posłańca, i Rafała — lokaja. Poprzedniego dnia dom był wymyty, okna błyszczały rozchylone, jeśli było ciepło, ukazywały piękny nasz park, klomby z różami, pośrodku dziedzińca wielką donicę z pyszną agawą — chlubą Jakubowej, bo to jeszcze mama Michała — Jadwiga Lubicka — ją hodowała.

Białe, koronkowe firanki, jak welony panny młodej, powiewały na jesien-nym wietrze a w wazonach Rafał z mamą układali kompozycje z kwiatów z naszego ogrodu. Wielkie łososiowe gladiolusy z białymi daliami. Fioleto-we z białymi. Moja mama nie mieszała w wazonie więcej niż trzy kolory. Obowiązkowa zieleń i dwa inne.

Nasturcje — całe ich snopy — wisiały z wazonów kaskadami, z liśćmi jak parasolki. Przy tatowym łóżku bukiet mu najmilszy — od Broni. Małe, białe różyczki. Obok moja laurka, namalowana pięknie i z dbałością.

Pokoje przygotowane ze zwiększoną liczbą krzeseł, kanap, foteli. W ja-dalnym rozsunięty wielki stół, przykryty bieluchnym ukrochmalonym na sztywno obrusem z haftami i koronkami. Mnóstwo krzeseł dookoła niego świadczy, że gości będzie sporo. Na stole zastawa paradna i sztućce błysz-czące, bo je dwa dni wstecz Rafał czyścił zapamiętale. Na bufecie karafki i kryształy dźwięczą, gdy się obok przebiegnie.

W kuchni szaleństwo trwa od wczoraj. W spiżarni ścinają się galantyny i słodkie galaretki. Pachnie, studząc się, pieczyste. W galantynach ryby — sum w całości ozdobiony marchewkami, jarmużem i malinami, kła-dzionymi na żółtych rozetach z gęstego majonezu. Szczupak faszerowany tak, iż wygląda jak cały. Jakubowa umie skórę z łbem zdjąć tak, że później w nią upycha mielony farsz i formuje. Okłada na pół ściętą galaretą, a ta jest przezroczysta jak szampan! Ozdabia cytrynami w krążkach i już na koniec wymyślnym zawijasem z majonezu. Śledzie i jajka faszerowane i tatki wiel-ki przysmak — tatar z polędwicy wołowej z jajem i ozdobami z siekanej drobno cebulki, ogóreczków i grzybków marynowanych. Okropne, jak można jeść surowe mięso myślałam wtedy jako dzieciak. To wszystko na zimno, pod wódeczkę, co już mroziła się w ziemiance, w lodzie.

Także wielka szynka, co się trzy tygodnie bejcowała w saletrze, ze skórką ponacinaną w kwadraty, gotowana w piwie i upieczona na rumiano, pasztet na ostro z bażantów ustrzelonych przez tatkę w czasie polowań. Długi, ozdobiony brzoskwiniami z syropu. Kurki wodne, maleńkie, pieczone w całości. Nadziane nadzieniem z wątróbek i pietruszki. Po odgrzaniu wnoszone są na wielkiej srebrnej paterze, z pieczonymi jabłkami nadziewanymi żurawiną i ozdobione liśćmi jarmużu.

Do tego pieczone ziemniaki lub ziemniaczany puch, tłoczony przez specjalną praskę. Glazurowana masłem marchew na ciepło. Zielona sałata zwyczajnie, ze śmietaną, zaprawianą solą, cukrem i octem, posypana jajkiem na twardo.

Mnóstwo marynat, pikli, borówek. Mnie zachwycały desery, bo rzadkośmy takie jadali. Tort bezowy — chluba Jakubowej, tort śmietankowy i czekoladowy, tarty ze śliwkami z kremem na żółtkach, gruszki z naszego sadu podawane z gorącym sosem waniliowym, i tatki ukochane ciasto, mamina tarta malinowa, z galaretką, na którą maliny zbierała sama w naszym lesie.

Zdarzało się, że Jakubowa zasadzała Jaśka do kręcenia lodów. To po prostu uwielbiałam. Jakubowa zawsze dawała mi miseczkę, bo już warowałam w kuchni, i udawałam, że pomagam.

Po południu mama ubierała mnie ślicznie, wiązała wielką kokardę na czubku głowy. Byłam wówczas modnie ostrzyżona na „poleczkę", jako że włosiny miałam dość marne, a mama była nowoczesna. Hanka i Piotrek też świątecznie ubrani. Hania w jaśniutkiej sukience écru — kopii maminej, Piotruś w białym garniturze.

Tatko wyłaniał się z gabinetu, gdzie robił jakieś jeszcze ustalenia z panem Gotfrydem. Wówczas podchodziłam do niego z kwieciem i dygnięciem, nabierałam powietrza i klepałam wierszyk lub piosneczkę śliczną pod mamy akompaniament. Tatko się wzruszał, brał mnie na kolana i tulił. Ściskał się z nami wszystkimi i szliśmy na taras, jak było ciepło, albo do saloniku na lekki rodzinny „podobiadek". Jakiś mdły rosołek z kaszą krakowską w kwadraty krojoną, i gotowane udko. Mama nie jadła wcale, tatko pił bulion z żółtkiem. Wszak uczta przed nimi!

Od popołudnia zajeżdżały powozy, czasem auta, i wysiadali goście. Moim zadaniem było dygnięcie i skinienie główką. Mogłam też ładnie odpowiadać na pytania w rodzaju:

— No, to ileż ty masz latek, dziecko?

A ja odpowiadałam, że „tsy", „ctery" lub ile tam… Hanka i Piotr odpowiadali na więcej pytań, nawet wchodzili do saloniku na pogawędki z ciotkami i sąsiadami. Mnie mama trzymała za rączkę, ale zaraz ją puszczała, idąc witać się z kolejnym „panem radcą", więc snułam się i najczęściej siadałam w fotelu i patrzyłam.

Rozmowy, powitania, zapachy, aż mi się kręciło w głowie!

Później cmokano mnie, głaskano po główce i szłam z Hanią i Piotrusiem na górę do nas. Tam my mieliśmy nakryte. Trochę smakołyków i nam się dostawało. Lubiane przez nas jajka faszerowane, śledzik z cebulką, plastry polędwicy wędzonej... Nawet grzybki marynowane!

Późno już, w łóżku, słyszałam patefon i muzykę. Zdarzyło mi się kiedyś być obudzoną przez Hankę. Położyła palec na ustach i poprowadziła mnie na dół. Cicho szłyśmy w naszych koszulach, na bosaka. Usiadłyśmy na schodach, za kolumienką i Hanka pokazała mi salon do tańca. Właśnie strzelał kolejny szampan do życzeń od kolejnego gościa i znów muzyka.

Tatko tańczył z mamą walca. Płynęli po parkiecie jak we śnie. Ojciec we fraku, mama w pięknej sukni écru i białych prunelkach. Byłam oczarowana.

Rano schodziliśmy do kuchni na śniadanie i Jakubowa powarkiwała na Sabinę i Jaśka, którzy, niedospani, robili porządki. Dojadaliśmy smakowite resztki. Mogłam, bez maminego fukania, zjeść marynowane śledzie albo płat szynki z oślizgłymi marynowanymi maślaczkami. Nikt się nie wtrącał. Zostawiałam sobie miejsce na torty, bo czasem zostawały okrągłe środki. Popijałam gorącą herbatą, chociaż kusiła mnie lemoniada, ale Jakubowa się złościła, że śledzia, a tym bardziej tortu, zimną lemoniadą się nie popija, i stawiała kubeczek herbaty z cytryną.

Takie były u nas w dworku imieniny. Znam te opowieści jak piękną bajkę — na pamięć, bo opowiadaliśmy to sobie podczas okupacji, i później, w chwilach wspomnień dawnej świetności. Imieniny inne niż moje dziś. Być może skomasowałam we wspomnieniach i mamowe imieniny. Oboje byli wrześniowi. Zresztą połowa z tego to opowiadania Hanki i mamy, które wymieszały się z moimi wspomnieniami.

Ja nie mam Jakubowej, dworku i bażantów, ale i tak u mnie na „Barbary" jest wesoło, smacznie i tanecznie...

Po wyjściu gości, zmęczona, zasypiałam na stojąco. Wstawałam późno i dopiero wtedy brałyśmy się za porządki. Kaśka, zazwyczaj wcześnie wstająca, poznosiła wszystko i część już nawet pomyła.

Jestem zmęczona po tym zmywaniu i sprzątaniu, i jednak niedospana. Kładę się jeszcze na trochę. Nastawiam radio, bo mi źle. Wiem, że nie usnę, a cisza mnie drażni. Teresa Tutinas śpiewa: „Na całych jeziorach — Ty". O matko! Jak bardzo chcę Tomasza! Tomasza!

Wyszedł wcześnie, oczywiście zazdrosny o innych, bo on nie tańczy...

Na całych jeziorach — ty,
o wszystkich dnia porach — ty.
Na co dzień, od święta — ty
i w leśnych zwierzętach — ty.

(słowa: A. OSIECKA)

To o nas! Chyba niepostrzeżenie się zakochałam! Nie chciałam, walczyłam, dopóki się dało. Teraz wiem, że „na całych jeziorach — Tomasz". Jego oczy zaprzątają mi myśli, jego głos sprawia mi radość. Głupia! Taki młodzian!

To o piątkach myślę, czy zaprosi mnie znów na słuchanie muzyki czy nie? Co mu upiekę? Lubi szarlotkę, ale kulebiak z kapustą i grzybami pochłania cały, z okruszkami. Z barszczem. Tak lubię te wieczory! A może on czeka na mój gest? A może nie, tylko tak zapełnia pustkę?

Znak

asiu? — spytał przez płot, przejeżdżając rano we czwartek, obok naszego obejścia. — To co, jutro wpadniesz?

— Z sernikiem?

— Może być i sernik, ale jak już nie masz grzybów, to ci dowiozę —
uśmiecha się tak, że robi mi się gorąco na sercu i w brzuchu.

— Dobrze! Dobrze, zrobię kulebiak, łasuchu! Tobie wcale nie zależy na
mojej obecności, tylko na żarciu!

— Zgadłaś! Po co masz dożywiać jakiegoś Szymona Palanta, skoro możesz mnie, biednego sierotę, leśnika-eremitę?

— Cześć, biedny eremito, do jutra!

„Do jutra! Do jutra!" — śpiewam, siekając cebulę. Szatkuję kapustę.
Dobrze, że wciąż sporo jej kisimy. Dobra jest, z odrobiną kminku, marchewki, jabłek. Własna najlepsza. Kaśka jest w kurniku, zaraz przyniesie
jajka. Patrzę przez okno, jak przechodząc, dotyka pościeli, co schnie na
mrozie. Jednak schnie! Zawsze mnie to dziwi. Kasisko później zwinie ją
i położy na ławce koło pieca. W pokoju telewizyjnym zdejmie ze stołu ko-
ronki i położy brązowy kocyk w kratkę, ten nadpalony. Włączy telewizję
i zacznie prasować. Mnie nie idzie to za dobrze. Prasowanie to nie jest moje
ukochane zajęcie.

Za to kapusta zapachniała już wściekle i grzyby w wodzie puszczają aromat.

Upiekę ten kulebiak w prodiżu. Po co rozpalać chlebownik?

W piątek wieczorem siedziałam już u Tomka na otomanie, z podwinię-
tymi nogami. On zrobił barszcz i podał go w filiżankach, pokroił ładnie kulebiak, jakby to zrobiła jego mama, Aniela. Nastawił Skaldów i podał mi
talerzyk. Sam zabrał się za „Problemy" i już! Ja wetknęłam nos w „Przekrój"
i nuciłam ze Skaldami *Na wszystkich dworcach świata*. Tak spędzamy te
piątki, milcząc, czytając. Razem.

A on nic. Ciągle nic! Czasem tylko patrzył ukradkiem.

— Rozmasuj mi stopę, zdrętwiała mi — poprosiłam.

Uśmiechnął się i rozmasował. I nic… Dokładał do pieca, pytał, czy mi
dolać barszczu… Jakbym była naprawdę tylko kumplem, a ja przecież wiem,
czuję, jak on na mnie patrzy i już nic nie rozumiem. Pewnie za stara jestem,
i już.

Jakoś pod koniec tej wizyty opowiedział coś wesołego i wyszłam na
dwór, zaśmiewając się. Poczułam się lekka i zalotnie wskoczyłam na powa-
lone drzewo, poślizgnęłam się i wpadłam wprost w Tomaszowe ramiona.
Zrobiło się cicho. Z ust leciała mi para, oddychałam głośno, i tylko to było
słychać.

Poczułam jego zapach, ciepło i tak blisko jego oczy, jakby pełne oczekiwania, spięte. Wzruszenie, na zmianę z niepewnością, pełgały mu po twarzy.
Drgnęły usta. Wciąż mnie trzymał mocno i patrzył. Wspięłam się na palce

i dotknęłam go ustami. Miał suche wargi, jakby drewniane, niepewne. Delikatnie rozcałowałam go, muskałam językiem. Odważnie, ja, sama! Mruknął z aprobatą i całował mnie nieśmiało, z niedowierzaniem. Powoli miękł, objął mocniej, jakby się bał, że ucieknę, i przytulił, drżąc.

— Baśka — szepnął-jęknął.

Wisiałam na jego ustach dosłownie, bo palcami nie dotykałam już ziemi. Tomasz jest taki wysoki... Wziął mnie na ręce i zaniósł wprost do sypialni. Nigdy rozbieranie kogoś nie szło mi tak szybko. Rozpięłam wszystkie guziki jego koszuli. A jednak zaplątałam się, gdy mi ściągał kamizelkę przez głowę, i w końcu szepnęłam:

— Tomek, rozbierzmy się sami.

Był szybszy. Stanął nagi, blisko mnie, i objął z długim westchnieniem, jakby mnie nie widział sto lat.

— Baśka, Baśka, Baśka — mruczał, a potem położył na tapczanie. Naciągnęliśmy na siebie koc. Poduchy przyjęły nas przyjaźnie, miękko.

Między pocałunkami i pieszczotami wyszeptał mi całą swoją długo skrywaną młodzieńczą miłość, a ja oplatałam go całą sobą i poddawałam się czułościom z niewymowną tęsknotą. Jest taki piękny, silny, męski. Jego dłonie takie duże, i takie delikatne zarazem, dotykały mnie, jakbym była z porcelany. Wyraźnie zwlekał, przeciągał pieszczoty, żeby doprowadzić mnie i siebie do wrzenia, do takiego szaleństwa, że nie panowaliśmy nad sobą i gdy przyciągnęłam go nagląco rozchylona, zniecierpliwiona, spragniona, wtargnął we mnie mocno. „Osadziłam go" udami. Chciałam zatrzymać tę chwilę jak najdłużej. Jego w sobie. Nadaremno. Już po paru ruchach bioder szarpnął mną głęboki spazm spełnienia. Tomasz z głośnym „Baaaś!" jakby zachłysnął się i znieruchomiał z ustami na mojej szyi.

Przytuliłam go mocno. Chciałam powiedzieć coś wzniosłego, pięknego, ale jedyne, co mi przyszło do głowy, to... zwyczajne „kocham cię", które dziś usłyszałam ze sto razy. Powiedzieć mu? Może za wcześnie? Może ja nie powinnam?

Gładziłam go po twarzy i włosach zdyszana, spełniona. Widział moje wzruszenie. Uspokoiłam się.

Zasnęliśmy.

Rano leżałam za nim, przyklejona do jego ciepłych pleców. Byłam pewna, że śpi. Mruknęłam cichutko w jego kark:

— Kocham cię.

— Nareszcie, Basiu — odmruczał i pocałował moją dłoń. — Nareszcie!

A kiedy odwrócił się leniwie, spytał z zamkniętymi wciąż oczyma:

— Nie zostawisz mnie nigdy? Nigdy? Prawda?

— Nigdy — powiedziałam, święcie wierząc we własną deklarację.

Kaśka nawet nie zauważyła, że mnie nie było, gdy przyszłam rano.

— Nie śpisz, Basiu, u siebie?! A gdzie byłaś? — zdziwiła się.

— U Tomka, Kasiu. Daj buziaka. Bałaś się?

— Nie. Myślałam, żeś u siebie.

Po południu wróciłam z biblioteki i poszłam nad rozlewisko z kryształowym różańcem mamy i babci, której nigdy nie widziałam. Muszę z nimi znów porozmawiać. Kładka rozwalona, więc kucnęłam na pniaku, z brzegu, podekscytowana. Rozpalona wspomnieniem.

— Mamo! Mamo, poproś Pana Boga, żeby nie słuchał. To babska rozmowa. Mamo, ja wczoraj byłam u Tomasza i wiesz.... On jest mój! Mój! Powiedział z tysiąc razy, jak mnie kocha. Mamo, on na mnie czekał i czekał! Taka jestem szczęśliwa! Przecież to nic, że jestem starsza? Przecież go nie prowokowałam, jak jeszcze była tu Lidka. Rozeszli się. Znaczy Tomasz i ona... Oj, no wiesz! Tak dawno nie kochałam się tak... pięknie. Spraw, żeby mi się to nie rozsypało. Mamo, dobrze?

Westchnęłam głęboko. Co jeszcze mogę powiedzieć mamie? Ona wszystko wie! Tylko czy ja wszystko wiem? Czy robię dobrze? Czy rzeczywiście to jest ten mi pisany? Panie Boże! Daj jakiś znak! Mamo. Tobie będzie łatwiej! Pomóż, bo a nuż znów się pakuję w związek bez sensu?

Bez sensu?! Tomek jest bez sensu?! Nie. Niemożliwe. Sama zawsze mówiłaś, jaki to syn Zawojów jest w porządku. Wykształcony, kulturalny i po studiach ojcowiznę przejął. Znaczy też leśniczym jest i okręg objął. I że zaradny i... że rozpoznam miłość. To chyba ona!

Mamo, daj mi znak, że dobrze robię! Bo zwariuję bez ciebie! Ty wszystko wiedziałaś, tylko ja, głupia, ciebie nie słuchałam! Panie Boże! Marna ze mnie owieczka, ale teraz częściej będę się modlić, jak chcesz, bo jestem szczęśliwa! Poczucie szczęścia jest modlitwą, prawda — Panie? To nie może być grzech, jeśli nasze dusze takie są wzniosłe i pełne miłości! Amen! Amen!

Przeżegnałam się nawet, żeby szybciej dotarło (jak z nalepką „Express" na liście), i się roześmiałam. Tak sobie, po prostu! Rozpiera mnie radość. Boże! To na Twoją chwałę! Dałeś mi ją!

Po przyjściu do domu zrobiłam obiad i właśnie myłam zlew, gdy Kaśka przyszła z kurnika. Postawiła kosz z dwoma jajkami i spytała:

— Gdzie byłaś?

— Poszłam na spacer, przewietrzyć się i pomodlić. Co, nie widziałaś mnie z okna, Kasiu? Stało się coś?

— Stało — powiedziała tajemniczo i wzięła mnie za rękaw. Podeszła do okna i odchyliła zasłonkę, pokazując mi doniczkę na parapecie. — Popatrz, Basiu, mamy pelargonia puściła pąki. Będą kwiatki! Zimą!

Mamo! Dziękuję ci za ten znak! Pozdrów tatę i kłaniaj się Panu Bogu!

Miałam łzy w oczach. Wzruszam się jak stara Fela.

Ta nasza eksplozja miłości zdarzyła się tuż przed Bożym Narodzeniem, później Tomasz pojechał na święta do Iławy, do ciotki, u której mieszka pani Aniela.

Hanka ze Zbyszkiem i Piotrek jak zawsze przyjechali nad rozlewisko. Jak zawsze panowie zabrali się za rąbanie drewna, noszenie go na werandę, i ogólną pomoc. Hanka jakoś znormalniała albo ja się do niej przyzwyczaiłam.

— Jak tam, Haniu, co w Toruniu nowego?

— Pojęcia nie mam. My nie chodzimy ze Zbyszkiem za dużo. Tak na mieście kolorowiej jest i zaopatrzenie przyzwoite. Pamiętam, jak pomarańcze były taką nowością, że Zbych stał w nocy, żeby rano dostać trzy... Później te skórki się zacukrzało jak jakiś skarb. Pamiętasz? Wiesz, Basiu, że ja wczoraj i migdały dostałam, i mak, i rodzynki? Zapachy do ciast przywiozłam, ale tu, u was, też pewnie są?

— Są — odparłam. — I mąka tortowa jakaś taka lepsza jest w sklepie, a jabłka do szarlotki przynieść? Inaczej je zrobiłam niż zawsze. Większe kawałki usmażyłam w tartych.

— Gospocha się z ciebie zrobiła! — Hanka wyraźnie cieszy się, że tu pozostałam, i nagle pyta: — Basiu, wybacz ciekawość, czy tu żaden do ciebie... swatów nie słał? Ty wciąż sama?

— Żaden, Haniu. Już się swatów nie śle.

— Żartowałam, ale że ty tak na tym wygwizdowie sama...

— Przecież kiedyś byłaś zadowolona, że mam za swoje?

— Basiu! Ja nigdy ci źle nie życzyłam, ale sama wiesz, że kiedyś byłaś taka...

— Rozwiązła? Zepsuta? Oj, Haniu! Byłam i co? Teraz... mam przyjaciół i chyba pojawił się mężczyzna, na którym mi zależy.

— O? — uśmiechnęła się kwaśno, jakby była zawiedziona. — Kto taki?

— Tomasz, leśniczy.

— On?... Przecież jest młodszy, i zdaje się, żonaty?

— Rozstali się. Lidka marzyła o dziecku, a tu jakoś nic, więc odeszła, bo przestali się kochać... Jest sam, no, i spodobała mu się taka starucha — zaśmiałam się, trąc skamieniały cukier puder na tarce.

— Nie to miałam na myśli — plątała się Hanka. — Wyglądasz świetnie. Zawsze ci tego zazdrościłam. Taka... kobieta-dziecko. Tylko że wiesz, jak to jest? Kwitniesz i kwitniesz, taka młodziutka, śliczna, a pewnego dnia budzisz się... stara. Pomarszczona.

— Pewnie tak... Zmielę ser — urwałam te podchody. Zaraz się dowiem, że to już blisko, że mam zmarszczki i za chwilę rozpadnę się ze starości, w proch. Żałowałam, że się przyznałam.

— Będzie tu na święta?

— Nie, Haniu. Nie. Spędza święta u mamy i ciotki, w Iławie. Przyjedzie już po.

Piotr też zauważył, że jestem inna.

— Patrzę, Basiu, na ciebie i nie wiem, czego nie dostrzegam? Zmiana fryzury? Zeszczuplałaś? Awansowałaś? Coś jest na rzeczy, ale nie wiem co?

— Piotruś, to Hanka się nie wygadała? Jestem szczęśliwa.

— Phi! Tylko tyle? — udał zawiedzionego. — A ja już myślałem, że wygrałaś w totka!

— Milion to mało w porównaniu z tym, co dostałam. Kocham i jestem kochana.

— Mów! Opowiadaj — niecierpliwił się.

Piotr mnie rozumie. I cieszy się niezmiernie. Trochę mu żal, że „szwagra" nie ma i nie przepije z nim za nasze szczęście. Uśmiecha się za każdym razem, gdy mija mnie w kuchni, korytarzu, na podwórku.

Święta minęły łagodnie. Bez kłótni, raczej leniwie. Sporo graliśmy w karty i rozwiązywaliśmy razem, na głos, krzyżówki z „Przekroju". Namówiłam Hankę, żeby nie piekła tak dużo, tylko odpoczęła. Była nawet ze Zbyszkiem na dalekim spacerze.

W dzień ich wyjazdu poszłam z Kaśką na podwórko pozabijać kilka kur i kaczek dla moich miastowych. Nie lubię tego, ale trzeba. Zawsze ich „wianuję", jak mama, upycham smakołyki, ziemniaki, jajka, kurę, śmietanę… Taka tradycja.

Kaśka zgrabnie łapie kurę i przynosi mi ją do pieńka, trzymając za głowę, żeby kura nie widziała siekiery. Kładzie ją i odwraca się, a ja szybkim ruchem spuszczam siekierę na szyję kurzą, jak na szafocie. Kaśka trzyma jeszcze drgające ptaszę, aż krew trochę zejdzie, i kładzie na śniegu. Przykrywa gazetą i idzie po następną.

W kuchni wrze woda w garze, żeby sparzyć te kury i zdjąć pióra. Kaśka wyflacza ścierwo, bo to umie. Bierze cienki, ostry nożyk, nacina powłoki brzuszne, i ciągnie flaki w dół, uważając, żeby wszystko, razem ze stekiem, wywlec gestem płynnym i wyuczonym — do wiadra. Śmierdzi strasznie. Zaraz się porzygam.

Przelewa wrzątkiem wnętrze kury i z wiadra, z flaków, odcina żołądek i wątrobę. Także małe serce, przysmak Piotra. Gulasz z serduszek i żołądków. Fuj!

Zawija to wszystko w papier i wkłada do tuszki. Bo teraz, bez piór i flaków to już jest „tuszka", a nie — kura. W dwa kosze wiklinowe wkładamy po dwie tuszki kur, po kaczce zamordowanej identycznie, słoik śmietany — spory, litrowy, szare torby z jajkami, dwa słoiki miodu i klinki sera. Piotrowi dwa. Bardzo lubi mój twaróg. Do bagażnika jeszcze wkładam im po małym worku ziemniaków. Wzbraniają się, ale lubią! Piotr znajdzie jeszcze w swoim koszu specjalnie dla niego schowane tam suszone grzyby. Dla Hanki już mi nie starczyło.

Pożegnania, machanie ręką i… pojechali!

— Ale się ucieszą, co? — ekscytuje się Kasisko.

Nooo. „Między innymi po to przyjeżdżają", myślę i aż mi głupio.

Do wiosny ja i Tomasz byliśmy nienasyceni sobą, naszą całkiem nową historią.

Tomasz chciał, żebym się przeprowadziła na stałe do niego.

— Jak ty to sobie wyobrażasz? — pytałam. — Przecież nie zostawię Kasi samej i gospodarstwa…

— No tak, a ja mam zostawić leśniczówkę?!

— Tomek, daj spokój. Nie szalejmy. Jestem u ciebie prawie co noc. Już mnie to męczy — rano do pracy, zakupy, obejście, Kaśka i ty… Dajmy sobie spokój z wysiłkiem. Każde z nas ma swoje życie, jesteśmy razem, od czasu do czasu. Nie znudzimy się sobą!

— Ja nigdy się tobą nie znudzę, kocham cię już tyle lat! Widocznie ty nie czujesz potrzeby! — mówi nadąsany.

— Tomek, czuję, ale też wiem, że zawaliłabym życie Kaśki, a ona tylko tu czuje się bezpieczna, w domu, w obejściu. W Toruniu trzyma się mnie kurczowo, w Olsztynie też, mimo że Olsztyn zna. Proszę cię! Nic na siłę! Przecież ty nocujesz u mnie albo ja u ciebie, i jest dobrze…

Boczy się. Zasępia. Godzi łaskawie. Musi godzić!

O tym, jak pojechałam do Moskwy do teatru i jak Tomasz się obraził

azimy do siebie, jak ten żuraw i czapla, kochamy się, kłócimy — normalnie, jak to w życiu, a tu nagle, wiosną już, pojawia się Szymon z nieziemską propozycją wyjazdu do Moskwy.

Rodzice Szymona i on sam mają w Moskwie zaprzyjaźnione grono i Szymek chce tam pojechać.

— Pojedź ze mną, Baśka! Chodź, włączę ci coś!

Wyciąga spod tapczanu mojego grundiga, zakłada szpulę i przekręca starter.

Słucham początkowo zdziwiona. Gitara mocna i ostra, surowa. Jakiś ochrypły głos, niepiękny i niemodulowany śpiewa, skanduje tekst. Po rosyjsku.

— Co to? — pytam.

— Znasz choć trochę rosyjski?

— Znam.

— Słuchaj tekstu, podążaj za jego emocjami!

— A kto to?

— Ruski bard, Włodzimierz Wysocki. Fantastyczny! Co? I właśnie święci triumfy w Moskwie, w teatrze na Tagance jako szekspirowski Hamlet. Mówię ci, inscenizacja fantastyczna! Ojciec zna obecnego attaché kulturalnego w ambasadzie. Mamy bilety, o tak! — pstryknął palcami.

— Jak to, mam jechać z tobą do Moskwy, do teatru?! Ja nawet do Warszawy nie jeżdżę, no, bardzo rzadko…

— Boś głupia! Przepraszam! Basiu, przepraszam, daj łapkę, pocałuję. Funduję przelot i pobyt. Proszę cię! Zobaczysz, oszalejesz!

Szymon mówi poważnie, opiera się na łokciu, półleżąc na kanapie, i wodzi za mną wzrokiem.

— Weź którąś z twoich adoratorek!

— Baśka! Tylko z tobą mogę to przeżyć. Te panny są za głupie. Poza tym teraz jestem znów sam! Wciąż bez dam! — wygłupia się. — Pojedź! Pokochasz go całym sercem!

— Kogo? Szekspira czy tego…

— Wysockiego. Zakochasz się. Słuchaj go wieczorami. On ci podaje serce na dłoni. Masz paszport? Wkładkę znaczy?

— Zwariowałeś?

— No to załatwiamy. Idź, zrób zdjęcie, ja zajmę się resztą.

Łatwe to nie było, ale, od czego są znajomi i ich znajomi?

A jeszcze tacy, którzy tam pracowali, w biurze radcy handlowego, a obecnie pracują w ministerstwie i znają wszystkich. Wszystkich, których trzeba.

Szymon się postarał, jeździł i gadał.

Po koniec maja już stałam w kolejce po moją wkładkę paszportową. Jechałam za granicę! Pierwszy raz w życiu! Oczywiście Tomasz był wstrząśnięty.

— Z Szymonem?!… Baśka, w co ty grasz?

— Tomek, ja w nic nie gram. Mam pierwszą w życiu okazję polecieć za granicę. To okazja, i nie można jej zmarnować, tym bardziej, że z Szymonem nic intymnego mnie nie łączy, więc możemy nawet spać w jednym łóżku.

Tomasz poczerwieniał i wyszedł na dwór, walnąwszy drzwiami. Poszłam za nim.

— Zwariowałeś?

— Ty zwariowałaś. Ledwo się zaczęło między nami układać...

— Tomasz, ja nie rozwodzę się z tobą, nie porzucam cię! Ja jadę do Moskwy, do teatru, i być może zobaczę fantastyczną postać — Wysockiego — na własne oczy! To jakbyś ty dostał zaproszenie do Leningradu na sztukę z Vlady.

— A co ona ma do tego?

— Nie wiesz?! Marina Vlady jest jego żoną! Dasz wiarę? I on ma świetne recenzje z tego *Hamleta*. No, Tomasz, nie bądź zaściankowy!

— Moja kobieta jedzie z fagasem w świat, a ja mam nie być zaściankowy? Oszalałaś?!

— Jesteś zazdrosny i to jest przykre. Gdybym chciała wycierać się z Szymonem w łóżku, robiłabym to tutaj, u mnie! Nic mnie z nim nie łączy, więc nie traktuj mnie tak, jakbym była suką w rui i leciała tam się z nim grzać! — krzyknęłam wulgarnie zła jak osa.

Zamilkł. Spurpurowiał. Myślał.

— Wpadnę jutro — powiedział i pojechał do siebie.

To była dla mnie ciężka noc. Byłam zawiedziona brakiem zaufania. Tą furią, zaborczością i tym bardziej chciałam polecieć.

Poza tym... nigdy nie latałam samolotem!

Kaśka była zaniepokojona, ale rozumiała, że wracam niedługo. Jedzenia jej naszykowałam, zresztą obiecała mi, że się postara czuwać nad garnkiem, kiedy będzie grzać zupę i że nie spali jej na węgielek. Roześmiała się, bo już spaliła kilka garnków.

Byłam niepewna, czy jestem modna, czy Szymon tam, w Moskwie, w tym teatrze nie będzie musiał wstydzić się mojej jedynej eleganckiej oliw-kowej sukienki w brązowe i ceglaste plamy. Szczerze mówiąc, uszyłam ją sobie sama po jakimś pokazie telewizyjnym albo widziałam ją….w Polskiej Kronice Filmowej. Tak! W PKF-ie! Antkowiak ze swadą i egzaltacją opo-wiadał o tym, „co modne w tym sezonie", a Barbara Hoff przeszła sama siebie, pokazała bardzo światowe szmatki do swojego Hofflandu — stoiska w Domach Towarowych w Warszawie.

Miałam nawet tam pojechać i kupić sobie coś modnego.

Mam też na sobie wielką nowość w mojej garderobie. Drogą, ale war-to było! Dżinsy! Prawdziwe wycieruchy — jak mówią, kupione rok temu w Olsztynie, w Peweksie. Oczywiście bony pomógł załatwić Szymon.

— Wyglądasz jak nastolatka — chwali mnie Szymek i już pakujemy się do mojej syreny. — To coś dojedzie?

— Dojedzie, jest po przeglądzie. I tak chcę ją wymienić. Może na malu-cha, co?

— O, widzisz, niegłupio gadasz! Wymienić tak, ale może na coś lep-szego? Większego? Może na zaporożca? Albo jakiegoś używanego opla? — śmieje się. — Załatwię ci! — i puszcza oko.

Nadjeżdża Tomasz. Jest spięty i chłodny. Jakby podenerwowany. Żegna-my się jakoś tak… oficjalnie i Szymon wypala:

— Tomek, odwiozę ci twój skarb nietknięty. Słowo honoru, no, chłopie! Daj grabę!

— Dbaj o nią — syknął Tomasz i podszedł do mnie: — Basiu, to… pa, Basiu.

Żal mi się go zrobiło. Nawet chyba łzy stanęły mi w oczach. Mamo? Może ja źle robię, że zostawiam Tomasza, skoro taki zaborczy?

— Będę zaglądał do Kaśki! — zawołał, jak już ruszyliśmy.

Lotnisko oszołomiło mnie trochę. Gubiłam się w procedurach, podawa-łam celnikom i pani z obsługi nie to, co trzeba.

— Pani legitymacja nauczycielska nie jest mi potrzebna! — zaćwierkała lalka w ślicznym żakiecie i chustką LOT-u, gustownie zawiązaną pod szyją. Patrzyła z sympatią, a ja czerwieniłam się i pociłam.

W sklepiku bezcłowym Szymon coś kupił, ja oglądałam krakowianki i czekoladki tablerone. Muszę je kupić dla Kaśki! W końcu, po oczekiwaniu za długim już jak na mnie, wsiedliśmy do samolotu. O mamo! Jak tu ciasno! Mam miejsce przy oknie. Dobrze. Jestem tak podekscytowana, że mam gulę w gardle. Ludzie się rozpychają, pytają o miejsca, układają bagaże, a Szy-mon nalewa mi z kieszeni — naparstek.

— No, Baśka, na jedno skrzydełko!

— Co to? — szepczę i rozglądam się nerwowo. — A nuż stewardesa zauważy i wyprosi nas?

— Ballantines, whisky dla kurażu. Pij! Tu wolno! Zobaczysz!

Piję, bo mam gardło ściśnięte. Ohydna ta wódka!

Wzbijamy się w powietrze. Jestem podekscytowana jak na karuzeli. Ściskam Szymona za rękę. W dole wszystko maleje, ucieka. Ciekawe, nowe, fascynujące przeżycie!

Stewardesa podchodzi z tacką cukierków. Nie chcę, ale biorę, bo przecież nie wypada odmówić!

— Ucho mam zatkane! — mówię do Szymona i dostaje drugi naparstek.

— To na drugie skrzydełko! — mówi i wypijamy. Oddycham głęboko. Jesteśmy w niebie, widzę to dokładnie. Blisko mnie, nieruchome na wyciągnięcie ręki — chmury jak białe kłaki, jak rozciągnięta wata cukrowa z patyka. Niebo niebieskie, rozjarzone słońcem, a ono w oddali, świeci bardzo mocno.

— Gorąco — mówię do Szymona.

— Tak? Nastawię ci nawiew.

— Nie tu, tam.

— Basiu! Na zewnątrz jest minus piętnaście albo i dwadzieścia! Popatrz na tę końcówkę śrubki, tam, na skrzydle — oszroniona.

Rzeczywiście.

Stewardesa pyta uprzejmie, czego się napijemy. Tyle tego! Jakie soki! Biorę pomarańczowy, bo lubię.

— Basiu, ważna rzecz. — Szymek nachyla się i mówi cicho: — Lecimy do bardzo miłych ludzi. Mieszane małżeństwo — lekarze. On Polak, ona Rosjanka. To on wystawił nam zaproszenie. Zatrzymamy się w hotelu, on to już załatwił, ale pamiętaj, nie rozmawiamy za swobodnie. A już polityki nie ma w rozmowach!

— Za kogo mnie masz? I czemu szepczesz, myślisz, że tu fotele podsłuchują?

— Basiu, tu i tam wszystko podsłuchuje i dlatego nie mówi się za dużo. O pięknie ich kraju możesz nawet wierszem gadać, ale żadnych wtrętów polityczno-społecznych. Błagam cię. Oni są najwięksi, najmądrzejsi, najsprytniejsi i… już!

— Jak Amerykanie.

— O, coś tak, tylko inaczej. Masz, napijmy się na trzecie skrzydełko.

Całe szczęście, że dostaliśmy tackę z posiłkiem, który mi się bardzo spodobał, bo picie na taki pusty żołądek mogłoby się źle skończyć.

Wreszcie lądowanie, za długie formalności, papiery, dokumenty raz jeszcze, odbiór bagażu i wreszcie okularnik, wesoło witający Szymona.

— Cześć! Witam! Roman jestem, podjęliśmy z żoną decyzję, że śpicie u nas! Nie ma gadania! Zresztą w hotelach nie ma miejsc! Stempel hotelowy w paszporcie załatwię. Hotel Jużnaja. Kierowniczki córka leczy się u mnie. Jedziemy!

Lotnisko było tak oddalone od miasta, że przysnęłam z głową opartą o szybę. Ocknęłam się już w mieście.

— Ale arteria! — szepnęłam z uznaniem.

— To Leniński Prospekt. Rzeczywiście pozazdrościć! — Szymon gapił się za okno wraz ze mną.

— Proszę się przyzwyczaić, że tu sporo rzeczy jest dużych! — Roman uśmiechnął się w lusterku.

Mieszkali w jakimś zaułku, czy tam piereułku, jak to oni mówią, w ładnym dość nowym albo odnowionym domu. Wejście z bramy na podwórko, jakieś dzieciaki grające w klasy i wołające na nasz widok:

— Zdrastie!

— Zdrastwujtie! — odpowiedziałam dumna, że daję radę.

Dostaliśmy mały pokój z tapczanem i łóżkiem polowym. Roman widocznie wie, że nie jesteśmy parą.

— Mamy jeszcze jeden, ale tam akurat zmiana podłogi, bo nam zimą zalało — dodał tonem usprawiedliwienia. — A! I żona zaraz będzie. Ucieszy się! Siadajcie, zrobię herbaty!

— Miły — powiedziałam po jego wyjściu.

Mieszkanie ładne, ale urządzone nie po mojemu. Nad każdymi drzwiami karnisze i ciężkie, aksamitne story — absurd! Kute kandelabry i nowoczesne, ciężkie meble. Krzesła w pokrowcach, kanapa nakryta narzutą.

— No co? — pyta Szymek.

— Za dużo szmat! Ile to trzeba prać, bo tylko kurz się zbiera — szepczę.

Podczas rozmowy przy herbacie Szymon opowiada, co u rodziców, bo Romek zna ich z czasów pobytu na placówce tu, w Moskwie. Poznali się podczas leczenia po tym ich wypadku. Wreszcie przychodzi żona. Młoda, ładna, z kokiem.

— Łarisa — przedstawia się, próbując mówić po polsku. — Wy głodni? Ja zaraz robię obiad!

— Łarisa? Lara jak w *Doktorze Żywago*? — pytam.

— Tak! Moja mama kocha etu knigu! — woła już z kuchni.

Nie pozwala sobie pomóc. Jest taka sprawna, że za chwilę siedzimy i jemy pyszny barszcz z kołdunami.

— Eto pielmieni. Bardzo podobne jak wasze kałduny — mówi rzeczywiście prawie po polsku.

— Kołduny. Ładnie mówisz po naszemu — chwalę ją.

— U nas w domu mówimy pa polski, żeby nasza córećka też mówiła. Ona w szkole mówi pa ruski, i z babuszkoj pa ruski, a w domu pa polski.

— A gdzie ona teraz?

— Na lekcji fortepianu! U nas goworiat: „Rajal". Artistka nam rośnie! — chwali się Łara.

Do wieczora spacerowaliśmy po Moskwie. Nie ma zmiłuj! Romek od razu zawiózł nas do śródmieścia i pokazywał, gadał, a ja rozglądałam się i patrzyłam na ludzi. Zwyczajni! Może ubrani trochę inaczej niż warszawiacy, ale niespecjalnie mnie to zajmowało. U mnie w Pasymiu też nie ma rewii mody.

Za to w sklepie poczułam się dziwnie. Weszliśmy po coś, co się nazywa „Kliukwa w sacharie".

— Basiu, to ci się spodoba, taka prosta rzecz. To żurawina obtoczona w cukrze pudrze. Wygląda jak kulki z naftaliny. Bierzesz do ust — słodycz, rozgryzasz — kwaśne miesza się ze słodkim. Chodź! Tu powinna być.

Stanęliśmy w kolejce do działu ze słodyczami.

— Poczekaj, zaraz wrócę — powiedział Szymon i pobiegł gdzieś.

Sprzedawczyni, w białym fartuchu i białym czepcu (jak u nas pielęgniarki na porodówce — pomyślałam) miała minę księżnej. Pakowała w szare torebki, co kto chciał, z miną znudzoną. Rozglądałam się po półkach — co oni tu mają za słodycze?

Jakieś galaretki w cukrze — jak nasze, cukierków mnóstwo, herbatniki na wagę i pudełka — jakby bombonierki, ale nasze wyglądają ładniej. I nagle usłyszałam głośne:

— Dziewuszka! A wam cziewo?

— Proszę? — spytałam, rozglądając się za Szymonem.

— Nu, cziewo? — dopytywała się księżna.

Nagle zapomniałam języka w gębie.

— Ja.... Takije, kuleczki, ja chciała… (gdzie on jest, do licha?).

— Cziewo? — dopytywała się już niegrzecznie, ponaglająco.

Za mną jakiś jegomość wreszcie się odezwał:

— A ty nie widisz, szto ona innostranka? Ty jej kliukwu w sacharie daj i nie kriczi. (A ty co, nie widzisz, że ona z zagranicy? Ty jej żurawinę w cukrze daj i nie krzycz).

Księżniczka wydęła usta i podała mi pudełko.

Nadbiegł Szymon, zapłacił i wyszliśmy.

— Szymon, czemu ta sprzedawczyni taka udzielna księżna?

— Bo ona jest dumna ze swojej pracy. Ale jak pójdzie na pocztę czy do urzędu, trafi na taką samą i zamienia się w szarą myszkę. To kraj księżnych i myszek. Daj spokój...

Idziemy zwiedzać.

— Sadowoje Kalco to ulica zataczająca pełne koło — opowiada Romek. — A tam — pokazuje palcem — jest dzielnica Zamoskwareczje, czyli „za riekoj Moskwoj". A tam widzisz? Słynny hotel Rassija. Okropny — dodaje szeptem.

Chodziliśmy tak do zmierzchu, przysiadając na kawie w kawiarniach. Dziwna ta kawa. Inna. Chyba z cykorią.

W uliczkach dużo pięknych latarń, starych i pamiętających… Bóg wie kogo! Ulice pełne samochodów, milicjanci na środku, mimo świateł. Zahaczyliśmy o GUM — wielki, staroświecki dom towarowy. Chciałam kupić sobie materiał na spódnicę — ładny, z połyskiem, ale chłopaki oczywiście, że zdążę!

Wieczorem Łara powitała nas kolacją i przedstawiła córeczkę z kokardami, a mnie odciągnęła do kuchni:

— Jeśli ty nie chcesz z Szymkiem w komnatie, bo, prasti, ja wiem, że wy nie para, to ja jemu dam postel' do tego drugiego pokoju.

— Nie trzeba! My jak koledzy! Jest charaszo! — też mówię łamańcem polsko-rosyjskim.

Naturalnie wieczorem, gdy już byliśmy w łóżkach, Szymek zapytał, czy ma wleźć do mnie, żebym się sama nie bała.

— Chcesz kapciem? — odpowiedziałam zdecydowanie i zasnęłam.

Dużo było wrażeń. Moskwa wciągnęła mnie. Bardzo ciekawe miasto, miesza się stare z nowym, nie zawsze ze smakiem, ale cóż! Piękne cerkwie. Szczególnie Monastyr Nowodziewiczyj, czyli klasztor. Nad stawem romantycznie, gdyby nie ta zabudowa wokół... Powinien stać na jakichś polach, pagórkach i lasach majaczących w oddali.

Dobrze się czułam, szczególnie w tych dzielnicach, gdzie uliczki małe, domy stare i nastrój też stary. Naprawdę nastrojowe.

Wieczór w teatrze na Tagance — ekscytujący. Ogromny kawał szliśmy piechotą. Było takie ładne, ciepłe popołudnie i wszystko ciekawe. Szymon opowiadał o czasach spędzonych latem tu, u rodziców, o kolegach, podwórku, tutejszych obyczajach.

— Wiesz, że wieczorami jeszcze zdarza się, że śpiewają? Na ławeczce siedzą i ktoś wynosi akordeon i już! Muzykalni są pieruńsko! Wszyscy. Chcesz pić?

— A co?

— A to, że to już zabytek, zobacz, tam stoi beczka, ta na kółkach, i baba w białym kitlu. Wiesz, co sprzedaje?

— No?

— Kwas chlebowy.

— Oj nie!

— Co nie? Musisz spróbować to tutejszy specjał.

Rzeczywiście. Taki jak nasz podpiwek, co go mama robiła latem z kawy zbożowej i drożdży. Ten bardziej kwaskowy, musujący.

— Widzisz? — Szymon cieszy się, że pokazuje mi nowości. — Dobre, co? Ja to nawet bardziej lubię od coca-coli, bo ona za słodka.

Idziemy dalej, koło zielonego skweru. Otoczony ładnym, żeliwnym ogrodzeniem, niskim, takim, że z ulicy widać, co się dzieje. Zieleń nawet zadbana i dwóch staruszków w wytartych kamizelkach z wełny gra w warcaby.

— W Warszawie czegoś takiego nie widziałam — gadam chyba do siebie, bo Szymon zamyślił się nad czymś.

Przed teatrem tłum, na szczęście mamy bilety i nie musimy polować. Przeciskamy się. We foyer gorąco. Nastrój podekscytowania, radości, że zaraz, że za chwilę będziemy obcować ze zjawiskiem. Bo Wysocki to zjawisko socjologiczne. Ani on piękny, ani głos ma śliczny, bez modulacji, ochrypły. Niski i zwyczajny. Bardzo zwyczajny. „Kosmicznie zwyczajny" — jak mówi Łara. Nareszcie światła gasną.

Nigdy nie przypuszczałam, że tak można pokazać *Hamleta*. Rzeczywiście, nie był to egzaltowany młodzian, jakim go pokazał Olbrychski w Teatrze Narodowym. (Byłam rok temu, z Piotrem). Aż mi się wtedy gorąco zrobiło, jak uderzył matkę (Kucównę!) w twarz. Chlasnął bez udawania, na odlew. Młody, niezrównoważony, gniewny. Bardzo nowocześnie poprowadzona sztuka, ale jakaś taka, nie po mojemu.

Wysocki pokazał go inaczej. Takiego, jakim chciał go zapewne widzieć Szekspir albo on — Wysocki. Praktycznie cały czas za kotarą w poprzek sceny, oddzielającą go od innych. Wyalienowany. Sam, ze swoimi wątpliwościami. Niemogący znaleźć wspólnego języka z konformistami ze dworu, szuka odpowiedzi w sobie, czuje, że mógłby góry przenieść, gdyby tylko wiedział jak. Wewnętrzna szamotanina, ale przede wszystkim ta jego samotność w tłumie. Zamiast zasłony mogłaby być szklana szyba.

Odegrane, jak mówią Rosjanie, „duszoszczypatielno".

Początkowo ten Wysocki mnie drażnił. Nawet nie umiem powiedzieć dlaczego. Za szybko mówił, a ja z tym moim kulawym rosyjskim nie rozumiałam tekstu w połowie. Zbyt to było inne od moich marniutkich, jak dotąd, doświadczeń teatralnych. Może dzięki poniedziałkowym teatrom telewizji przywykłam do bardziej kameralnego odbioru? Rozumiałam świetnie wszystko, znam aktorów i wiem, jak się zachowują. Zamyślony i tylko czasem wybuchowy Zapasiewicz, Świderski, wielki mim, Englert, Mrożewski — są mi znani. Wiem, czego się po nich spodziewać. A ten, nie dość, że mówi po rosyjsku, to jeszcze jakoś inaczej podaje tekst. Dopiero po jakimś czasie zasłuchałam się, zapatrzyłam. Też ma zrywy, jak Olbrychski — głośne, gniewne, ale potrafi być taki czuły, nieszczęśliwy, bo sam i chyba bardzo mu brak ojca, żeby rozsądnie podjąć walkę z dworem. Zrozumiałam, jak ważną rolę w życiu Hamleta, każdego młodego władcy, odgrywa ojciec-autorytet, a właściwie brak ojca.

Moim autorytetem jest mama, ale oczywiście, żeby to pojąć, musiałam przejść okres buntu i „ja wiem lepiej, bo jestem dorosła". Jak Hamlet? Naturalnie, wyszłam oczarowana.

Wracaliśmy spory kawałek piechotą, zanim wsiedliśmy do metra. Milczałam, bo musiałam przeżyć to przedstawienie.

— Szymon, tyle ludzi! I patrzyli w niego jak w obraz! Ma charyzmę — to pewne. Ale i odbiorców, takich jak na sali, próżno by szukać za granicą.

— Myślę, że tak. Rosjanie to gorące, wrażliwe dusze. Bardzo porywczy, w dobrym tego słowa znaczeniu. Wiesz, że on w garderobie zastanie nie tylko kwiaty, czekoladki? Dostaje pudła kawioru, ręcznie haftowane rubaszki, mięso jelenia z dalekiej północy, jesiotra... od wielbicieli! Tak go kochają! A żebyś zobaczyła go na koncercie! Szaman, czarodziej. Robi z tobą, co chce!

— Coś ty? Trudno uwierzyć! A bije od niego już po sztuce, jak wyszedł się kłaniać, taka skromność, zwyczajność! Jak przedarła się do niego ta dziewczynka, nachylił się i słuchał uważnie, co mówiła, i był jakby tylko dla niej! Miłe.

— Jak ma występ śpiewany, to dopiero jest ekstaza! Wiesz, ktoś nam opowiadał, jak Wysocki odwiedził Ludmiłę Gurczenko. Pogawędzili i on wziął gitarę. Usiadł i zaczął, jak to on, grać i śpiewać. Ludmiła popatrzyła na zegar, pierwsza w nocy! Poprosiła córkę, by tamta zamknęła okna, bo Wysockiego głos mocny jest — sama słyszałaś. Córka wygląda przez okno, a tu miasto nie śpi, na ulicy kupa ludzi stoi i wołają: „Nie zamykaj! Prosimy! Daj posłuchać!". Ładne — co? Nie jest ci zimno? Chodź, tu jest stacja. Wracamy metrem, bo umrzemy, nogi mi odpadają. Chodź!

Metro bardzo mi się podoba. Stacje w marmurach, piękne jak pałace, a sam pociąg gna prędko. Tylko hamowanie okropne. Zatykam uszy.

Zasypiam pełna wrażeń, wzruszona i zła, że nie ma tu ze mną Tomasza. Szymon obiecał mi płytę z nagraniami Wysockiego. Przynajmniej mu puszczę i wszystko opowiem.

Ostatni dzień to Galeria Trietiakowska i spacer Arbatem.

W galerii Szymek ziewał i poganiał, bo dużo ludzi i on to widzi szósty raz. A ja chłonęłam. Orest Kipreński i pejzażyści, bardzo interesujący Wasiliew i jego *Mokre pola*, także wielkie oczy dziewczyny z obrazu Brubela *Łabędź*. A już Riepin! Stałam i podziwiałam.

Na piętrze najładniejszy był *Moskiewski dworik* Polenowa. Jak można tak operować światłem?! Fantastyczne! Dotychczas sądziłam, że mistrzem jest Szyszkin, ale ten Polenow... Janek ze Szczytna by mi się tu przydał, bo Szymon znudzony jak mops.

— Dobrze już! — Szymon chciał iść. — Kupię ci reprodukcję, tylko chodźmy już!

— Na pewno? Kupisz? Zrobię ci za to pasztet taki, jak lubisz.

— Ten w cieście? Mmmm! No, to kupię!

Ale nie kupił. W kiosku muzealnym były tylko pocztówki i odesłano nas do księgarni. Tam, niestety, nie było.

Arbat, ulica artystów i marzycieli, sprzedawców i kupujących, jest niesamowita. Jest piątek i mnóstwo ludzi. Chodzimy powoli, bo ja gapię się jak sroka na wszystko. Staję przed ulicznymi malarzami.

— Chcesz portret?

— Ja? A dlaczego ja...?

Już siedzę. Malarz uśmiecha się i prosi lekko przechylić głowę i patrzeć nie na niego.

— Diewuszka, bud'te takaja zdumanaja — prosi.

Zamyślona? O to nie trudno. Proszę, już się zamyślam. Szymon coś szepcze artyście, ten kiwa głową i zaczyna. Boże, ile to trwa! Drętwieję już cała. Szymon idzie do sklepu i wraca, niosąc w papierku pierożek z kapustą i w plastikowym kubku szampana! No coś takiego! Wariat! Kręcę szyją, artysta mnie uspokaja, że już, już! Już zaraz koniec! Wreszcie mogę podejść i zobaczyć. Patrzę i nie dowierzam. Ale świetny! Mój! Mój własny konterfekt — jakby to powiedział tatko!

— Szymek! To... ja? Powiedz panu, że...

— Sama powiedz!

— Ja wam skażu, szto wy... wielikij artist! Spasiba!

Artysta śmieje się i chowa do kieszeni pieniądze. Jest zadowolony, ale ja chyba bardziej. Jestem pyszałkowata? Narcystyczna? Strasznie mi się podoba! Powieszę go nad łóżkiem! Teraz wieszam się Szymkowi na szyi. Idziemy dalej. Na skrzynce chłopiec śliczny jak z obrazka stoi i recytuje Jesienina. Ludzie stoją zasłuchani, klaszczą wzruszeni, bo chłopię śliczne i ślicznie deklamuje. Dla mnie za słodko, za głęboko. Widać tak lubią. Obok karykaturzyści. Niezwykli, szybkimi ruchami tworzą podobizny pełne wyrazu, ukryte cechy portretowanych wyłażą nachalnie — nosy, bruzdy, brwi, usta. Świetni są. Mnóstwo handlarzy byle czym, no i ikonami — oczywiście.

— Wolno im tak?

— Oczywiście! To podróby!

— No, coś ty! Wyglądają na stare i deseczki z kornikami...

— Dziurki się robi miniwiertłami, a obrazek postarza. Cała sztuka polega na tym. Po to studiują na Akademii Sztuk Pięknych — kopiści. Niektórzy kupują deski na wsi ze starych stodół, żeby były naprawdę stare!

— A powiedzą, że to podróba?

— Swoim — może tak, turystom wmawiają, że to autentyki.

— I co?

— I nic! Na granicy adrenalina, nerwy, bo turysta przemyca. Później, jak wpadnie, nerwy, bo ikona idzie na badania, a jeszcze później też nerwy, bo okazuje się, że nówka, wczoraj malowana!

Wchodzimy do kawiarni. Szymon zamawia szampana i kawior. Ja syczę, żeby przestał się wygłupiać.

— Przestań, Baśka! W knajpie tani jest jak barszcz, a ty nie próbowałaś! Być w Sojuzie i nie jeść kawioru?

Dostajemy talerzyki, metalowe miseczki z lodem na wygiętych nóżkach, a w nich mniejsze, szklane, z tym kawiorem. Wygląda jak śrut. Nabieram na chleb posmarowany masłem i próbuję. I to ma być ten cud?!

— Smakuje jak tran, co mi go mama dawała...

— Wariatka.

— No co? Rybą jedzie i tłustawy jest, i mało słony. Tyle. Wolę śledzia w oliwie...

— OK, dobra, masz rację, ale jednak, powiedz, dobry? — dopomina się.

— Iii tam, da się zjeść.

— Wiesz, że potrafią już robić i syntetyczny? Czytałem w „Sputniku".

— Jak to?

— No, robi się żelowe, czarne kapsułki jak do witaminy A i wypełnia rybim tłuszczem. Taniej!

— Też coś! — wzruszam ramionami. Przereklamowany ten rarytas, a może sztuczny?

Później kelnerka przynosi bliny i śmietanę, i znów kawior, tylko czerwony.

— O, widzisz — chwalę z pełnymi ustami. — Znacznie lepiej!

To już mi bardziej smakuje. A takie bliny zrobię w domu. Mama ma przepis w swoim kalendarzu! Rozglądam się. W kawiarni właściwie sami turyści. Prawie nie widzę twarzy typowych Rosjan. Obok nas siedzi mama Rosjanka z synkiem, objuczeni zakupami, synek gmera w… miseczce kawioru. Trącam Szymona.

— No co? To tu normalny widok. Mówiłem ci, że w knajpie tani i zastępuje D3, no, tran! Dla zdrowia on to żre. Wolałby pewnie polędwicę albo kawał kiełbachy.

Dziwny kraj.

Szampan już dał znać o sobie. Jest mi weselej i lżej na duszy. Wracamy. Po południu na lotnisko i do domu!

Powrót właściwie taki sam, ale ja bogatsza o doświadczenie i mniej wylękniona, celnicy wolniejsi, a w samolocie coś, co się nazywa turbulencje, po których Szymon ma ślady po moich paznokciach, na samym wierzchu dłoni.

— Ciesz się, że nie korzystałam z papierowej torebki! — warczę, jak mi pokazuje krwawy ślad.

Żołądek skakał mi jak oszalały. Okropność! Już po wszystkim Szymon przygląda mi się i mówi, że ładnie mi w zielonym i że czasami tak właśnie jest w powietrzu.

— Dobrze, że pamiętałam pacierz. O matko! Nigdy więcej! Masz ten koniak od Romka?

— No już, już! — cieszy się i wyjmuje z podręcznej torby butelkę Białego Żurawia, czy też Bociana. O, przyjemnie! Lube ciepło wpływa we mnie, uspokajając nieco, a poskręcane z przerażenia trzewia rozkręcają się i układają jak należy. Modlę się, żeby już więcej takich atrakcji nie było, bo widziałam stewardesę niosącą torebkę do toalety… Dostałam gorącej herbaty i… uspokoiło się.

Dolecieliśmy już bez atrakcji.

W Warszawie na parkingu stał sobie mój samochodzik i nawet odpalił. W domu byliśmy w nocy. Kaśka, stęskniona, przytuliła się mocno i cieszyła z drewnianych matrioszek, wkładanych jedna w drugą. Powinnam koniakiem obłaskawić do reszty panią dyrektor, która wiedziała, że jadę do Moskwy na Wysockiego. Polonistka!

Zrozumiała potrzebę i dała mi zwolnienie.

Szymonowi pościeliłam w pokoju gościnnym. Jutro go odwiozę do Olsztyna. Nie miałam sił iść do leśniczówki, za późno, ale zasypiając, byłam myślami w ramionach Tomka.

Nazajutrz wstaliśmy rano i odwiozłam Szymka. Zdążyłam, bo Tomasz przyjechał na późny obiad, stęskniony i spragniony. Przy herbacie siedziałam z wypiekami na twarzy i klepałam wszystko i o wszystkim, jak egzaltowana nastolatka.

Mój Tomasz! Nie lubię go zostawiać na tak długo. Popołudnie spędziliśmy u nas w kuchni na opowieściach, a noc w moim łóżku.

— Bardzo się stęskniłam — szepnęłam przed snem.

— Ja też, ale jak mnie jeszcze raz tak zostawisz...

— Nie zostawię, przecież obiecałam! Teraz też cię nie zostawiłam.

— To się tylko tak mówi — mruczy i zasypia.

O tym, że w potańcówkach czai się zło…

Lato przeszło szybko. Miałam letników, Olę Karolaków na zwierzeniach, urodziny bliźniaków w oborze — krówkę i byczka, przetwory, i noce z Tomaszem. Rzadko spacer, jeszcze rzadziej kąpiel w jeziorze.

Za to razem z moimi letnikami często chodziłam na przystań do ośrodka, na wieczorne potańcówki. Tomasz czasami był z nami, ale jak to on, nie lubi zanadto takiej formy rozrywki. Nie tańczy. I o to poszło...

Kilka razy robił mi wymówki i nie trafiało do niego, że nie ma w tym nic nienormalnego, że ludzie tańczą.

— To potańcówka dla wszystkich, Tomasz, nic nie poradzę, że ty nie lubisz tańczyć. Ja lubię. To tylko taniec! Widziałeś w telewizji, jak tańczyła Mazurówna z Wilkiem, pod *Kochać*, Szczepanika? A ich nic nie łączy! Nic! Są tylko kumplami z baletu.

— Skąd wiesz?

— Bo Wilk jest „homo" i już dawno w Paryżu u Béjarta... — mówię, co wiem.

— A Arnold nie! — rzuca zaczepnie jak obrażony dzieciak.

— Tomasz, przestań. Ja tam chodzę potańczyć i tylko tyle! Jest lato, wakacje!

— Ale ty się malujesz! — prawie krzyczy i uważa, że to argument.

— I co?! To jakiś problem? Ja i do pracy się maluję, Tomek, o czym ty mówisz?

— No i po co? Dla kogo?

— Tu cię boli? Dla siebie, żeby się lepiej czuć!

— ...i podrywać facetów — dudni, wściekły już.

— Nie obrażaj mnie, bo pożałujesz!

I w tym tonie kilkanaście pyskówek za nami. Po co? Czy on na prawdę taki zazdrosny? Zaborczy? Nierozumny? Nic złego nie robię.

Później jakoś mu przechodziło, a ja nie czułam się winna. No bo czego? Że się dobrze, młodo czuję mimo wieku? Że lubię tańczyć? Że Arnold znów popisuje się ze mną na parkiecie? Złoszczą mnie te sceny. Czy ja mu zabraniam polowań? Picia wódy do białego rana z myśliwymi, gośćmi i jakimiś panienkami? A tak tego nie lubię!

Złośnik!

Arnold jakoś się zmienił. Zmężniał, zrobił się odważniejszy, bo czasem wypija w bufecie „małego". W ogóle odważniej i więcej pije, bo go kolejna panna rzuciła.

Nasza znajomość skończyła się tak:

Na jakiejś kolejnej dyskotece, na pomoście, żartujemy i ja chcę iść już do domu. Moi letnicy jeszcze zostają, a posterunkowy w cywilu odprowadza mnie. Jest chłodny już, sierpniowy wieczór. Mówię coś o moich letnikach, a on idzie, milczy, w końcu zbiera się na odwagę, obejmuje mnie i domaga się czułości.

— Arnold? A tobie co? Przecież jest jasne, że tylko tańczymy — mówię rozbawiona.

— Tak? Tak? — pyta dobitnie, chyba zanadto podlany. — Z każdym tak tańczysz? Baśka, przecież ty wiesz, co ja czuję, tyle lat mnie zwodzisz, patrz, laleczko, weszliśmy w lata...

— Ja weszłam. Ja jestem starą babą, ty jesteś jeszcze siusiak! Arek, ty masz dopiero dwadzieścia dziewięć lat. Chodziłeś z kilkoma pannami i co? Ja za stara dla ciebie jestem. O co ci chodzi? Przygruchaj sobie kolejną. Ożeń się, a nie latasz jak ten pies.

— Jeśli latam, to za tobą, i ty o tym wiesz, Baśka! — krzyknął i stanął wściekły. Naprężył się, żyły mu nabrzmiały.

Jest dziwnie. Późny wieczór, dookoła nikogo, po lewej stary cmentarz i tylko znad jeziora niesie muzykę. Arnold jest napastliwy, podpity jak nigdy. Obejmuje mnie za odważnie, za mocno, zanadto śmierdzi wódką, więc w końcu wycinam mu soczysty policzek.

— Zwariowałeś?! — krzyczę.

— Ty... ty, Baśka, co ty? — jest podrażniony, zły. Próbuje znów i tym razem rozrywa mi bluzkę. Wyrywam się i biegnę. Koło figurki zatrzymuję się nieludzko zmęczona, zdyszana. Nie widzę go. Idiota!

Dalej już idę szybkim krokiem. Dobrze, że będę przed letnikami. Trochę byłoby głupio wracać z dancingu w porwanej bluzce. Wstyd mi, że tak się stało, że nie zauważyłam, jak Arnold na mnie patrzy, jak pije. Że zachowuje się już coraz mniej powściągliwie. Nie powinnam tak ślepo ufać swoim pomysłom. To, że ja coś widzę lekko, niezobowiązująco, nie znaczy, że ktoś... Tym bardziej, że tańczymy bardzo dobrze, a taniec to jednak mowa ciała. Może moje ciało mówi mu za dużo?

Sprowokowałam go? Mamo? Też tak myślisz? Powinnam siedzieć w domu, przy piecu? Mamo! Lata mi idą! Trzydziestkę mam za sobą i... co? Z Tomaszem nie wiem, czy powinnam tak mocno, głęboko się wiązać, bo widzisz, jaki jest. Zazdrośnik okropny. Pozabijamy się o jakieś pryncypia, wymysły, jego chorą wyobraźnię, więc jest dobrze, jak jest. Już nie powinnam chodzić na tańce? Nie te lata? Tak? Może i tak...

Tomasz jest u mamy w Iławie. Jak to dobrze, że dopiero jutro wraca!

Nie sądziłam, że sprawy przybiorą taki obrót. Niestety, nocne zajście ktoś widział i opowiedział Tomkowi. Rozmowa była długa i przykra, zakończona prostą propozycją:

— Baśka, jeśli ci nie odpowiadam, spłynę! Chcesz kręcić z innymi — proszę!

Powinnam buzię w ciup i różaniec w dłoń?! Przecież nic złego nie robię! Cholera! Co za zaścianek! W Warszawie nikt by się nie czepiał. W Moskwie byłam z kolegą, po koleżeńsku. Nawet mi nie w głowie zaloty. Na tańcach tylko tańczę, chyba że inni traktują dancing jak pole toków godowych i zdobyczy. Ja nie!

Tomasz przywykł do męskich wypraw, męskich wódek, polowań, wypraw nad Biebrzę do znajomego leśnika na długie, męskie biwaki. Oczywiście z kiełbasą i bimbrem, i nie w głowie mu ciepłe gniazdko. A baby? Może i tam też bywają, ja się nie dopytuję... Kolejna awantura o te moje domysły.

— To pojedź ze mną i zobacz, czy tam są baby! Polowania to męskie wyprawy! Kobieto!

— To ty też nie bądź zazdrosny o moje prywatne życie!

— To nie takie proste, madame! Ty nie idziesz do koleżanek...

— ...drzeć pierza — kończę za niego i dodaję: — Już się pierza nie drze ani nie haftuje krzyżykami na przyzbach, a moje koleżanki mają mężów i nie zapraszają mnie, bo się boją, że im faceta uwiodę.

— I słusznie — mówi Tomasz.

— Tomek. Nie oskarżaj mnie o rzeczy niezawinione! Szymon to kolega!

— Kawaler i ślini się do ciebie!

— Jesteś niesprawiedliwy i bezczelny!

Znów kłótnia i niepotrzebne zacietrzewienie. Nocami kochamy się zapamiętale, szepczemy najczulsze słowa, przepraszamy, żeby później wdać się w idiotyczny spór! Jakiś absurd!

Postanowiłam to wyciszyć. Nigdzie nie chodzę, nie zapraszam Szymona. Arnold jest skreślony.

W końcu doczekałam się też osądu bliźnich. Wezwała mnie moja dyrektorka. Osoba konkretna, sprawiedliwa, mądra — tak ją odbierałam.

— Pani Basiu, proszę do mnie, do gabinetu! — powiedziała, wychodząc z pokoju nauczycielskiego.

Poszłam. Nie miałam pojęcia, w czym rzecz, ale nie było to chyba nic miłego, sądząc po jej wyrazie twarzy.

— Proszę usiąść. Pani wie, że ją cenię jako nauczycielkę, człowieka, ale doszły mnie słuchy, że pani się wdaje w złe towarzystwo, bierze udział w tych potańcówkach nad jeziorem, w jakichś szarpaninach. Moja złota! To małe miasteczko i rodzice nie chcą, żeby taki ktoś uczył ich dzieci! Ja rozumiem, że pani jest samotna, ale na litość boską, trzeba się szanować!

Moje tętno przekroczyło próg bezpieczeństwa, a purpura na twarzy była żywsza od radzieckiej flagi.

— Toteż właśnie w obronie mojej reputacji i szacunku musiałam dać odpór pijanemu mężczyźnie. To było nieledwie kilka dni temu, były jeszcze wakacje, a moi letnicy spragnieni tańca. Nic złego nie widzę w tym, że tańczyłam i ja!

— No, ale widać z nieodpowiednim partnerem, skoro tak się musiało to skończyć — powiedziała to z przekąsem, jakby z góry skazując mnie na potępienie.

— Pani dyrektor, to on mnie napastował i zastanawiam się, czy w pracy też dostaje takie moralne upomnienie od zwierzchnika. Bo to on się zachował jak cham, a ja się tylko broniłam. Czemu jestem winna, skoro jestem ofiarą?

— Bo nie powinna pani dopuszczać do takich sytuacji!

— A gdyby to pani była w takiej sytuacji?

— Pani Basiu! Za dużo pani sobie pozwala! Ja nie zawieram takich podejrzanych znajomości!

— Ależ pani go dobrze zna i chyba nawet lubi! — odpowiedziałam zdziwiona. — To nasz komendant posterunku.

— Proszę? Matko Święta! Arnold?!

— Zakończmy, pani dyrektor. Ja się powściągnę, a on powinien dostać opeer za chamstwo. Był w cywilu, ale to go nie upoważnia. Obiecuję poprawę. Przepraszam.

Za moimi plecami huczało jeszcze ze dwa tygodnie, a Tomasz był w swoim żywiole.

— No, bo sama chciałaś! Już dobrze, dobrze. Zapomnijmy!

Nachyla się i całuje, patrzy zalotnie, znów jest taki mój, mój na amen, bez kłótni i sporów!

Często teraz przyjeżdża po mnie bryczką, bo ją wreszcie wyreperował.

Poznaję dalsze okolice niż moje rozlewisko. Jeździmy po lasach i polach, daleko w dzikie, łowieckie tereny. Teraz w miasteczku huczy o mnie i o nim. Pani dyrektor taktownie milczy. Uff! Całe szczęście. Zresztą nie afiszujemy się. Zna nas zagajnik świerkowy, wyrąb, piaskowa górka, zakola strugi leśnej i sam las. Do miasteczka jeździmy osobno.

Lubię te przejażdżki. Las jest wielki i piękny. Ma mnóstwo tajemnic. Zdarza się, że wyjeżdżamy zza zagajnika, a na polanie stoją sarenki i gapią się zdziwione. Całe stadko! Nie uciekają. Leniwie lezie kobyła, bryczka kołysze się miarowo, Tomasza nic nie goni, jest tylko mój i możemy się przytulać i rozmawiać. Powietrze pachnie żywicą, nagrzane, wonne, późnoletnie.

W bryczce zapominamy się, rozcałowujemy, Tomek rozpina mi bluzkę. Ciągniemy koc pod drzewo i opadamy gorąco rozpaleni, spragnieni. Moja spódnica... i, na szczęście, jestem wierna pończochom... guziki jego spodni... Już! Trzask! Jakaś gałązka pęka od naszych rozkołysanych ciał. Szepczę jego imię spazmatycznie, bo mi tak dobrze...

— Auuuu! — krzyczę, ale to dlatego, że chyba czerwona mrówka ukąsiła mnie w udo, i zaraz druga w pupę. — Szlag! — śmieję się.

Tomek też, i wysysa mi jad z ukąszeń. Jest bosko, chociaż szczypie niemiłosiernie! Opadamy na koc i zaraz uciekamy. Czerwonoskórzy są dookoła! Gryzą.

Znajdujemy grzybne zakątki, polanki pełne kań, zapamiętujemy miejsce, żeby tu przyjechać ponownie, z wielkim koszem. Trzeba już robić grzyby na zimę...

Wrzesień. Jeszcze ślicznie i ciepło. Końcówka lata. Powietrze ciężkie od zapachów, a stragany ciężkie od jarzyn i owoców, w maminym sadzie gałęzie gną się od śliwek, jabłek i gruszek wołających o słoje. Jestem szczęśliwa i robię szczęśliwe przetwory. Stoją jak żołnierze w spiżarni i coraz ich więcej!

Ciekawie wyglądają różowe gruszki. Wyszły mi niechcący. Został mi słodki ocet po śliwkach węgierkach. Różowy. Niewiele myśląc, zalałam nim obrane gruszeczki z ogonkami, te, co rosną obok dróżki do babci Bujnowskiej. Zdziczałe bergamutki, chyba… I tak pięknie wyszły w tym kwaśno-słodkim syropie!

Tomasz wpada wieczorami i asystuje nam w kuchni. Obiera grzybki albo gruszki, kroi cebule, czosnek. Kaśka wtedy idzie na telewizję. Woli jakikolwiek film niż obieranie gruszek! Tomasz zanosi słoje do spiżarni, a mnie z łazienki — do łóżka. I tak jest dobrze!

Rozstanie

Kolejna awantura sprawiła, że Tomasz trzasnął drzwiami i... przeniósł się pod Bisztynek. Poszło o Szymona. Naturalnie. Bo o kogo?

Szymon przysłał pod koniec października telegram: „Dziadek zmarł — przyjedź, proszę! Rodzice w Jugosławii". Tomasz się boczył i nie rozumiał, dlaczego mam jechać. Pojechałam mimo to i... była kolejna pyskówka.

— Tomek, jakoś nic nie mówiłam, jak Lidka przyjechała tu na kilka dni, rozmawiać o rozwodzie?

— To co innego. Wiesz, jak wyglądają sprawy. Ja z nią nie sypiam!

— A ja ci wierzę, więc i ty uwierz mi!

Niestety wyciągał jakieś idiotyczne argumenty i ścięliśmy się ostro. I tak pojechałam, bo przyjaźnię się z Szymkiem i nie mam na sumieniu nic, poza koleżeńskim pocałunkiem — cmoknięciem, poza objęciem też koleżeńskim. Mam się tłumaczyć?! Kajać? No, nie!

Życie mnie zaskakuje, ludzie tym bardziej. Sądziłam, że się pogodzimy, a tu nie! Pan Tomasz obraził się na dobre, miał zły dzień i wysmażył to pismo o przeniesienie. Palant! Kretyn! Nic mi nie powiedział, bo się nie odzywał. Nawet w Zaduszki na cmentarzu tylko skinął głową. Przecież nie będę za nim latać i tłumaczyć się!

Podtrzymałam Szymka na duchu, zanim przyjechali jego rodzice z Dubrownika. Rzeczywiście nie potrafią na tyłku usiedzieć! Wieczne wyjazdy. Korzystanie z dawnych układów. Mają forsę, niech tam...

Zostawiłam go z rodzicami, a w tym czasie załatwiliśmy zaświadczenie od milicji i lekarzy, że dziadek Ludwik zmarł w domu „na śmierć". Po powrocie czekała mnie hiobowa wieść, że Tomasz „...zostawia mnie, żebym w końcu urządziła sobie życie, jak mi wygodnie". List napisał na kartce wyrwanej z zeszytu.

Wściekłam się.

No, tego już za wiele! Odpisałam mu, że skoro jest taki, nie powinniśmy się ze sobą wiązać. Później się popłakałam. Beczałam tak długo, aż usnęłam. Nie rozumiem! To ponad moje siły. Podobno kochał na zabój, podobno byłam jego marzeniem, a teraz po prostu obraża się o nic i wyjeżdża pod Bisztynek?!

Złoszczę się i popłakuję na zmianę. Czuję się zraniona. Moje oddanie, moja miłość została oszukana! Moja uczciwość, kryształowa po prostu, wystawiona na szwank. W takiej sytuacji dałam sobie czas na rozpaczanie, a później zabrałam się za konieczne prace.

Co mam zrobić?! Błagać? Tłumaczyć się po raz setny? Widać niedany mi spokój u boku Tomasza. Nie dorósł?

Mój zegar tyka...

W soboty, i niedziele nawet, robimy z Kaśką porządki przed zimą. Muszę kupić więcej słomy i siana, bo postanowiłam hodować cielaki-bliźniaki. Chcę je wiosną dobrze sprzedać, i syrenę też, jak będzie kupiec, i zakręcę się za czymś innym.

Naturalnie, pomoc Piotra będzie nieoceniona. Może odkupię od niego wartburga? A może malucha? On sobie coś nowszego szykuje — tak mówi. Marzy mu się volkswagen golf. No, no, jaka Europa!

Mój kapitał na razie stoi w oborze i majta ogonami. Krowa znów cielna, więc wiosną będzie jeszcze jedno, i więcej pracy. Trzeba zrobić porządki na stryszku w oborze, bo bałagan sprawił, że myszy latają jak opętane.

Jutro chłop z Elganowa przywiezie mi poślad i śrutę. Będziemy ładować to na stryszek. Pojutrze obiecał słomę. Z sianem się nie spieszę, bo mamy jeszcze sporo własnego z naszych łąk.

Ładny ten listopad, mimo wszystko. Mam masę czasu na obserwowanie pól przed oknami, gdy piję kawę rano, obieram owoce do słoi, czyszczę grzyby, obieram włoszczyznę czy po prostu stoję i patrzę za okno. Ile mam wtedy myśli, jak wszystko układa mi się w całość. Już nie jestem taka „w kawałkach" — jak wtedy, gdy przyjechałam z Torunia, popękana, obolała, słaba.

Jest ciągle ciepło, więc las rodzi grzyby i rodzi, a my — ja i Kasisko — powinnyśmy z sierpami na nie. Tyle ich!

Naturalnie rano jest chłodniej, ale potem się ociepla na tyle, że wystarczają nam serdaki i lekkie bluzy. Kalosze koniecznie, bo trawa i zakamarki leśne — mokre.

Pięknie wyglądają te liściaste części lasu, bo nawet w bezwietrzny dzień, w słońcu, widać, jak liście łagodnymi ruchami spadają w dół. Jakby się huśtały w ciepłym powietrzu. Pod brzozami tyle żółtych i rdzawobrązowych listków, że koźlarzy prawie wśród nich nie widać, trzeba się nieźle naszukać.

Na wyrębie wciąż zielono. Pióropusze paproci (mokro tu, lekko bagniście) wciąż piękne i wielkie, jak zielone gejzery. Ta część podmokłego lasu wygląda dziko, groźnie. Dalej znów młodniaki i polanki. Te w środku zagajniczka są cieplutkie, bo osłonięte od wiatru. Na piaskowych łatach, nieporosłych wrzosami, widać odchody saren (drobne) i... łosi! (spore!). Koło dębów widzimy duże stado łań z młodymi.

Było ich ze trzydzieści, i dopiero jak trzasnęła nam pod nogami jakaś gałązka, popatrzyły na nas i niespiesznie pobiegły w głąb lasu.

Mamy w koszach sporo turków, kilka koźlarzy i jednak dużo opieńków. Bo to późna jesień. Będą doskonałe do usmażenia na patelni.

Prośnianek, czyli zielonych gąsek — zatrzęsienie! Muszę baczniej przebierać, bo Kasia się myli i zbiera też parszywce. Wracamy do domu. We włosach mamy masę szpilek i pajęczyn, łapy brudne, ale uśmiechamy się. Udany wypad!

Teraz siedzimy przy stole i Kasia wycina nożyczkami z tekturki maleńkie kwadraciki, którymi przetykam kapelusze podgrzybków i koźlarzy, nanizując je na nić. Kasia robi to uważnie, kwadraciki są równiutkie i zagięte w połowie. Tak robiła mama.

Na kiju od szczotki położonej na oparciu krzeseł wiszą nasze grzybne sznury i pachną. Na obiad oczywiście fitka i racuchy z jabłkiem. Fitka — tak mama nazywała zupę ze świeżych grzybów.

FITKA, ZUPA ZE ŚWIEŻYCH GRZYBÓW

To bardzo łatwa zupa. Można zrobić wywar z czegokolwiek — skrzydełek, świńskiego ogona, skórki, żeberek, z wołowego ochłapka albo tylko z włoszczyzny.

Pokroić trochę marchewki i pietruszki (dla urody), sporo cebuli. Mama przekrajała dwie cebule na pół i wyjmowała, jak już były miękkie. Oczywiście ziemniaki pokrojone w kostkę i grzyby. Ile się ma. Maślaki raczej nie. Sól, ziele angielskie, listek bobkowy i pieprz, na końcu. Także śmietana, nie za wiele. Mama, bywało, zaciągała taką zupę żółtkami albo wzbogacała lanym ciastem.

Czasami mama robiła do fitki maleńkie pulpeciki z wołowiny, która została z rosołu.

Czuję wielką potrzebę chodzenia do lasu.
Ciągnie mnie tam trochę niewytłumaczalnie.
Jest ładna pogoda, tylko nocami pada. Akurat aura dla grzybów i tajemnic. Las wchłania moje problemy. Chodzę po ścieżkach, znanych mi zakamarkach i oddycham pełną piersią lekko wilgotnym, aromatycznym powietrzem. Gdzieniegdzie ściółka jest bardzo nasiąknięta wodą. Mech sprężynuje jak gąbka. Ma kolor malachitu.

Jestem tu niby sama, a jednak otacza mnie żywa tkanka. Wszystko dookoła mnie jest żwawe, tętniące resztką życia przed zimowym snem. Znów lecą gęsi, klucze żurawi, gdzieś daleko, gdzie będzie im cieplej. Siedzę na pniu i patrzę w górę. Wszystko się powtarza. Za rokiem rok. Sen i odradzanie, kwitnienie i owocowanie.

Łzy już mi obeschły, bo oczywiście znów sobie popłakałam. To dobre łzy. Dojrzałe, kobiece, gorące. Czego mi brak w życiu?

Tomasza i tylko jego. Byłby moim dopełnieniem, a ja jego. Wciąż tego nie rozumie!

Nie mam wpływu na jego męską ambicję? To nie! Kocham go. Bardzo. Tęsknię i dlatego beczę. Ciężko mi na duszy i samotność znów mnie podgryza. Sama, sama, sama. Widocznie to mój krzyż! Muszę jeszcze poczekać…

Wstałam i rozprostowałam się. Jaki spokój! Leśna cisza. Znad podmokłego wyrębiska wzniósł się opar. Jest bajkowo, dziwnie.

Weszłam w brzeźniak. Brzozy ze swoją białą korą zawsze przypominają mi kobiety. Gospodynie w białych, krochmalonych fartuchach. Przez dziurki misternego haftu przebija czerń sukni, jak u mamy, Jakubowej, Felicji… A może te brzozy to one? Zamknęłam oczy. Wyraźnie czuję, że nie jestem sama. Są ze mną kobiety mojego rodu i te z mojego życia — stare, mądre, które przeszły już na drugą stronę bytu, ale są tu! Czuję to coraz wyraźniej!

Jakby w trosce o mnie, jakby… to był jakiś obrzęd. Dotykam pnia każdej brzózki. Ta jest gładka jak ręce mamy, a ta szorstka jak ręce Jakubowej, a ta? Może to nieznana mi babcia? Kim jestem? Staję się taka jak one za życia? I zupełnie nagle, z haustem powietrza — bo ja wiem? — poczułam moc. Jakby weszła we mnie prakobieta. Pramatka. Nagle moje widzenie się poszerzyło, pogłębiło. Poczułam się mądra — pradawną, kobiecą mądrością. Poczułam swoją wartość i siłę. Swoją Prawdę.

Nie jestem niczemu winna! Jestem kobietą, jest mi przypisana cielesność, biologiczna miłość, mam piękne serce, które potrafi kochać i współczuć, a na dodatek, jestem przyjacielska, szczera i dobra! Nie ma we mnie żółci, nie kłamię i nie judzę. Nie oszukuję. To jest moja moc! Jestem… Kobietą--Wiedźmą! Bo…WIEM!

Ja czuję, że wszystko ułożyło mi się w głowie w proste, życiowe mądrości.

O Boże! Aż mnie zatkało na chwilę ze wzruszenia, a później znów wzięłam wielki haust powietrza do płuc i zawołałam głośno:

— To ja!!!

— Aaaaa — odbiło echo mój potężny okrzyk.

— Wrócisz do mnie! — wrzasnęłam.

— …o mnie, o mnie, nie, ee — znów echo i cisza.

Wracałam już inna. Szłam pewnie, dobitnie, radośnie. W ręku trzymałam kijek, jak czarodziejską pałkę, jak kostur do czarów. Uśmiechałam się.

Bez bólu już patrzyłam na lecące gęsi. Czułam niemal, jak one lecą. Jak pracują skrzydłami. Rozumiałam też lot. Czułam się ich siostrą. Jestem Wiedźmą, bo wiem o sobie tyle, ile powinnam, czuję własną siłę! Teraz zacznę słuchać mojego wewnętrznego głosu, nauczę się rozumieć świat szybciej. Żaden Arnold, żaden głupek nie zrobi mi krzywdy.

A Tomasz? Tomasz, jak chce być ze mną, sam musi zmądrzeć. Musi pojąć, że go kocham, a jego zazdrość jest oznaką słabości i że żadna nie będzie go tak kochała jak ja, a jeśli mnie nie chce, to… To głupi jest i niewart mnie! Mój Boże! Łatwo tak powiedzieć!

On, jak ja, musi się spotkać ze swoją siłą, mądrością i pragnieniami. Wtedy do mnie wróci! Byłam pewna tego, że zmądrzeje. A jak nie? Odprawię czary.

Rozbawiło mnie to. Czary!

Polatam na miotle, zaparzę ziół, rzucę urok! Wyszepczę zaklęcie w księżycową noc, a on to poczuje.

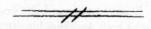

Minął rok.

Rzeczywiście bardzo się zmieniłam od tamtego spaceru. Jestem silniejsza. Mam więcej energii, chęci do spraw trudnych i do każdego wysiłku. Wiem, jak mam postępować, rzadko się waham i widzę, że ludzie inaczej mnie traktują. Czuję w sobie moc i wolność. Chodzę z podniesioną głową, rozmawiam na ulicy ze znajomymi i sąsiadami szczerze i odważnie. Czasem zaśmiewam się głośno.

Ludzie szepczą po kątach, toną w domysłach, ale nikt mi nie uchybi! Jestem samotna.

Nie mam adoratora i dobrze mi z tym! Szymon ma dziewczynę i bąka coś o ślubie. Arnold czeka na syna, bo córeczkę już ma. Mówi mi „dzień dobry" i to wszystko. Tomasz mieszka i pracuje pod Bisztynkiem. Wpada rzadko i jest oficjalny. To szczeniackie. Trudno. Nie rozumiem, ale trudno, nie klęknę przed nim! Jego okręg przejął stary pan Krzysztof z Pasymia.

Kupiłam używanego malucha, który stoi zepsuty w warsztacie. Większych zmian nie ma...

Pod koniec listopada tak lunęło, zmarzło wszystko, że aż nieprzyjemnie wychodzić. Zlane zimnym deszczem drzewa, uginają się teraz pod girlandami szklanych sopli. Pięknie to wygląda, jak kryształowe żyrandole. Jak scenografia do baletu *Królowa Śniegu*.

Ja i Kaśka już nie chodzimy na opieńki. Sporo ich jest w spiżarni. Ziąb i wietrzysko, jakby się ktoś obwiesił. Utykamy okna watą, jak co roku, i zalepiamy gazetami. Kaśka tnie je w wąskie paski i smaruje wodą zagotowaną z mąką. Podaje mi, a ja, skacząc po krzesłach i stołach, zaklejam szpary. W sklepie jest jakaś nowoczesna taśma, ale mamine sposoby są najlepsze.

Nagle widzę, że zatrzymuje się przed naszym domem Stefan Karolak.

— Cześć! — wołam do niego. — Stało się co?

— Stało — mówi i spostrzegam, że jest cały zielony, wargi mu drżą. — Dopiero co odwieźli Olkę do Szczytna — rzuca nerwowo.

— Rodzić?

— Urodziła w domu. U Bujnowskiej, a tam, Jezus! Co za Sodoma! — powiedział i objął się teatralnym gestem za głowę.

Olka Karolaków była moją ulubienicą. Jako moja uczennica w szkole — grzeczna i pilna. Na biologii zawsze zaangażowana i rozumiejąca więcej niż pozostali. Także jako nasza sąsiadeczka — bardzo miła i serdeczna wobec Kaśki. Była naszą koleżanką, jakby siostrą, do czasu, kiedy zakochała się w Janku, wnuczku babci Bujnowskiej.

Janek był dziki i wredny, ale bardzo przystojny. Czarny, tajemniczy i milczący. Było mu na rękę, że Ola łazi za nim, że omotuje go swoją zaborczą miłością, romantyczną i głupią, szczerze mówiąc. Wtedy Ola jakoś odstała od nas. Przestała przychodzić, zwierzać mi się. Zamknęła się w sobie. Może wyczuła moją dezaprobatę dla tego związku? Niechęć, jaką czułam do Janka?

— Olu. To okropny facet — tłumaczyłam jej. — Nikogo nie uszanuje, babkę traktuje jak służącą i ciebie też tak potraktuje. Zniszczy cię!

— Nieprawda! On mnie kocha. Ja go zmienię, udobrucham! On w środku jest dobry, tylko pokaleczony! Jego trzeba kochać i on się zmieni! — paplała jak nawiedzona i była głucha na wszystkie argumenty.

Żeby wyjść za Janka, zrezygnowała ze studiów w Białymstoku, które sugerowała jej nauczycielka. W końcu rodzice ulegli i wyprawili jej wesele. Promieniała, a Janek nawet się zachowywał grzecznie, elegancko… Zamieszkali pod lasem u babki Bujnowskiej. Było pięknie. Janek pracował w mleczarni jako wozak, później w cegielni. Ola nosiła brzuch. Janek pokazywał się latem w mieście z żoną i wózkiem, ale już wkrótce go to znudziło i zaczął chodzić na przystań, do bufetowej. Pił z chłopakami, strzykał śliną i szedł z bufetową do niej, na górkę, kochać się.

Ola nic nie wiedziała, bo miała mnóstwo roboty w obejściu i przy drugim już dziecku. Schudła, straciła zęby, zbrzydła. Już nie czytała na głos książek wieczorami, tylko kąpała dzieci, obierała ziemniaki, taszczyła wiadra ze świńskim żarciem do chlewa. Rósł jej trzeci brzuch. Nie odzywała się do nikogo. Zacięta, obolała, rozczarowana.

Janek, jak nie z chłopakami, to w lesie na rybach. W domu rzadko. Praca w obejściu go mierziła. Gnój z obory Ola wywalała sama w zaawansowanej ciąży. Babka chorowała już od wiosny. Teraz jesienią już nie wstawała z łóżka. Jeszcze jeden doszedł Olce obowiązek. Mycie, karmienie i wynoszenie kubłów z babki odchodami. Biedna Ola. Nie dała sobie pomóc, burczała na wszystkich, zawzięła się w sobie. Patrzyła spode łba.

— Mów, Stefan, co się stało! — trącam go.

— Zajechalim wczoraj z matką, a tam, Baśka! Szkoda słów! Taki dziś dzień był wredny, mokry. Może jej drzewa nanieść, przy Bujnowskiej pomóc? A tam, babka w łóżku, sztywna już, a Olka w swoim z dzieciaczkiem urodzonym, cała we krwi, śpi nieprzytomna, w gorączce.

— A Janek?

— A grom go wie! Mówił pracownik z tartaku, że podjechał do ogrodzenia, na rowerze, pijany, i gadał coś, żeby do nich do domu pojechać. Zanim co, to parę minut zeszło, nie wiedzielim, że taka sprawa. Skoro sam zajechał, znaczy się Olka prosi… Taki skurwesyn! Basiu! Gad taki! Musiał widzieć, że Olka porodziła, że babka nie żyje… Jezus, jak my się wystraszyli! Olkę i dzieciaczka w kołdry i do szpitala, a teraz tam ojciec i matka z milicjo pojechali, bo babka nie żyje… Ja tu zajechał, bo mi nerwy formalnie puszczajo. Zabiję, jak go zobaczę! Kurwa jego mać!

Nie mogłam wydusić słowa. Jak to? Janek był tam? Zobaczył żonę po porodzie i nie pomógł? Pijany pojechał do tartaku, żeby inni się zajęli jego martwą babką, jego żoną? Dziećmi? Mój Boże! Wyjęłam z kredensu nalewkę i nalałam sobie i Stefanowi.

— Dzieciaczek żyje, mówisz? A tamte małe? — przypomniałam sobie.

— Damianek i Dominika? Siedzieli wystraszone w pokoju, pod kołdrą. Toć zimno było jak w psiarni, piecy wystygli, a Ola im nie kazała do nas łazić. Za małe oni! Jak psiaczki takie tam siedzieli i patrzyli. Mówili, że tata był, ale napity… Zabiję go, Baśka! — i popłakał się, krótko, po męsku.

Janek pojawił się po kilku dniach i sam poszedł do tartaku po swoje. Karolakowa dzieci mu nie oddała, mężczyźni — cud, że go nie pobili. A jak Ola wyszła ze szpitala, została jeszcze jakiś czas u matki. Niema i jakby głucha. Szara i obolała psychicznie. Z nikim nie chciała rozmawiać, więc dałam spokój z moją misją. Musi się uspokoić.

Spadł śnieg. Już grudzień, to jakby normalne. Przysypał wreszcie ten brud, to błoto, te okropne historie. Padał ze dwie noce, więc naprawdę jest ładnie. Biało, czysto. Jakiś nowy etap? Lepszy czas?

Imieniny w tym roku zrobiłam kameralne, jak nigdy. Szymek nie mógł przyjechać, Tomasz od dawna w Bisztynku, Wanda już od lat nie przyjeżdża. Jakoś nikt nie był zdziwiony. Był Jan z Jadzią, kilka osób z mojego małego grona przyjaciół. Pogadaliśmy, pojedliśmy moich smakołyczków i posłuchaliśmy muzyki. Do tańca nie było nastroju.

Czas snuł się powoli, dzień za dniem mijał już bez rozpaczy, żalu, ze spokojem i myślami. Naturalnie, że tęsknię. Kocham, to i tęsknię, ale muszę poczekać na niego. On dojrzeje. Zrozumie! A jak nie — pomogę mu!

Kaśka ma grypę. Staram się być w domu, żeby nie łaziła sama do kuchni. Podaję jej napar z czarnego bzu z miodem i aspirynę. Bardzo lubi, gdy się o nią dba, jak trzymam rękę na jej czole. Ma bardzo obłożone gardło, więc zupy jej miksuję, bo kupiłam sobie mikser!

Mija kolejny grudzień, mija kolejny rok…

Zbyszek, Hanka i Piotr już są na posterunku świątecznym. Kaśka cieszy się, że już jestem. Źle jej, gdy mnie długo nie ma. Pokazuje mi kartkę z poczty.

Zawiadomienie… Och, mamo! Będę miała telefon! W domu! Nareszcie! Tatku! Szkoda, że do nieba nie da się dzwonić! Teraz będzie mi łatwiej rozmawiać z rodzeństwem, z Szymonem, a nie gadać z pokoju nauczycielskiego, pod czujnym uchem wszystkich, albo latać do leśniczówki, na pocztę. Cieszymy się ogromnie. Jaki prezent dla nas wszystkich na gwiazdkę!

Znów kuchnia cała zaparowana, znów dom pachnie pastą do podłogi i czystością. Na wyrębie wycinamy małą choineczkę. Duża już nam niepotrzebna. Ta rosła w cieniu wielkiej, i tak by zmarniała.

— Ale się zrobiłaś ekologiczna! Ekologia! To teraz modne! — śmieje się Piotr.

— Inna jestem, wiesz? Coś mi się takiego zrobiło, Piotr, że wszystko nagle zrozumiałam, pojęłam, a jak nie — nie złości mnie to.

— Stoicyzm to cecha filozofów!

— Jaki tam ze mnie filozof! Czuję się jak „starsza" we wsi. Rozumiesz, co mam na myśli?

— Basiu! Ja się o ciebie boję! Takie jak ty palono na stosach!

— Piotruś! Przestań żartować! Nie potrafię nakłonić serca Tomasza, żeby zmądrzało… Nawet zieloną zupą z lubczyku…

— Hmmm. Nie poradzę ci w tym względzie, ale rozumiem.

Piotrek jest taki współczujący! A Hanka dyskretna. Nie zapytała ani o Szymona, ani o Tomka. O żadnego zalotnika. Widzi, że jestem sama.

Śnieg stopniał rano, w dzień wigilijny. Nie poszliśmy na pasterkę, byliśmy zmęczeni. Zmówiliśmy modlitwę, zaśpiewaliśmy kolędę i poszliśmy spać. Dziwne.

Może to nasz wiek? Brak sił? Ta plucha za oknami? Leżałam w łóżku senna, ale zmartwiona. Nawet nie przyjechał złożyć mi życzeń?! Dziwne. Przykre…

Drugiego dnia świąt żegnam Hankę, Zbyszka i Piotrusia. Zostajemy same. Dojmująco brak mi Tomka. Miłości. Idę do leśniczówki, do pana Krzysztofa, co tam teraz urzęduje od czasu do czasu. Może coś wie?

— Witam, pani Basiu! Szczęście, że mnie pani zastała! Przyjechałem nakarmić psy, bo ja mieszkam w Pasymiu. Nie była pani u mnie, a szkoda! Żona by się ucieszyła. Przyszła pani spytać, co z Tomkiem?

— Tak — odpowiedziałam nieco zdziwiona. Czerwona.

— Już dobrze. Ma nogę w gipsie i odzyskał przytomność. Ogólnie wywinął się, ale samochód w drzazgi! Wariat!

— Proszę?! Nie wiem, co się stało? Co z nim?

— Ano, kilka dni wstecz, jakoś przed świętami, ścigał kłusowników i roztrzaskał się o drzewo. Dobrze, że tamci przyzwoici, dali znać, bo byśmy go nie znaleźli! Zamarzłby! Najgorsze, że był podcięty! Nadleśnictwo nie chce mu darować, że wsiadł do wozu napity! Po co go tam zaniosło? Źle mu tu było? I mnie nie na rękę dwóch gospodarstw doglądać! Ja za stary już jestem, a zastępstwa nie ma. Jest ten Heniek stażysta, ale on sam sobie tu nie poradzi… Po co ten Tomek tak gnał? Pies ich trącał, kłusowników jednych, pogoniłby drugi raz! Szkoda zdrowia. No i że pił…

— Wszyscy jeżdżą napici! — prawie krzyknęłam. — Gdzie leży?

— W Biskupcu. Na ortopedii.

— Zawiezie mnie pan? Bardzo proszę, mam samochód w warsztacie!

Zawiózł. Weszłam na salę. Święta, więc prawie pusto, tylko jakiś dziadek też połamany.

— Coś ty narobił? — szepczę i nachylam się nad nim.

Odgarniam mu włosy. Patrzy na mnie, jakby nie rozumiał, co tu robię. Pan Krzysztof dziwnie się poczuł. Chyba on jeden z całego Pasymia nie wiedział, co było między nami, więc wycofuje się dyskretnie:

— To ja na papieroska pójdę.

— No — kontynuuję. — Co cię napadło?

Tomek nic nie mówi, tylko patrzy. Nie uśmiecha się. Nie rozumie, czemu tu jestem, przecież jesteśmy na siebie obrażeni!

— Rozwaliłem samochód — mówi w końcu.

Patrzę z politowaniem na faceta, który zamiast kochać się ze mną, żyje samotnie, totalnie obrażony nie wiadomo o co, gania po lesie złodziei i rozbija służbowe samochody. Leży w szarawej pościeli, spranej, z rozerwaną powłoczką zaszytą ręką dobrej, szpitalnej szwaczki. Biedne te nasze szpitale!

Na stoliku kubek, też szarawy, z pomarańczowo-brązowym szlaczkiem. Brzydki. A w nim resztka herbaty. Ohydnej, szpitalnej. Mój Tomasz! Powinien być ze mną w domu, a nie tu...

— Umyję ci kubek — mówię i idę do umywalki.

Nie wiemy, co powiedzieć. To znaczy ja wiem, co mogłabym, ale po co? On to najpierw musi wymyślić.

— Jak to się stało? — pytam, siadając obok.

Odwraca głowę. Milczy. Ja dotykam jego dłoni. Jest ciepła. Taka... moja. Trzymam go.

— Pojechałem do lasu napić się. Trochę. Ciężko mi tam, Basiu. Mieszkam kątem u starego leśniczego, jak jakiś stażysta. On ma jeszcze pół etatu i traktuje mnie jak wroga. Mama już nie mieszka z ciotką. Obie przeniosły się do sióstr, do domu opieki. Sprzedały mieszkanie i wio! Do zakonnic, na dożywocie. Myślałem, że ciotka zapisze mi to mieszkanie, że się przeniosę do Iławy, zmienię zawód. Zapomnę o wszystkim. Psiakrew! I jak piłem, to zobaczyłem, jak spod krzaków odjeżdżają. Farba była na masce z tyłu, na piachu... Krew znaczy. Pognałem za nimi i się zawinąłem na śliskim. Samochód rozwaliłem. Służbowy.

— Ważne, że ty żyjesz, pacanie.

— Nadleśnictwo mi nie podaruje. Będę musiał odkupić, zapłacić, a jeszcze mogą dyscyplinarkę za tę wódkę. Ale ja niewiele!

— Ta ziemia pod samym lasem, obok rozlewiska, jest twoja?

— Moja, a co?

— Nic. Graniczy z moją. Odkupię ją od ciebie, będziesz miał na pierwszą ratę.

— Mam dostać pieniądze za konie. Sprzedałem je...

— Żartujesz?!

— Będzie na spłatę jakoś... później rozłożą mi na raty czy jak.

Weszły roześmiane, młode pielęgniarki z wózkiem.

— Kolacja, panowie! Panie Tom... — urwała na mój widok jedna z nich, ładna, ruda, z kręconymi loczkami.

Patrzymy na siebie. Ona butna, zalotna, wesoła. Robi ryjek z ust i wznosi oczy do góry. Jestem spokojna. Powoli odwracam się i mówię ciepło do Tomasza:

— To ja pojadę. Jutro wpadnę, jak namówię pana Krzyśka. Pa!

— Basiu...

Przytrzymał moją rękę. Patrzył i zacisnął usta.

— No? — pytam.

— Nic. Do zobaczenia.

„Twardziel", myślałam zła w drodze powrotnej. Dupek! No nic. Poczekam. Leży i ma czas na myślenie, chyba że te laleczki mu nie dadzą!

Przykry, bo zimny i mokry ten grudzień. Chlapa obrzydliwa, zupełnie brak świątecznego nastroju, a przecież zaraz sylwester... Muszę jakoś wpłynąć na niego, bo żyje głupio. Tę leśniczówkę kochał jego ojciec i chciał ją kiedyś wykupić na własność. Miałby Tomasz coś stałego, swojego. Całe szczęście, że ciotka sprzedała to mieszkanie w Iławie, boby mi tam całkiem uciekł, a tak jest szansa, że tu wróci.

Po Nowym Roku odebrałam samochód i pojechałam do szpitala.

— Cześć — powiedziałam, siadając obok niego. — Jak sytuacja?

— Za niedługo wypis, a mnie się sierść jeży z przerażenia, dokąd mam pójść. Ten stary, co u niego mieszkam, sprowadził córkę z zięciem i bachorem, więc im nie na rękę kulawy lokator i rzygam już tym leśnictwem!

— Wezmę cię — powiedziałam krótko.

— Jak to „wezmę"?

— Zwyczajnie. Do siebie, na okres rekonwalescencji i już! Potrzebna ci będzie opieka. Nie rób scen!

— W życiu!

— To sobie tu leż. Może cię ta ruda weźmie — wstałam.

— Baśka, zostań! Mam taki kołowrót w głowie... — mięknie.

— Tomek, przestań! Pan Krzysztof jest stary, ma swój dom w Pasymiu i dość doglądania twojej leśniczówki.

— To nikogo tam nie dali?

— Stażystę Heńka. Taki z brodą. Samotnik, poeta i koniarz. Ma chomika.

— Co ma?!

— Chomika. I bałaganiarz. Wracaj, bo ci leśniczówkę sprzątnie ktoś sprzed nosa! — podjudzam.

— Basiu, na razie nie jest na sprzedaż, ale fakt, ważne kiedyś będzie zasiedzenie. Ale sam sobie kiepsko radzę. Jeszcze nawet nie chodzę...

— Dlatego wezmę cię do nas!

— W życiu!

— Znasz jakieś inne słowa?

— Basiu. Ja poproszę cię o kontakt z panem Krzyśkiem i tyle. Żadnej łaski nie chcę. Poradzę sobie.

— Palant. Cześć.

Kiedy wychodziłam, złowiłam jego wzrok. Skupiony, bolesny.

No, zawzięty do nieprzytomności! Twardy jak skała i głupi! Pan Krzysztof pojechał i załatwiali przeniesienie Tomka z powrotem do nas, pod Pasym, ale najpierw urlop. Nareszcie mam go blisko! Jest w swojej leśniczówce, mieszka z tym stażystą Henrykiem i on się nim niby opiekuje. Dobrze. Niech będzie!

Stoję w kuchni nad stołem i mieszam ciepły smalec ze skwarkami. Będzie do chleba. Pan zakłada mi telefon. Czuję radość i podekscytowanie. Jak tylko mnie podłączą, zadzwonię do Piotra i do Tomasza! W leśniczówce też jest telefon!

Słucham „Minimaksu". Kaczkowski ma taki piękny, ciepły głos! Słucham i myślę, jak pomóc Tomkowi. Ma do zapłacenia sporo pieniędzy za ten rozbity samochód.

Nadleśnictwo wzięło trochę na siebie, ale połowę płaci Tomek. Może to niegłupie, żebym odkupiła tę jego ziemię? Stary Zawoja chciał się tam pobudować, ale tam mokro i Tomek nie chce… Głupi!

Ubieram się i jadę do leśniczówki. Naturalnie muszę go czymś zmiękczyć. W bańce mam barszcz, w blaszce szarlotkę i obok, w woskowym papierze… kulebiak z kapustą i grzybami. Pachnie mi na cały samochód!

Wchodzę do leśniczówki i zamieram. Rozczochrany Henryk otworzył mi w gaciach, skarpetach i brudnej bluzie, z chomikiem na ramieniu. Półprzytomny pyta:

— A pani co?

— Nie co, tylko kto. Puszczaj, Tomasz ci wyjaśni. Byłam tu, u pana Krzyśka, pamiętasz? No, przesuń się!

— Aaaa! — załapuje mądralek i idzie sobie w głąb mieszkania.

Bałagan i brud. W wielkim pokoju obok kuchni siedzi w fotelu Tomasz, trzymając nogę w gipsie na taborecie. Wygląda nieciekawie. Nieogolony, szary.

— Macie jakieś ćwiczenia? — pytam złośliwie.

— Jakie „ćwiczenia"?

— Na przetrwanie w okresie zarazy.

— Daj spokój, Basiu. Rzeczywiście zapuszczone to wszystko… Ale ja z tą nogą…

— Tomasz, a Henio ma tu etat królewny? Poczekaj, ja się tym zajmę.

— Henryk! — drę się w czeluść domu. — Zajdź no tu, ale bez zwierzaka!

Tomasz czerwieni się, a ja ostrym tonem urządzam magiel:

— Ty się chowałeś w chlewie? Czy zwykły maminsynek? Co ty tu urządzasz? Wysypisko? Masz dwie rączki, to jazda, bierz się za sprzątanie! Kto tu jeździł na miotle za czasów pana Krzysztofa?

— Pani Maria.

— Jaka pani Maria?

— Żona pana Krzyśka.

— Przywoził ją tu do sprzątania?!

— Ttaak.

— Wam się we łbach poprzewalało! W domu też nic nie robiłeś, paniczyku?

— Basiu! — Tomasz próbuje przywołać mnie do porządku.

— Cicho! Bo z tobą też mam do pogadania. Jak ty... śmierdzisz! A kto ci w domciu sprzątał? — sonduję dalej Henia.

— Mama i siostry. Się czepiały...

— A! Aaaa — już rozumiem, czemu tu uciekłeś. Szczotka, zmiotka i wiadro, migiem! I pomogę ci, żebyś nie myślał, że taka ze mnie! Idę do samochodu, zaraz wrócę, tylko pojadę się przebrać. Jak przyjadę, ma być zamiecione. I zaprowadź Tomasza do łazienki. On już wie po co!

Kiedy wychodziłam, usłyszałam szept Heńka:

— Ty, co ją ugryzło? Dawno chłopa nie miała czy co?

Wrzasnęłam na cały korytarz:

— A żebyś wiedział! I zapytaj Tomasza, czyja to wina!

Kiedy po półgodzinie wróciłam w dresie i z kapciami, podłogi były zamiecione, a śmieci z wiadra wyrzucone. Tomasz jeszcze się telepał po łazience, a Henio zaglądał do blaszki.

— Zaraz! — warknęłam. — Układ: ja wam czasem coś ugotuję. Ty sprzątasz i robisz zakupy, palisz w piecu, wywalasz popiół. Wiesz, że popiół wywala się codziennie rano?

— Wiem. Ale jak mam wozić zakupy? Tylko rower mamy. Tomasz rozwalił swój pojazd...

— Nie wiem, piechotą też można iść. Moja mama chodziła, a tamtą drogą macie bliżej do Pasymia. Postaraj się, bądź harcerzem! W domu musi być mąka — pisz! Dwa kilo. Cukier, dwa kilo, kasza — kilogram, ziemniaki pewnie są w piwnicy...

— Nie ma.

— Dobrze, ja przywiozę, pisz dalej. Butelka oleju, mydło, sól...

— Sól mamy!

— Pisz: jajka przywiozę, mleko przywiozę. Chleb! Herbatę macie?

— Tak! Ulung i madras, z przydziału!

— Dobrze. Nie, nie wiem, co tam dostaniesz, w lodówce macie echo. Salceson, pasztetową, sera byś kupił. Co wy jecie?!

— Konserwy…

— Idiota.

Tomasz zawołał Heńka i wszedł o kulach do pokoju ogolony, czysty i… zmęczony. Ja dosprzątałam kuchnię, Heńkowi dałam na talerzu kulebiaka i kubek barszczu. Z resztą, na tacy, poszłam do pokoju Tomasza. Siedział nadęty.

— Proszę. Zjedz coś.

Patrzy się na mnie złym okiem.

— No i po co to wszystko? — wzrusza ramionami.

— Bo jak by tu wpadł nadleśniczy, to by mu wąsy odpadły z wrażenia. Taki gnój! Nigdy taki nie byłeś, a poza tym jestem dobrą kobietą i dlatego pomogłam temu nygusowi posprzątać! I poszłam z nim na układ. On sprząta i robi zakupy, a ja wam czasem coś ugotuję i umilę czas. No co? Uśmiechnij się, bo mi przykro.

Patrzy na mnie tym swoim niebieskim niebem. Patrzy całym sobą, z niedowierzaniem. Już nie jest zły.

— A ty poważnie? — pyta mnie.

— Poważnie. W końcu jestem sąsiadką!

— Baśka, dziękuję, głupio mi — bierze mnie za rękę i całuje.

— Głupi to ty jesteś — drapię go po głowie. Siadam obok i przytrzymuję mu tacę.

Znów jest trochę tak jak dawniej. Barszcz, kulebiak, my… i tylko ten Heniek z chomikiem na piętrze!

Nie sądziłam, że Henio jest reformowalny. Widocznie potrzebuje mamusi — przywódcy. Wtedy nabiera manier, wie, o co w życiu chodzi, myje się i zamiata podłogi. Kupił parówki i nawet musztardę — sam z siebie! Mam mu tylko za złe, że poi chomika piwem z kapsla i twierdzi, że ten chomik to lubi. No… niby lubi.

Panowie ze strachu przede mną zaprzestali spożywania wódy. Piją piwo, bo jest coraz lepsze zaopatrzenie. Od dziesięciu lat Olsztyn i Szczytno w browarach Jurand warzą dobre piwo. Bardzo powoli leśniczówka nabiera wyglądu sprzed lat.

Mam dość!

Rola mamusi szybko mi się znudziła. Sądziłam, że Tomek się domyśli, że wykona jakiś gest będący czymś więcej niż tylko „dziękuję, że sprzątasz". Jednak myliłam się. Nie wydoroślał. Nie docenił mnie. Nie kocha mnie już, więc któregoś dnia, po południu, postawiłam na kuchni rynienkę z mięsnym bigosem, żeby mieli na kilka dni i powiedziałam do Henryka, który stał w wymiętym dresie z tym idiotą — chomikiem — w kieszeni:

— Od jutra koniec niańczenia. Sami sobie radzicie.

— Basiu? — Henryk z niedowierzaniem patrzył na mnie wielkimi oczami. — Ja cię czymś uraziłem?!

— Zaraz ja cię urażę ścierką. Po prostu, Heniek, wyprowadziłam was na ludzi i leśniczówkę przy okazji też. Wystarczy! Ja mam co robić. Praca, gospodarstwo, to aż nadto. A jeszcze was dopieszczać?

— A Tomek? — zapytał.

— Zdrowy, normalny chłop! Za tydzień zdejmą mu gips i zabierze się za normalność. Ma masę zaległości. Pamiętaj, żeby odgrzewając, podlać odrobiną wody, bo rynienkę przypalicie, a do sprzątania przygruchajcie sobie jakieś laleczki albo gosposię! — to mówiąc, zebrałam się do wyjścia szybko, bo już miałam łzy w oczach. Byłam rozczarowana.

— Do Tomka nie zajrzysz?

— Nie. Jak będzie chciał, sam trafi! Do zobaczenia!

Kiedy wsiadałam do samochodu, pod bramę zajechał beżowy brudny maluch i usłyszałam szczebiot:

— Przepraszam badzooo, czy tu mieszka pan Zawoja?

Z malucha wyjrzała... ruda! Siostrzyczka szpitalna i jakaś jej koleżanka! No coś takiego!

— A pani na zmianę opatrunku czy z kolacją? Tak, tu mieszka!

Pannę lekko zamurowało, a ja wsiadłam do mojego malucha, ładniejszego, bo czerwonego, i pojechałam precz. Ciekawe, komu zabrały samochód? Tatusiowi? Żeby przylecieć aż tu, na ten wygwizdów? No to ją musiało wziąć! Zakochała się, jak nic!

— Mała, ruda cholera! — powiedziałam głośno i zezłościłam się.

No tak! Do sprzątania i gotowania jestem dobra, a tak sprowadza sobie rudą! Młodszą — to ukłuło najbardziej. Poczułam najzwyklejszą zazdrość. No tak...

Ledwo weszłam do domu, usłyszałam telefon.

— Basiu? Co się stało? Czemu nie zajrzałaś? Obraziłaś się? — głos Tomasza był życzliwy, miękki i zdziwiony.

— Co wy tacy delikatni? O to samo pytał Henio. Nie, nie obraziłam się, a i tak masz wizytę. Aha, i powiedz Heńkowi, żeby się ogolił!

— No, ale co się stało?

— Tomek, nic się nie stało. Tylko za chwilę zaczniesz znów pracować, macie obaj pensje i na Marczakową albo na te laleczki wam wystarczy!

— Jaką „Marczakową"?

— Tę, co pracowała w centrali rybnej. Taka miła, mieszka koło Domu Kultury. Jeszcze w siłach kobieta, rowerem jeździ i chętnie wam gospodarstwo poprowadzi i jeszcze majtki popierze. No, albo się tym zajmie ruda siostra miłosierdzia. Nie gniewaj się. Ja mam swoje życie. Pomogłam i już!

— Ach, „pomogłaś"? — znów słyszę sarkazm.

— Tomasz, posłuchaj, bo powiem to tylko raz. Jestem miłą, dobrą sąsiadką i pomogłam wam w biedzie odnaleźć się podczas twojej choroby. Tak. Sądziłam też, że… No, sądziłam, że może coś jeszcze nas łączy, ale się myliłam. Tomek! Mnie lata poszły na jakieś mrzonki. Na nieudane związki! Jeszcze raz pokochałam, uwierzyłam tylko po to, żebyś się obraził i pojechał pod ten Bisztynek. Czuję gorycz i zawód, bo nie zrobiłam nic, słyszysz?, nic złego. Nie uchybiłam ci, nie kłamałam, nie zdradziłam. To wszystko były twoje domysły, wymysły, fobie. Być może pisana mi samotność, trudno, ale absurdem byłoby łazić tam, do leśniczówki, do ciebie, po co? Gosposi się chociaż płaci.

Zamilkłam, bo zaczęłam beczeć. Puściło mi niepotrzebnie. W słuchawce cisza. Słyszę jego oddech, ale jest cicho, nie odzywa się, więc odkładam tę słuchawkę powoli, bo może jednak…? Nie. „Nikt nie woła".

Siedzę i płaczę. Ostatecznie straciłam wiarę w to, że Tomasz zmądrzeje. Byłam tylko chwilowym spełnieniem młodzieńczych mrzonek, jestem dla niego za stara.

Powiedzmy to! ZA STARA. Taki przystojny facet zaraz złapie piękną lalę, rudą pielęgniareczkę, co sika na sam jego widok, i taszczy się tu po nocy, albo choćby tę panią, co od niedawna prowadzi rytmikę w Domu Kultury! Widziałam ją ostatnio na poczcie. Wysportowana, śliczna jak z okładki i modna. Spodobałaby mu się, a ja? Ja mam zmarszczki i jestem w wieku balzakowskim.

Wezbrał we mnie jeszcze większy szloch. Za utraconymi nadziejami, za młodością i tak w ogóle byłam na samym dnie, więc zalewałam się łzami do upojenia. Nastawiłam radio, żeby odpędzić złe myśli. O mamo! Śpiewa Maria Callas smutną arię *Casta Diva*. Akurat na dziś. Popłakałyśmy obie, z tym, że Callas ładniej.

Biedna! Zapewne nagrywała to już po odejściu Ariego, dlatego w jej głosie jest tyle bólu! Ona już też nie żyje.

Pozbierałam się i posprzątałam. Kaśka wróciła z obory cała w płatkach śniegu.

— Jutro trzeba gnój wywalać! — uśmiechnęła się do mnie.

Moja kochana! Dla niej to dzisiaj najważniejsza informacja dnia!

— Kasiu! Wyglądasz jak śnieżynka! — strzepuję śnieg z jej włosów. — Kasiu, nie ciężko ci z tą koroną? Może podetniemy trochę włosy? Wykąpiesz się, zrobię ci pianę! I podetnę — tak?

— Taaak. Dobrze. I w ogonek się będę czesała jak ty?

— Tak! I dam ci tę ładną klamerkę z kwiatkiem.

Poszłam do łazienki, nagrzałam ją i nalałam wody z pianą. Bardzo to lubi. Później zrobiłyśmy salon fryzjerski. Jakie ona ma włosy! Zaplotłam jej mocno warkocz z mokrych włosów i związałam gumką na końcu tam, gdzie chciałam ciachnąć. Łatwo powiedzieć, ciachnąć! Nożyce jęczały z wysiłku, jakbym cięła pęk żyłki do łowienia ryb! W końcu w ręku miałam ponad półmetrową pytę, grubą na trzy palce!

— Zobacz, Kasiu! To twój warkocz. Prawda jak lekko?

Kaśka kręci głową. Lżej jej, na pewno. Jeszcze kilka kosmyków ciacham wokół twarzy. Zaraz się skręcą w łagodny fioczek. Moje są jak końskie — proste i nie chcą się kręcić. Namówię ją, sprzedamy ten warkocz, a za to kupię jej kolczyki. Tak chciała zawsze mieć coś w uszach! Klipsy, jak jej zakładałam, zawsze gubiła.

Równam jej włosy. Są do ramion. Zostawiam rozpuszczone. Przynoszę czerwoną opaskę i pokazuję jej lustro.

— Zobacz, fajnie?

Cieszy się moja duża dziewczynka. Jej tak niewiele trzeba!

Teraz zlewa schłodzone mleko a ja robię kolację. Jest pasta z twarogu i wędzonej makreli, masło i nasz chleb. Ostatni bochenek. Piekłam dwa tygodnie temu dla chłopaków i dla nas. Podczas kolacji Kaśka słucha słuchowiska, ja myślę o życiu i myślę. A może poprzeglądać gazety i jak Lidka znaleźć miłość korespondencyjną? Boli ta moja osamotniona dusza. Źle mi. Zawiodłam się, bo uwierzyłam w coś, co sama stworzyłam na swój użytek. Z punktu widzenia Tomasza może to wyglądać zupełnie inaczej!

Jutro niedziela. Pusta, telewizyjna, byle jaka niedziela.

— Film, Basiu, będzie, chodź! — Kasia już leci do pokoju na telewizję.

Zmywam i słyszę szczekanie Budrysa. Za oknem ciemno, nic nie widać, a on jazgocze i jazgocze! Taki stary, a ile ma sił! Pewnie lisek jakiś go drażni za ogrodzeniem albo zając.

Kiedy już skończyłam zmywać i wycierałam podłogę, usłyszałam pukanie.

— ...Tomasz? — ścierka wysunęła mi się z dłoni.

Stał za drzwiami o kulach, cały w śniegu. Stał i dyszał.

— Wpuścisz mnie?

W kuchni siadł koło pieca ciężko. Kasia zajrzała i wróciła na telewizję. Popatrzyłam ze zdumieniem na jego nogę. Tę w gipsie. Była owinięta foliowym workiem po paszy. Pomogłam mu zdjąć to coś.

Patrzy na mnie i milczy.

— Usiądź — prosi, bo ja stoję taka niezdecydowana, rozczochrana, z oczami podpuchniętymi od płaczu sprzed paru godzin. No, śliczności, nie ma co! Siadam na szlabanku, obok Tomasza taka…drewniana.

— Lazłeś? Całą drogę?! — pytam.

— Samochód przecież rozwaliłem, a zastępczy mamy dostać za tydzień. Chyba ruskiego gaza. Czy ja… Basiu… Ja dureń jestem — tak?

— No….

— Powiedziałaś, że to mój problem?

— No…

— Przemyślałem to i chyba masz rację. To ja się boję, że ci do pięt nie dorastam, że jestem chłystek niewart takiej kobiety, i ja wymyśliłem, że każdy, tylko nie ja. Bo wiesz, ten Szymon, on tyle wie, taki jest wyszczekany i takie ma możliwości. Zawsze się tak za tobą uganiał.

— Przestań, Tomasz, jakie to ma znaczenie?

— Takie, że macie wspólne tematy, tego Wysockiego słuchacie i rozumiecie się, i wiesz więcej o... wszystkim. Poza tym młody, przystojny i z fantazją. Zabrał cię do Moskwy a ja, co ja?

— To kwestia zainteresowań. Fakt, lubię wiedzieć, czytam, słucham. Zabrał mnie do Moskwy i jest młody i przystojny. Ożenił się, tak poza wszystkim. Ale co to ma do rzeczy, pytam raz jeszcze?

— To, że sądziłem, myślałem…

— Trzeba było słuchać i wierzyć. Tomek. To, że jesteście obaj młodsi, to fakt, i to, że ja jestem, czuję się starsza, to też fakt. Już dawno nie jestem pannicą. Nastukało w kalendarzu. To widać.

— Basiu?! Ty? Ty masz jakieś kompleksy? Te różne… baby nie dorastają ci do pięt. Dla mnie jesteś, no, wiesz… Obiecałem sobie, że ci dorównam, że się zmienię, że będę inny. Mam dość chlania, dziwek, lasu — jak jakiś niedźwiedź. Chcę być normalny, jak mój ojciec. Powiem ci, Basiu, całą prawdę. Tam, w Bisztynku, źle mi było u starego, więc łaziłem do kumpla, do Bisztynka na picie i dziwki. Ależ ja tam schamiałem! Wydawało mi się, że załatwiam tak jakąś sprawę. Moją dorosłość, męskość, czy jak. Ale to idiotyzm. Czułem coraz większy niesmak. Czułem, że to coś nie tak. Dobrze, że się połamałem, że ten wypadek wytrącił mnie z tamtego życia. Chcę wrócić na stare śmiecie, na mój okręg. Stary się zgodzi. Był w szpitalu, rozmawialiśmy. Dał mi jeszcze jedną szansę. Heniek też dzikus, ale nie dureń. Cały pokój ma w książkach. Mól. Weźmiemy się za siebie. Już z nim gadałem. W poniedziałek porozmawiam w nadleśnictwie o samochodzie i planach. Pan Krzysztof ma dwa lata do emerytury, popracuje z nami. To duży okręg, dużo wycinki, ale i problemów.

Zamilkł. Było mi przykro, że powiedział o tych dziwkach. Znów poczułam zazdrość, ból, ale przez chwilę. Przecież tu jest, przyczłapał się z wielkim trudem po śniegu, o kulach. Do mnie. I jeszcze na dodatek te ekspiacje.

— Brawo. Oczekujesz aplauzu? Zgody? — jeszcze nie mięknę.

— Nie bądź złośliwa. Ciężko mi zacząć.

— A ja myślałam, że już kończysz.

— Nie z tym przyszedłem. Nie chcę już żadnych bab, ale czy ty... mimo wszystko... czy mam jakąś szansę?

Serce skoczyło mi jak przerażona mysz. Żołądek dostał skurczu, a żyły wypełniły się motylami. Pozostałam jednak kamienna, spokojna.

— Masz... Tym bardziej, jak powiedział Heniek, ja tyle lat bez chłopa, to z czystej głupoty cię wezmę...

Popatrzyłam na niego. Prawie usłyszałam huk kamienia, co mu z serca spadł.

— W poniedziałek zdejmą mi gips. Będę się nadawał do wszystkiego. Odwieziesz mnie teraz? Ciężko się idzie z gipsem.

— Nie. Nie odwiozę. Zostaniesz. Mnie twój gips nie przeszkadza. Powieszę ci w łazience ten twój zielony ręcznik i koszulkę, co ją tu zostawiłeś dwa lata temu. Jest wyprana i czekała na ciebie. Idę się myć.

Wstałam i spojrzałam na niego poważnie.

— A jak mnie nie przytulisz, zabiję cię albo ci złamię drugą nogę!

Kiedy się wreszcie przytaszczył z łazienki, odsunęłam się i wpuściłam go pod kołdrę. Przytuliłam się jak dawniej, czując powrót sił, miłości, nadziei i... dziwne zmęczenie, leniwe dobre, senne.

— Tomasz, spać mi się chce. Damy sobie spokój z seksem. Pośpimy — dobrze?

— Baśka... — tylko tyle powiedział wzruszony jakoś po swojemu i cichy. Objął mnie i pocałował w czoło.

— Tomasz, a pojedziemy do Bułgarii?

— Pojedziemy. Jasne, że tak! Śpij, maleńka.

Przecknęłam się w środku nocy, jak otarłam się łydką o zimny gips. Tomasz, sądząc po głębokim i równym oddechu, spał, a mnie sen całkiem odszedł. Leżałam w zagłębieniu jego ramienia i chłonęłam czas, zapach Tomasza i tę fantastyczną ciepłą noc. Za oknem śnieg pada i pada. W norach śpią zwierzaki, rośliny zamarły, zaschły na czas zimy. A ja nie. Ja żyję! Mam rodzinę, dom, ciepły piec i kochanego mężczyznę w swoim łóżku.

Dotykałam go leciutko, z radością i nadzieją, że tak już będzie zawsze. Wiedziałam, że będzie. Czułam, że nigdy już się nie rozstaniemy. Miałam tę pewność, ukokoszoną gdzieś wewnątrz mnie głęboko i radośnie. Mój mężczyzna!

Zmądrzał i wie, na czym życie polega. Teraz z nim — cokolwiek się stanie — mogę dalej żyć. Miłość wezbrała we mnie tkliwością i ciepłem. Dotykałam go i głaskałam zmysłowo. Budził się powoli od mojej pieszczoty.

Był ciut zaskoczony, gdy usiadłam na nim i kołysałam się powoli w zapamiętaniu. Gips w seksie nie przeszkadza! Wręcz odwrotnie, mogę teraz tego mojego mężczyznę mieć tak, jak chcę, i tak długo, jak chcę. Mruczy. Widzę, że mu to odpowiada!

Kocham i jestem kochana — niczego więcej mi nie trzeba!

A miało być tak pięknie!

W marcu samochód leśniczego często stał przed moją zagrodą. Całe so-boty i niedziele, aż do poniedziałków rano. Heniek jechał kiedyś po pijaku i zabrali mu prawo jazdy, więc nie używa auta, a pan Krzysztof ma swoje. Tomasz może sobie być u nas aż trzy dni. To i tak dużo, bo on nie lubi stagnacji, spokoju i takiego naszego z Kaśką rytmu. Ale stara się. Poma-ga przy krowie, nosi drewno. Wróciliśmy do wspólnego czytania. Siadamy w niedzielę po obiedzie z herbatą i ciastem i każde czyta coś swojego. Kaśka ogląda w telewizji wszystko jak leci! Łazimy na spacery, oglądamy „Dzien-nik" i dyskutujemy sobie, żartując albo złoszcząc się na rzeczywistość. Szy-mon wsiąkł w pracę i małżeństwo na poważnie i tylko dzwoni czasem na szybkie plotki. Jest dobrze i oby tak było zawsze.

Lekko utyłam i obcięłam włosy. Mam dużo siwych, a Tomkowi się to podoba i prosi, żebym nie farbowała. Mimo to czuję się fantastycznie młodo i atrakcyjnie. Na ulicy czuję spojrzenia co poniektórych i jakieś szemrania. „To ta flama leśniczego — ale się wystroiła!".

Trudno, jestem samotna, żyję z rozwiedzionym mężczyzną na kocią łapę, więc burzę krew miejscowym plotkarom. W pracy na szczęście nie mam problemów, bo mamy nową panią dyrektor. Zresztą na starą też nie narzeka-łam. Rodzicom nie przeszkadza moja moralność, bo ich pociechy lubią bio-logię. Pracuję jak mróweczka, chętnie i wesoło, i jest w porządku. Wszystko się wreszcie ułożyło.

Tak myślałam do wczoraj.

Wczoraj zajechał Tomasz, zły już od progu. Sapał i złościł się, wreszcie usiadł ciężko przy stole i powiedział:

— Nie wiem, Basiu, jak ci to powiedzieć...

— Zwyczajnie — odparłam, przyszywając guzik.

— Baśka, mam za swoje!

Powiało dramatem. Podniosłam wzrok nad okulary. Był roztrzęsiony i autentycznie go telepało!

— Roztrzaskałeś kolejne auto i nadleśniczy cię powiesi. Jechałeś po pi-janemu? No, mówże!

— Baśka... Zdaje się, że zrobiłem dziecko jednej pannie.

Skamieniałam.

— Teraz?!

— Nie! Wtedy, jak piłem w Bisztynku u tego kolegi, co wiesz...

— Co sprowadzał dziwki?

— Takie głupie panny ze wsi i jedna twierdzi, że to ja jestem ojcem jej... jej ciąży.

— No — powiedziałam spokojnie. — To masz pecha.

W środku mnie tak ścisnęło, że omal się nie udusiłam. Ledwo złapałam oddech.

Byłam tak zaskoczona, że wstałam od stołu i poszłam do sieni. Zarzuci-łam chustę i wyszłam. Nie uszłam daleko, bo spadł śnieg. To marzec i normalne, że sypie, a ja w kapciach. Stanęłam koło płotu. „Co ja mam zrobić?" — tłukło mi się po głowie. Myślałam tak i myślałam. W końcu wściekłam się naprawdę.

Ledwo nabrał rozumu, ledwo poukładaliśmy to sobie, naczekałam się na niego i co? Mam go stracić, bo był głupi, bo panna się nie szanowała i lazła do pijaków? O, nie! Po moim trupie! Weszłam do kuchni, w której siedział skazaniec.

— Po pierwsze, jaką masz pewność, że ty, po drugie... Nie przerywaj mi! Cholera jasna! Po drugie, jeśli nawet ty, to co? Kochasz ją i się z nią ożenisz?

— W życiu! Ja jej nawet nie kojarzę, ona piła z Rychem, z Kazikiem, ale ja z nią?

— Byłeś pijany, mogłeś ją... no, wiesz.

— Nie bardzo.

— Dlaczego niby? — syczę.

— Bo ja po pijaku nie mogę... Nie staje mi, no! Ale ona się uparła!

— Widać się jej spodobałeś.

— Ja się zabiję! — Tomasz podparł głowę rękami. — Przysiągłbym, że z nią akurat nie! Z innymi, owszem...

— Są dwa rozwiązania. Po pierwsze, grupa krwi. A jak będzie taka nie-wykluczająca, to sąd.

— Jezu! Sąd?!

— Jako ostateczność. Albo ci uwierzą (raczej nie), albo zasądzą alimenty i jeśli nie ślub, to pewnie o to chodzi!

Siedział biały jak kreda. Przerażony i zły sam na siebie. Było mi go żal. To okropne uczucie tak narozrabiać. Siebie też mi żal. W końcu chciałam stagnacji...

Kiedy go zobaczyłam nazajutrz po tym „odkryciu", stwierdziłam, że po-siwiał na skroniach. Przez dobę. Ładnie mu! Ma półdługie włosy poprzety-kane siwizną.

Przystojniak. Nie oddam go! Żadnej! Przejdziemy przez to razem!

Te miesiące do rozwiązania były przykre. Tomasz pobudzony, rozdraż-niony i zamknięty w sobie. W dodatku panna ma tupet i przyjechała z ojcem naradzić się co do ślubu. Tomasz powiedział, że nie ma mowy o żadnym ślubie i że jest pewien, że jej nie skubnął, tylko któryś z tamtych. Ojciec się wściekał, ale musiał tę wersję przełknąć. Panna zaś upierała się na Tomka, bo się jej spodobał i już!

Czasami miałam wątpliwości. A jeśli to jego dziecko? Co prawda z Lidką nie mieli dzieci, ale to o niczym nie świadczy... Zbierało mi się na płacz. Mamo! Po co to wszystko? Mało miałam w życiu problemów? Nie może być dobrze? To znów jakaś kara? Mamo? Czy sprawdzian? Co? Daj jakiś znak...

Sama zostaję z tym pytaniem. Aby do porodu.

Wiosna się wlokła. Nie cieszyła wcale. Żyliśmy w strasznym napięciu. Nawet zapomniałam zasilić łąki. Późno pojechałam do GS-u po nawóz. Chodziłam napięta. Tomasz był nie do zniesienia. Lato się zaczęło ulewami. Przyjechali znów letnicy. Poród tuż, tuż. Nie mój…

— Tomek, najwyżej będziesz płacił…

— Dlaczego?! Dam sobie łeb uciąć, że…

— Przestań. Już to przerabialiśmy. A może będzie miało inną grupę krwi?

Nie miało… Chłopaczek urodził się blady i słabowity. Przetaczano mu krew, więc i badania powtórzono. Nie chciało być inaczej. Ta sama grupa co Tomka. Ojciec dziewczyny triumfował, ona robiła głupie miny. Tomasz się zaparł.

— To do sądu pójdziem! — krzyknął dziadek chłopczyka.

— Chce pan przymusić mężczyznę do ożenku?!

— Chciało mu się mojej córki, to i żenić się powinien!

— Ale jej nie kocha! Twierdzi, że jej nie… no, nie spali ze sobą!

— Akurat! To niech płaci!

— A więc o to chodzi! O płatnika, nie wstyd panu? — próbuję negocjować, stojąc w szpitalu na korytarzu, bez Tomasza.

— Było go w domu pod swoją spódnicą trzymać! — rzuca mi w twarz.

Jestem purpurowa ze złości. Wracam do samochodu. Tomasz jest załamany, ja zawstydzona przez tego desperata i chama. Będę walczyć! Mamo, pomóż!

Wracamy. Milczymy oboje rozczarowani przebiegiem zdarzeń. Ja na szczęście mam letników i mam się czym zająć. Tomasz gorzej. Niby ma pracę, ale cały czas głowę zajętą panną z Bisztynka. Czuję, że odsuwa się ode mnie, zamyka w milczeniu.

— Czuję się jak w potrzasku — cedzi słowa już na naszej drodze. — Basiu, tak mi przykro. Przepraszam cię.

— Mnie było przykro. Mam to już za sobą. Trzeba szukać rozwiązania dla całego tego pasztetu. Pa, Tom. Pocałuj mnie. Kocham cię. Jest dobrze! Ważne, że jeszcze coś nas łączy. Tak czy się mylę?

— Głupio mi.

— Chcę wiedzieć, czy jesteś mój.

— Jestem. Cały twój. Jesteś wspaniała. Dzięki. Pojadę już.

Na naszym podwórku spotkałam weterynarza, bo miesiąc temu był inseminator i trzeba sprawdzić, czy jest ciąża, bo jakoś dziwnie to wygląda.

— Dzień dobry, panie Józefie! I jak? Będą znów bliźniaki?

— Pani Basiu, miała pani rację, chyba nie. Może nasienie było marne? Trzeba by powtórzyć.

A kiedy już wydałam letnikom obiad i szypułkowałam z Kaśką truskawki na werandzie, nagle mnie oświeciło i pobiegłam do pokoju.

— Halo! Tomasz? Pojedziesz jutro do Olsztyna, albo nie, zadzwoń dziś jeszcze do szpitala i dowiedz się, gdzie można zbadać płodność!

— Moją?

— A czyją, baranku? Nie mieliście z Lidką dzieci...

Czekanie na wyjazd do Warszawy było pełne napięcia. Pojechał sam. Nie chciał mojego towarzystwa, zresztą nie powinnam zostawiać moich letników samych. W końcu, za co płacą, za moją nieobecność?

Czekałam. Nie posoliłam ziemniaków, sos jabłkowy do żeberek wyszedł za rzadki. Mamo! Daj nam szansę! Zrozum, że Tomasz już ma za swoje! Był głupi, ale ja też — pamiętasz? Może już dość? Posiwiał, postarzał się. Jest taki nerwowy!

Tomasz zajechał wieczorem.

— I co? — spytałam tuż przy samochodzie.

— Już zamykali, bo przyjechałem o czasie, ale kolejka była długa i pani była miła. Wyniki przyślą mi pocztą, a jak ona coś będzie wiedziała wcześniej, zadzwoni.

— Ona osobiście?!

— Ona to asystentka doktora czy tam, stażystka, grunt, że bardzo miła i podeszła do sprawy ze zrozumieniem.

— Pomogła ci?

— W czym? — pyta Tomasz.

— A jak myślisz, skoro badano ci nasienie?

— Basiu! Proszę cię! Nie, ja sam... To nie jest nic fajnego. Wierz mi.

— A ona?

— Tylko wysłuchała, po co mi to. Obiecała czuwać i popatrzyła przez mikroskop...

— Znów uwodziłeś!

— Baśko! Dla dobra sprawy! Ona wzięła z próbki mały wymaz do siebie pod mikroskop, ale nie umiała wiele powiedzieć ponad to, że ruszają się bardzo słabo albo wręcz wcale. Jakoś tak.

— Plemniki?

— No...

W poniedziałek Tomasz pojechał po wyniki. Gdy wrócił, pod wieczór, wszedł do domu szary, smętny i dał mi do przeczytania wyrok: „Nekrospermia" — to brzmiało jednoznacznie.

— No, to po sprawie! Jest dobrze! — wykrzyknęłam radośnie, bo naprawdę mi ulżyło. Dzięki Ci, Panie! Wiem, że czuwałeś!

Tomasz był innego zdania.

— Wcale nie... — powiedział głucho, jakoś tak surowo.

Spojrzałam na niego z niedowierzaniem i zaraz się tropnęłam, o co chodzi.

Siedział zamyślony i niewesoły. Teraz było jasne, dlaczego nie mieli dzieci — on i Lidka. Teraz ma to czarno na białym, i mimo że czekał na coś takiego, jak na wyzwolenie, nie sądził, że tak go to trzepnie. Siedzi i przeżywa ten cios.

Bo dla mężczyzny to cios. Nie mam pojęcia, na ile potężny. Jedni chcą być ojcami, inni bywają z przypadku. Nigdy nie rozmawialiśmy o takich rzeczach...

Chociaż tak, zdarzało mi się rozpatrywać i tę możliwość, że kiedyś zajdę w ciążę z Tomaszem.

Za stara jestem?! Pielęgniarka z naszego ośrodka miała czterdzieści dwa lata, jak w zeszłym roku zobaczyłam ją z brzuchem.

— Co to, pani Lodziu? — zapytałam wtedy ciut za swobodnie. — Wypadek przy pracy? Ślicznie pani wygląda!

— A, pani Basiu! Gorzej! Syn jest w maturalnej klasie, a mnie się tak strasznie dziecka zachciało, tak mi serce zawyło do tego karmienia, przewijania, że tak długo namawiałam starego, aż się dał!

— Naprawdę?! Świetnie! I jak się nosi?

— Eee! Dobrze! Tylko trochę mi nogi puchną.

No, proszę.

A ja nie mam czterdziestu dwóch jeszcze! Nie zabezpieczałam się celowo, że jakby coś... Później, jak uciekł do tego Bisztynka, nawet mi ulżyło, że nic. A teraz ta pewność. Szkoda. Tyle że ja już byłam matką, a Tomasz ojcem nie, i teraz ma na blankiecie z pieczątką, że nigdy nie będzie i już! To go boli. Może nawet w cichości ducha liczył na to, że ten dzieciaczek przypadkiem, ale będzie nosił jego geny. Biedny Tomasz! Przewrotna natura!

— Tomasz? — kładę mu rękę na głowie.

Patrzy mi w oczy. Jest smutny. Zawiedziony.

— Liczyłem, że może cię namówię...

— Na dziecko?

Kiwa głową w zadumie. Pocieszam go:

— Ja też nawet o tym myślałam, ale jest, jak jest. I tak cię kocham.

— Możesz mi nie wierzyć, ale ja cię już nigdy nie zdradzę, nie zostawię, Basiu.

— Wierzę ci, bo ja to po prostu wiem. Chodź, zjesz coś. Chcesz nalewki?

— Tak. Dziś pozwól mi się upić!

— Pozwolę, ale najpierw zjesz.

— Nie chcę. A co jest?

Męska logika!

— Sztuka mięsa z rosołu. W mięsnym był pręga wołowa z kością szpikową. I chrzan mam. Chcesz z chlebem czy ziemniakami?

— Rosół?

— Nie, mięso.

„Jeśli je, to znaczy na życie mu idzie" — powiedziałaby mama. Tomek pochłania rosół i nawet nie mówię nic, że siorbie (gorący jest), rozprawia się z kością szpikową i resztą. Cały dzień nic nie jadł, cały dzień w nerwach.

Nawet się nie spił zanadto. Zabrakło nalewki, bo było tylko pół karafki, a jutro do pracy. Tak oto rozwiązała się sprawa dręcząca nas od dawna. Panna zawstydziła się troszkę, ale jej tatuś poszedł prosto do następnego ojca. Odzyskaliśmy spokój i siebie.

Siwe włosy na Tomaszowej skroni świadczą o tym, co przeżył i dlaczego zmądrzał. Jeszcze długo nosił w sercu żal z powodu tych martwych plemników...

Byliśmy tak bardzo zmęczeni tymi ostatnimi miesiącami, że we wrześniu pojechaliśmy do... Bułgarii!

Turyści to my!

Koleżanka Szymona pracująca w Almaturze znalazła nam świetną i tanią kwaterę w Złotych Piaskach. Piotr wziął bezpłatny urlop i przyjedzie do Kaśki na tydzień. Sąsiedzi zajrzą. Heniek pomoże. Byłam podekscytowana i szczęśliwa.

— Tomasz! Ona pokazywała mi zdjęcia. Fantazja! Wybyczysz się na plaży, w morzu popluskasz i na nogę nie ma nic lepszego jak pływanie. Marzyłam o czymś takim!

W pociągu dosiadło się do nas małżeństwo z Katowic, Gustaw i Lusia. Bardzo mili, starsi od nas, wyjadacze wycieczkowi. Tyle naopowiadali o Rumunii, Bułgarii i Jugosławii, że aż zachciało mi się tam jechać.

Namówili nas na zmianę planów.

— Złote Piaski są przeludnione! — zawyrokowali. — Polaków tam jak na Marszałkowskiej. Pódźcie z nami, do Miczurina. Pojadymy razem wodolotem, tam ładniej i puściej! Dwa kilometry dalej mamy metę u znajomych Bułgarów, a na pewno są dwa wolne miejsca, bo mój brat nie pojechoł!

Podróż pociągiem długa, ale ciekawa. Podziwiałam widoki, zachwyciła mnie Słowacja. Mniej węgierskie płaszczyzny, zresztą Węgry przespaliśmy nocą.

Rumuńskie biedne dzieciaki wyciągające rączki po cukierki rzucane im z okien — poraziły. Mój Boże! Jaka nędza!

W przedziale graliśmy w karty i plotkowaliśmy. Bolał mnie już kręgosłup od tego siedzenia, ale warto było!

W Warnie uderzył nas upał i coś innego w powietrzu. Lekka morska bryza, gorący asfalt i zapach rozgrzanego oleju z czosnkiem z jakiejś budy gastronomicznej.

— Jesteś pierwszy raz za granicą! — pociągnęłam Tomka za ucho.

Autobusem pojechaliśmy na przystań z naszymi „Gustlikami" i zaokrętowaliśmy się na wodolocie. Tomasz nie okazywał zaintrygowania, ale wiem, że przeżywał.

Wodolot ruszył i było to naprawdę ostre, bo pruł fale szybko i jakby leciał ponad wodą, bryzgając nam w twarze słoną mgłą. Gustaw opowiadał dykteryjki, a Lusia ze stoickim spokojem dziergała koronkowy szal. Na pełnym morzu zaczęło trochę huśtać i Gutek otworzył koniak. „Na spokojność trzewi" — powiedział i od razu zrobiło się milej. Niestety, na krótko, bo po jakimś czasie fale stały się ostrzejsze i Tomasz dziwnie pozieleniał. Później zawisł wraz z innymi na poręczy...

Kapitan śmiał się i wołał, że ich rakija lepsza na bujanie, ale gdy pomyślałam o mocnej wódce — odrzuciło mnie.

Czułam falowanie w brzuchu, ale koniak, jak lekarstwo, jakoś dał mi tę „spokojność trzewi" i nie wisiałam z Tomaszem. Kiedy się uspokoiło, podziwiałam wielkie meduzy i odległy brzeg, Tomek siedział na ławce, dochodząc do siebie.

Kwatera rzeczywiście miła, z osobnym wejściem. Mamy pokój na piętrze z tarasem oplecionym winoroślą. Gustaw objaśnia nam, co jest gdzie. Mamy pełną swobodę. Wiedzą, że chcemy być sami. Ruszamy nad morze, bo jesteśmy ciekawi i głodni. Po drodze znajdujemy knajpę z rusztem, zjadamy opiekane na ogniu mięso mielone, oblepione wokół patyczków, ostre i naczosnkowane, i paprykę z serem. Czerwone pyszne wino w wielkich kielichach cieszy i pachnie wakacjami.

Spełniamy toast:

— Basiu, za twoje marzenia — Tomasz patrzy czule i mimo zmęczenia wydaje mi się przystojniejszy niż dotąd.

— Za nas — mówię krótko.

— Za liubow ta! — słyszymy z boku. To staruszek wznosi kielich w naszą stronę i uśmiecha się pooraną, bezzębnoustą twarzą. Uśmiecham się do niego. Ma niezwykle błękitne oczy. Dobre i spokojne.

— Za miłość — podnoszę kielich i piję, patrząc w te dwa stare błękity.

Po drugiej stronie szosy wejście na kemping i z niego na plażę. Już czuję zapach morza. Mam we włosach lekki, ciepły wiaterek i powoli cieszę się coraz bardziej. Dociera do mnie, że jestem na wakacjach, że odpoczniemy i że mam to, czego chciałam. Urlop i przygodę.

Zatoka niewielka, plaża piaszczysta i… mnóstwo ludzi. Trudno.

— Ale narodu — mówi głośno Tomasz rozczarowany nieco.

— Pódźcie sam za ten kamienny winkiel — odzywa się gość koło nas, stojący z piwem w dłoni. — A za nim aż tam het, na skałki. Tam pięknie jest! I pusto!

— Dzień dobry! Polak?

— Ślązok. Hanys! A wy?

— My z Mazur!

— To pódźcie tam, jak kcecie spokój mieć. Mnie baba tam nie puszczo.

— Czemu? — dziwimy się.

— Bo tam Czeszki się opalają naguśko, jak je Pan Bóg stworzył. I na patyku postawiły napis, że tam je plaża nudystów. Kciałaby dusza do raju tak się z nimi ponudzić… — westchnął i popatrzył ze smutkiem na Tomasza. — Mówia ci, chopie! Taki raj! Ciebie też ta twoja frelka nie puści! — to mówiąc, spojrzał na mnie wymownie.

— No to się zdziwisz „chopie", bo my tam jutro pójdziemy! — mówię dziarsko. — Tyle jego, co sobie popatrzy, o!

— Dobrze ci! — westchnął Ślązak i puścił oko do Tomasza. — Musza ta swojo baba ciepnąć do hasioka, bo taka zawzięto!

— Wszędzie Polacy! — szepnęłam do Tomka.

Nazajutrz poszliśmy na poszukiwania zgodnie z zaleceniami Ślązaka. Nasi znajomi Guciowie zostali, bo wieczorem mocno popili z gospodarzami i mają swoje życie.

Za cyplem rzeczywiście piasek się skończył, a zaczęła kamienista plaża, a potem wręcz stok, jak w górach, ale za nim zobaczyliśmy piękny widok. Zejście w dół, łagodne, po kamieniach, różne półki i balkony skaliste, a w samym dole maluśka zatoczka z wodą jak kryształ i z niej dopiero wyjście w pełne morze, chyba dość płytkie, czyste.

— A gdzie te czeskie gracje? — Tomasz rozejrzał się, ale jakoś nikogo nie było. Za to rzeczywiście stał kij wbity w rozpadlinę, a na dykcie napis czerwoną szminką:

NUDISTICKÁ PLÁŽ
Vstup pouze bez plavek

— Wypada to uszanować — stwierdziłam, sama sobie nie wierząc, czy jestem na tyle odważna.

— Zwariowałaś? — Tomka aż zatkało.

— Nie. Tyle się o tym czytało. Tomek, co w tym takiego złego? Jesteśmy tu sami, popatrz. To musi być ekscytujące! Czytałeś, co się dzieje w świecie? Wszędzie ludzie się opalają nago albo topless, a u nas milicja gania golasów po Dębkach i w Chałupach!

To mówiąc, zaczęłam zdejmować plażówkę i rozpięłam stanik. Tomasz milczał napięty i zdumiony. Chyba myślał, że się wygłupiam. Rzeczywiście sporo się nasłuchałam i naczytałam o tym, jak w Polsce, w słynnych Dębkach nad morzem, milicja w niebieskich mundurkach ścigała golasów, żeby później triumfalnie prowadzić ich przez wieś, z klejnotami zakrytymi „Dziennikiem Bałtyckim". Śmiech na sali!

Odważnie zdjęłam figi, sama się po cichu sobie dziwiąc. Muszę trzymać fason odważnej i bezpruderyjnej!

— Wariatka — powiedział Tomek.

— Ściągaj galoty, kołtunie, i zamilcz!

Siedział obok mnie na kocu w gaciach, namyślając się. Nasmarowałam się kremem i poczułam dawną, młodzieńczą radość, kładąc się twarzą do słońca.

— Tomek! No, mnie się wstydzisz? Sami jesteśmy — popatrz!

— Jakoś tak, Basiu… — popatrzył prosząco.

— Zobaczysz, jak jest fajnie!

Przeszło mu, jak już zdjął gatki i poczuł ten pierwotny luz. Brak skrępowania. Tylko my, morze i skały. Bosko!

Poszliśmy do wody, powrzucać butelki z napojami, żeby się nie nagrzały.

Opadły łagodnie. Wślizgnęliśmy się do wody ze skałki, bo dno jest jednak głębiej, niż myślałam. Widać na piasecczku, na dole, między muszelkami nasze napitki: schwepssy, piwo dla Tomka.

W wodzie dopiero Tomaszowi odpuściło. Parskał i cieszył się, pływając radośnie. Wypływał daleko, wracał i cieszył się widokiem ryb, wodorostów — wszystkim.

— Baśka! Jestem naturystą od dziś! Fajnie tak! A to morze, jak ogórkowa, słone!

Wyjście z wody miłe, bo gorąco jest i nie marznę. Leniwie dochodzę do koca. Na tłustej skórze mam krople słonej wody.

Tomasz zwiedza skałki, potem układa się twarzą do słońca. Z drzemki wyrywa nas szczebiot tuż nad głową:

— Dobry dień! Ahoj!

To słynne Czeszki zapewne. Podnosimy się. Tomasz łapie za ręcznik i zakrywa swoje skarby.

— Ahoj! — odpowiedziałam i wyciągnęłam rękę...

— Ja sem Jana, a to je Jitka i Eva.

— A ja jestem Basia i mój... mój...

— Muż? Snoubenec? — zgadywały.

— Nie... mój...

— Chlapec? Twoj chlapec?

— Tak, chłopak! Tomek, przedstaw się!

Trzy choże panny, młode i ładne, przywitały się i poszły dalej, na wyższą półkę. Mój „chłopak" gapił się z rozdziawioną gębą, kiedy pozbywały się kolejnych sztuk ubrania. Jak już zostały golutkie, stanęły wyprostowane i pomachały do nas.

— Widzisz, jak miło? — spytałam i leniwie przewróciłam się na brzuch. Nie jestem zazdrosna. W końcu to mój mężczyzna! Niech sobie popatrzy, a mnie tam nic nie brakuje! Jestem tylko niższa i okrąglejsza. I zaraz też się tak opalę!

Tomasz poszedł po napoje. Pobiegłam za nim. Kiedy się zanurzył i wreszcie wypłynął, trzymał się za uszy.

— Baśka! Ale tu głęboko, wiesz?

— No co ty? Ze trzy metry...

— Z osiem — powiedział, dobitnie parskając. — Tak mnie w uszach zabolało, jak zszedłem na dno!

Popatrzyłam. W uchu miał krew. Nadeszły trzy gracje.

— Jo! Hele! — zawołały przestraszone i pokazały, że one swoje butelki uwiązują na sznurku i dopiero wpuszczają do wody.

— Głupie nie są!

Dwa dni Tomek oswajał się z faktem, że ma koło siebie cztery gołe baby i sam lata na golasa. Starał się zawsze stawać do nich jakoś tyłem, zakrywał ręcznikiem...

Miłe dziewczynki z Czechosłowacji na dzień dobry wołały swoje „Ahoj!", a na do widzenia „No, tak, pa!" i machały rączkami jak dzieci. Plotkowały, śmiały się w głos, kąpały się, czytały i grały w piłkę w wodzie, nie przeszkadzając nam. Po powrocie do domu, późnym wieczorem, poczułam na pupie groźne pieczenie. Tomek miał zadek jak pawian, a moje piersi zaczerwieniły się boleśnie. Za dużo słońca jak na pierwszy raz!

Cały wieczór okładaliśmy się zsiadłym mlekiem, bo białe ciała od dawna niewidzące słońca poprzypalały się nam za mocno. To ich bułgarskie „kisłe mliako" doskonale leczy oparzenia.

Nasi sąsiedzi — Lusia i Gustlik — zajęli się sobą i chyba byli bardzo zżyci z właścicielami pensjonaciku, bo zawsze się wieczorem bawili u nich na dole, w patio. Nam było to bardzo na rękę.

Śniadania jedliśmy już na naszych skałkach, popijając moim ukochanym schwepssem — nowym odkryciem. Lubię tonic i mandarynkowy.

Na skałki zabieraliśmy ze sobą arbuza — moją nową wielką miłość. Zjadałam naraz trzy półksiężyce i padałam oblepiona sokiem. Szłam się umyć do morza, bo słodki ulep wlewał mi się wszędzie.

W południe zjadaliśmy chleb z serem i pomidorem wielkim jak pięść, a na późny obiad szliśmy do knajpy, taniej i przydrożnej, na baraninę z rusztu, szopską sałatę i winogrona. Polubiłam paprykę pieczoną z ichnim słonym, owczym serem i czosnkiem, polewając to liutenicą, sosem pomidorowym z czosnkiem.

Któregoś dnia Tomasz wrócił z plaży zielony i obolały.

— Co ci jest? — dopytywałam się.

— Nie wiem, Basiu, chyba wrzody mi się odzywają.

— Wrzody? Na wakacjach? — dziwiłam się, ale rzeczywiście o zatruciu nie ma mowy, żadnych innych objawów, tylko ból. Tomasz go już zna.

Poszliśmy do naszej knajpki na obiad. Ja miałam apetyt wilczy, Tomasz siorbał herbatę zwinięty i obolały. Vis à vis nas siedział ów stary Bułgar z niebieskimi oczami, który kilka dni wcześniej wznosił toast za miłość. Patrzył uważnie na Tomasza. Przyglądał się, wreszcie nachylił i spytał cicho:

— Jazwa?

— Słucham? Nie zrozumiałam.

Wówczas pokazał na swój żołądek i pokazał na migi bolesność.

— Jazwa? — dopytywał się.

Na wszelki wypadek kiwnęłam głową. Na odczepnego, bo nie mam pojęcia, co to ta „jazwa". Staruszek skinął na kelnera i poszeptał. Kelner wrócił z tacą, na której stał spory kielich wypełniony do połowy olejem słonecznikowym, a obok kieliszek zielonkawej, niesłodkiej miętówki, a także kieliszek zmrożonej anyżówki — mastiki. Poznałam po kryształkach. Wlał miętówkę i anyżówkę do kielicha z olejem i wymieszał zdecydowanie. Podał Tomaszowi. Tomek popatrzył na mnie zdziwiony.

— Basiu... Rzygnę po tym...

— To rzygniesz. Pij, bo mu dobrze z oczu patrzy.

— Nie umrę — prawda?

— Tomek, to tylko olej i wódka!

Stary pokazał, że trzeba duszkiem i do dna.

Tomasz zacisnął powieki, westchnął i wychłeptał zawartość kielicha. Odetchnął, a stary uśmiechnął się i pokiwał głową. Wstał i poklepał Tomasza po plecach. Popatrzył na nas z tym swoim dobrotliwym uśmiechem i odszedł.

Zaczęliśmy rozmawiać, ja opychałam się sałatką i wtedy Tomasz powiedział:

— Odeszło!

— Co? Brzuch?

— Basiu! Odeszło całkiem!

Przed wyjazdem kupiliśmy butelkę tej miętówki i mastiki. Do domowej apteczki — oczywiście! Bo olej się znajdzie. Jakby co.

O czwartej zawsze wracaliśmy ponownie z owocami — brzoskwiniami i arbuzem — na nasze miejsce, przez zaludnioną plażę pełną ludzi o tej porze.

Woleliśmy napawać się morzem i tą kamienistą plażą, niż łazić na dancingi. Ja to może bym i poszła, ale Tomek nie tańczy, więc po co?

Czeszek popołudniami już nie było na skałkach, bo malują się i szykują na wieczorną dyskotekę i podryw.

My zjadamy owoce, leżymy jeszcze trochę na słońcu, już lekko pomarańczowym. W przedwieczornej ciszy, z pluskiem leniwych fal o przybrzeżne kamienie. Jesteśmy kompletnie sami. Upał spuścił z tonu. Lżej się oddycha.

Kochamy się, bo jesteśmy sami i bierze nas ochota. Mamy czas, jest jasno, ciepło, już nie upalnie i jak w raju. Dawkujemy sobie tę radość powolutku. Tomasz uwielbia, gdy całuję go wzdłuż kręgosłupa. Ma jędrną skórę i wrażliwy każdy jej centymetr. Odwzajemnia się. Czujemy się jak nowo poznani, jakbyśmy dopiero co zaczynali ze sobą. Moje podbrzusze szaleje jak przed burzą, ciało Tomasza też poddaje się namiętności. Kołysze się we mmie miarowo, powoli, aż do wielkiego finału. Wybuchamy spazmatycznie razem, radośnie, niepohamowanie, nieskromnie.

Mewy nad nami latają obojętnie.

— Nigdy tego nie zapomnę. Jesteś moja. Moja! — szepcze zdyszany Tomek.

Mam nadzieję, że nikt z nieba nas nie podgląda. Później pływamy leniwie w wieczornym, ciepłym morzu. Woda w zakolu naszych skał jest jak blat stołu. Porusza się niezauważalnie, ledwie drga. Leżę w wodzie prawie bez ruchu i chcę zapamiętać te chwile na resztę życia. Mój mały, prywatny raj.

Zbieramy się. Wracamy spacerem i patrzymy na siebie rozkochanym okiem. Wiem, że nic już nas nie rozłączy. Nigdy.

— Adam i Ewa tak nie mieli jak my! — mówi mój piękny kochanek i uśmiecha się.

Na plaży są jeszcze spacerowicze. Kobiety pożerają go wzrokiem, a ja puchnę z dumy. Jest mój!

Nazajutrz rano znów skałki, a o jedenastej przychodzą nasze koleżanki — Eva, Jana i Jitka. Okazało się, że mają ze sobą piłkę i badmintona i że Tomek przestał się zawijać tym głupim ręcznikiem. Zupełnie mu przeszła pruderia. Skakał na główkę do wody, grał w siatkę i kometkę i opalał jak nigdy dotąd. Dawał mi się smarować oliwką i czarował panny opowieściami o lesie. Widziałam, jak spada z niego wieloletnie zmęczenie, stres ostatnich miesięcy, jak się cieszy prostymi radościami — pływaniem, skakaniem do wody, paplaniem. Śmiech rozprostował mu zmarszczki, opalenizna uplastyczniła jego mięśnie, podoba mi się jeszcze bardziej.

Piękny jest!

Nie czuję różnicy lat ani z Tomaszem, ani z naszymi sąsiadkami Czeszkami. Ja też wypoczywam. Jestem spokojna, pewna siebie, bez kompleksów. Mam pełniejsze piersi od chudych dziewcząt, oliwkową cerę, bo tak się opalam, i talię o ładnej linii, tym bardziej widoczną, że pupę mam okrągłą. Tomkowi się podoba.

Jestem szczęśliwa.

Któregoś razu zobaczyliśmy w oddali okręt wojskowy. Wielki, dostojny, płynął wzdłuż wybrzeża.

— Tomasz, spójrz! Podaj mi lornetkę!

Lornetka leśniczego Zawoi jest porządna, radziecka i ciężka. Stanęłam na czubku wzgórza, najwyżej jak można, i zaczęłam kręcić kółkiem ostrości.

— Tomasz! Pomóż!

Tomek podtrzymał mi lornetkę, a ja wreszcie złapałam czub kadłuba. Ale blisko! Jak na wyciągnięcie ręki! Wojskowa krypa. Tyle dział! Jakbym tam stała, tak blisko jest to, co widzę! Sunę lornetką dalej i nagle oddaję Tomkowi przestraszona. Na pokładzie stoją, cały… garnizon czy co tam i… gapią się na nas przez lornetki! Wszyscy! Zaśmiewamy się i machamy im.

Trzy czeskie Gracje wyjeżdżają!

Było nam autentycznie przykro, gdy się z nami żegnały. Zostały zdjęcia ślicznych panien i nas z nimi. Będzie co wspominać. Mamy jeszcze kilkanaście dni dla siebie.

Dziesiątego dnia rano budzimy się rozczarowani. Mży. Jest ciepło, ale szaro i dżdżysto. Jesteśmy twardzi. Idziemy na nadmorski spacer.

Ludzi mało. Mamy trampki, szorty i wiatrówki z kapturem.

— Wiesz, że takie mokre powietrze świetnie robi na cerę? — pytam Tomasza. Raczej stwierdzam fakt, bo cera, zdaje się, w ogóle go nie interesuje.

Patrzymy na morze — jest zupełnie innej barwy niż w dzień słoneczny. Dziś jest bardziej wzburzone i ciemne. Fale mają białe grzywy. Bryza od morza staje się ostrzejsza, choć nadal ciepła.

Idziemy po skalistym wybrzeżu, ślizgamy się po kamieniach porosłych śluzowatymi algami. Tomasz gapi się na morze przez lornetkę i mówi:

— Baśka, chyba idzie burza jak cholera! Wracamy?

— No, coś ty! W życiu! Jest… świetnie! Chodźmy tam! — pokazuję za załomem skał dalszą część nabrzeża, bardzo stromą i kamienistą. Nigdy tam nie chodziliśmy.

Dotarcie zajmuje nam sporo czasu. Na oślizgłych kamieniach wywijamy jak w tańcu, potykamy się i zaśmiewamy. Niezauważalnie burza już podeszła blisko. Fale walą mocno i rozbryzgują się o skały, są wielkie i przepiękne. Niebo opuściło się tuż nad nasze głowy. Jest ciężkie i grafitowoszare. Połyskują błyskawice i słyszymy burczenie wewnątrz chmur.

Jest jak na obrazach Iwana Ajwazowskiego — szaleńczo, groźnie i pięknie.

Wokół nas szaleje morze. Widzimy wielki kamienny, prawie płaski krąg, do którego prowadzą wystające z morza kamienie.

— Chodźmy tam! — wołam do Tomka.

Opiera się, ale ja go ciągnę. Czuję w sobie ducha przygody!

Jak para idiotów — skaczemy po kamieniach, i po chwili stajemy na tym kręgu, pośrodku jak rozbitkowie — otoczeni szalejącymi falami. Co za wrażenie!

Krzyczymy do siebie, bo jest głośno, fale wściekle rozbijają się o skały pióropuszami spienionej wody. Jesteśmy mokrzy i podekscytowani. Ja się zaśmiewam, Tomasz woła:

— Baśka! To głupi pomysł. Chodź stąd!

I właśnie jak to krzyknął, ogromna fala wdarła się i dosłownie nakryła nas wodospadem. Ja poślizgnęłam się, upadłam, Tomek mnie złapał przerażony. Śmiałam się histerycznie, żeby nie pokazać mu, że się boję. Sztywni ze strachu, przytrzymując się mokrych kamieni, leziemy prawie na czworaka, w stronę kamieni, po których wyskoczymy na brzeg. Już blisko! Tyle że fale się wzburzyły i są wyższe…

I już bylibyśmy na brzegu (Tomasz pierwszy — podając mi rękę), a mnie, na ostatnim kamieniu, stopa się ześlizgnęła, i puściwszy rękę Tomka, wpadłam do wody. Na szczęście fala znów chlusnęła i rzuciła mną tak, że ledwo zdążyłam chwycić brzeg skałki.

Dalej szarpałam się i zachłystywałam słoną wodą dość długo, aż wyciągnęły mnie czyjeś silne ręce i usłyszałam więcej głosów niż tylko obłędny ryk Tomasza.

Dwaj Bułgarzy wyglądający jak piraci, zbójnicy, cholera wie co, wytaszczyli mnie z wody, prowadzili nas pod górę i wepchnęli do jakiegoś wyłomu skalnego jaskini.

Tam, już w środku jaskini, darli się na nas i złorzeczyli, a ja nie rozumiejąc ich, czułam, że wyzywają nas od idiotów.

Mieli rację. Para nieodpowiedzialnych debili. Patrzyłam, dygocząc, na rozszalałe morze. Co nam odbiło?

W środku płonęło małe ognisko. Faceci wyglądający na zbirów podali nam sporą flaszkę rakiji i nakazali pić po sporym łyku, a mnie pokazali na migi, żebym się rozebrała i wycisnęła ubranie. Sami odwrócili się grzecznie plecami i pociągnęli za rękaw Tomasza. On też ściągnął koszulę, gadając z nimi łamanym rosyjskim, i wykręcał ją.

Okazało się, że to miejscowi kierowcy. Dragan i Płamen. Mieli dziś wolne i wyrwali się z domów, od żon, do swojej jaskini napić się wódki. Mówili, że to ich kryjówka jeszcze z dzieciństwa i że przychodzili tu jako mali chłopcy łowić i piec małże, ryby. Rozmawialiśmy po rosyjsku, po polsku i rękoma.

Paliliśmy ich papierosy Stuardessy i piliśmy z nimi tę mocną wódkę, zanim deszcz nie zelżał i burza nie odeszła dalej.

Ja i Tomasz wróciliśmy do domu lekko zmarznięci i natychmiast po gorącym prysznicu poszliśmy spać. Wieczorem obudził nas głód i cisza. Nie było już ani deszczu, ani burzy. Leżeliśmy w bezpiecznym cieple. Ja — owinięta wokół Tomasza.

— Basiu — szepnął Tomek. — Strasznie się bałem, że się utopisz.

— Przepraszam cię. To moja wina. Nie wiem, co mi odbiło. Było tak… jak na harcerskich wyprawach, a potem straciłam samokontrolę.

— Ważne, że ja ciebie nie straciłem. Umieram z głodu. Chodź szybko do naszej knajpki. Dziś to nawet dam się namówić na te ich flaki ze śmietaną…

Rzeczywiście. Tomek zażyczył sobie miskę flaków zaprawionych kwaśną śmietaną i posypanych siekanym czosnkiem. Niósł je, dmuchając w gorącą, parującą miskę, i uśmiechał się. Ja już siedziałam nad baranim mięsem z rusztu, biorąc dodatkowo frytki. Skręcało mnie z głodu.

Do późna gadaliśmy o tym, że jesteśmy nienormalni, nieodpowiedzialni i durni, ale że było fantastycznie. I tylko szkoda, że od Dragana i Płamena nie wzięliśmy adresów.

Dwa tygodnie trzasnęły jak z bata. Wracamy do Polski opaleni i wypoczęci, ale niechętnie. Żal takich wakacji. Mnóstwo we mnie radości, miłości i nowych sił.

Nareszcie, jak nigdy dotąd, strasznie chce mi się żyć!

BUŁGARSKIE FLAKI

Zazwyczaj cielęce. Gotowane podobnie jak nasze, ale bez naszych przypraw typu mielony imbir, majeranek, marchew.

Flaki zagotowuje się w wodzie i odlewa. Ponownie zalewa wodą i gotuje do miękkości. Doprawia się solą, pieprzem i papryką rozprowadzoną w ciepłym oleju albo maśle. Następnie zaciąga kwaśną śmietaną albo mlekiem i tłustym jogurtem. Na koniec dodaje się dużo siekanego czosnku. Podaje się z białym pszennym pieczywem.

Epilog? Chyba za wcześnie, choć to już koniec tej opowieści

Jeszcze kilka zdarzeń przed nami.

Rok po Bułgarii pojechaliśmy z Kaśką na dwa tygodnie do Między-zdrojów na prawdziwe wczasy z FWP. Też było świetnie, choć chłodniej i nie tak urokliwie jak w Bułgarii. W tym samym czasie Heniek rozdeptał po pijaku swojego chomika i przestał pić. Później oswoił młodego szczura i też nosił go w kieszeni. Naszym gospodarstwem zajął się w tym czasie Stefan ze swoją dziewczyną i Heniek z nowym szczurem.

Konklawe zadecydowało, że po śmierci Jana Pawła I głową Kościoła zostanie Polak. Poczułam falę wzruszenia. Polak „Biały Pielgrzym" — jak go ładnie nazywamy, bo też ruchliwy jest jak żaden dotąd! Odwiedza kraje, kontynenty, a nade wszystko wielce wzruszonych ludzi.

Później, za działalność podziemną, Tomasz został „zesłany" pod Pisz. Właściwie w okolice Rucianego. Na dwa lata, pod pozorem pomocy w prowadzeniu prac obserwacyjnych rozwoju i zaniku flory i fauny terenów podmokłych, ratowania wymierających egzemplarzy... Bardziej praca naukowa niż leśnictwo sensu stricto, i nawet mu się to spodobało, chociaż było mało konkretne. Mimo problemów z benzyną przyjeżdżaliśmy do siebie.

Ja miałam incydent szpitalny, bo włażąc na starą morelę w ogrodzie Tomasza tam, pod Rucianem w leśniczówce ze starym sadem, spadłam i połamałam się.

Leżałam na ortopedii w Giżycku kilka miesięcy. Dlaczego tam? Tam praktykował wspaniały lekarz, spec od torebek stawowych. Udo w kilku miejscach trzasnęło, wstrząs mózgu i problem z torebką stawową w kolanie. Miałam kilka operacji, po których chodzę, choć o rowerze musiałam na rok z hakiem zapomnieć.

Podczas mojego leczenia w Giżycku, domem i Kaśką zajmowała się, oczywiście, Karolakowa i jej dzieci, Heniek, Hanka ze Zbyszkiem wzięli urlop i pobyli u nas pod moją nieobecność, także Piotr był prawie miesiąc. Pomogli wszyscy!

Na świecie się kotłowało i kotłuje.

Joanna Szczepkowska podała godzinę upadku komunizmu dokładnie, co do minuty. Wymyślono Okrągły Stół, urodziła się „Gazeta Wyborcza", i już nie byliśmy państwem socjalistycznym, a demokratycznym. Poczuliśmy w sercach wielkie nadzieje.

Zmiany polityczne podzieliły rodziny bardziej niż to warte. Później wszystko zaczęło normalnieć — przynajmniej u nas, a już nad rozlewiskiem na pewno. Wrócił Tomasz z wygnania do swojej leśniczówki i wróciło też wszystko do normy. Znów byliśmy blisko, mądrzej, dojrzalej, choć nie na tyle, żeby mieszkać razem, by się pobrać. Mamy buntownicze natury, leśniczówka wymaga opieki — „pańskiego oka", a ja nie zostawię obejścia i Kaśki. Jest dobrze jak jest.

Właśnie wtedy, gdy Kaśka tak chorowała przed świętami, dostałam wiadomość z Warszawy od Anny i przyjaciół Stanisława, że on jest w szpitalu i że jest umierający.

Zastanowiłam się. Mój Boże! Mamo! Tato! Chcę pojechać. Powinnam? Mamo?... Kiwasz głową. Czuję to. Trzeba się zobaczyć, pojednać może? Ja już dawno mu wybaczyłam. Gosia ma się dobrze. Wiem, bo Anna z rzadka, ale dzwoniła do szkoły. Czuła, że powinna mnie zawiadamiać o tym, że Gosia wyrosła na mądrą i miłą dziewczynę, że studiuje, że wyszła za mąż. O mamo! A ja z boku, bo sama tak chciałam. Moja wina, mamo. Moja! Jakoś nigdy nie miałam odwagi przełamać tych idiotycznym zakazów i pojechać, zobaczyć się z nią. Było mi coraz trudniej. Co mogłam jej zaoferować? Mieszkanie tu na wsi? Mnie, wiecznie rozczarowaną, zagubioną? Odpuściłam. Może nie nadaję się na matkę?

Pożegnałam się z Kasią i pojechałam. Pociągiem, bo autobusów nie lubię, a maluch nie chce współpracować. Paweł go kupi, bo jego syn ma warsztat. Za grosze. Pewnie na części. Odkładam na coś lepszego.

W pociągu siedziałam przy oknie i nie uczestniczyłam w rozmowie dwóch panów o samochodach właśnie.

Myślałam, jakie też będzie nasze spotkanie. Czy stan Stanisława pozwoli na rozmowę? Czy zastanę tam jakąś jego damę serca? Gosię? Czy zostanę powitana jakoś normalnie, czy spowoduję szybsze bicie serca, skok ciśnienia i zgon?

Pola lekko ośnieżone migają, bo pociąg jedzie szybko. Jestem starannie uczesana, umalowana, żeby nie było po mnie widać, że jestem wieśniaczką. Mam rudy kostium z wełny bouclé ładny, modny, i brązowy golf. Wysokie kozaki ze świńskiej, grubej skóry na grubej podeszwie i obcas, dzięki któremu nie jestem taka mała. Włosy związane w ogon. W uszach klipsy z Cepelii. Piękne, miedziane liście klonu. Sama wybrałam przedwczoraj w Olsztynie. Nie. Nikt nie musi się mnie wstydzić.

Moje odbicie w szybie zadowala mnie w pełni. Mamo! To nie próżność! To sceniczny kostium! Moja zbroja, pomoc, żebym się pewnie czuła! Jadę na spotkanie z przeszłością.

W szybie widzę ładną twarz kobiety, która się nie boi.

Jadę taksówką do szpitala. Akurat pora odwiedzin. Wielki ten szpital. Wojskowy. Co Stanisław ma wspólnego z wojskiem? Pielęgniarki miłe. Pokazują pokój ordynatora. To jego pacjent.

„Prof. dr S. Czaplicki. Kardiolog. Ordynator" — czytam wizytówkę. Ho, ho! Ważna persona! Pukam, wchodzę.

Za biurkiem siedzi przystojny lekarz w średnim wieku. A może tylko dobrze wygląda? Może jest starszy? Wstaje, zaprasza mnie, żebym usiadła.

Tłumaczę, kim jestem dla Stanisława.

— Rozumiem. Jakby rodzina, więc dobrze, wprowadzę panią. Jest po operacji. Była pół roku temu. To nowotwór nerki. Dzisiaj ma już sporo przerzutów. Zignorował zalecenia pooperacyjne. Sądził, że zabieg załatwił problem. Na naświetlania już za późno. Zresztą, sama pani zobaczy…

— Aż tak źle? — spytałam drżącym głosem. Byłam zawiedziona. Czemu Anna nie dzwoniła wcześniej? Czemu ja tu jestem tak późno?

— Wie pani, on dużo śpi. Dostaje sporo środków, rozumie pani… Proszę iść do niego. To dzielny pacjent. Sala dwunasta. Leży sam.

— Dziękuję panu — podałam mu rękę.

Podniósł się i spojrzał smutno. „Jest zmęczony i przepracowany" — pomyślałam.

— Panie doktorze, proszę się zbadać — powiedziałam to, nie wiem czemu. — Ma pan temperaturę. To chyba grypa pana bierze. Do widzenia.

Uśmiechnął się i pokazał chusteczki w kieszonce na piersi. Wie! Początek grypy. Tak. Poczułam to przez skórę…

Weszłam do pokoju Stanisława.

Spał, oddychając bezgłośnie. Mamo! Jak on wychudł! Skurczył się, postarzał. Jak się zmienił! Podeszłam do okna i odsłoniłam zasłonę. A kiedy się odwróciłam do niego ponownie, zobaczyłam TO. Cień. Na pożółkłej niezdrowo twarzy, na skórze leżącej bez jakiegokolwiek napięcia, na kościach policzkowych. Cień śmierci.

Stanisław miał już otwarte oczy, szare i zapadłe. Patrzył na mnie, rozumiejąc już, kim jestem. Wtedy właśnie doszło do mnie, co widzę.

Usiadłam i uśmiechnęłam się.

— Witaj… Nie gniewasz się? — spytałam zwyczajnie.

Ze wzruszenia nie mógł mówić. Machał powiekami i łzawił krótko. Ładne niegdyś rzęsy teraz krótkie, pozlepiane… Wychrypiał:

— Myślałem, chciałem, żebyś przyszła, ale jakoś nie umiałem tego sprawić.

— Anna zadzwoniła.

— Anna — powtórzył. — Całe życie za mnie decyduje. Tak chciałem, żebyś przyszła, Basiu. Co u ciebie?

— Mieszkam nad rozlewiskiem. Mama umarła i zostawiła nas. Musiałam zająć się obejściem i Kasią.

— A tak! Mówiła Anna. Kiedyś… Dobrze ci tam?

— Dobrze. Wrosłam. Jestem wieśniaczką.

— Wszystkie wieśniaczki są takie piękne? — spytał z uśmiechem pełnym bólu.

— Nie żartuj! — wzięłam go za rękę. Same kosteczki i pergaminowa skóra.

— A szczęśliwa jesteś?

— Tak, Stasiu. Teraz już tak.

Moje serce zareagowało późno wzruszeniem, zaskoczeniem. Przecież latami nic nas nie łączyło oprócz wzajemnej niechęci, a teraz, to takie dziwne, mam żal, że tak późno się spotykamy. Że teraz, gdy odchodzi. Leży mały, bezbronny, z tym wyrokiem wypisanym na twarzy. Biedny taki…

— Wiesz, że zacząłem onegdaj żałować mojego uporu, ale było już za późno, Basiu… Skrzywdziłem cię — szeptał, chrypiąc.

— Stachu… Nic to. Daj spokój — płakałam już grochem.

Pocałowałam go w rękę, a on ostatkiem sił, trzęsąc z wysiłku głową, dociągnął moją dłoń do suchych ust i też pocałował w akcie… żalu? Przebaczenia? Później zamknął oczy i głęboko odetchnął. Spod powieki, na skroń, za ucho, wyciekła mu wielka łza. Druga, trzecia…

Otaczała nas szpitalna biel, w powietrzu mieszanka lizolu, eteru i cisza.

— Idź już, Basiu, i tylko powiedz, że mi wybaczasz. Lżej będzie umrzeć, iść do piachu.

— Stasiu, w niebie czeka na ciebie Inka i rodzice. Moi też. Pogadacie, bo tam już nic cię nie będzie bolało. Odzyskasz spokój.

— Mój Boże, Basiu! Wierzysz w to?

— Sam wzywasz imię Boga. Tak, Stasiu. Wierzę, bo ja gadam z moimi, to wiem! Przejście jest łagodne i spokojne. Nie boli. Ja to WIEM. Będziesz z przyjaciółmi, którzy odeszli, i jednocześnie razem z nami.

Uśmiecha się. Chciał, żeby to był uśmiech cyniczny. Ale jest inny. Nostalgiczny. Lękliwy. Chciał, żeby okazało się prawdą to, co mówię. Kto w godzinie ostatecznej, nawet największy cynik i ateista, wierzy w piach i robaki?! Każdy ma pragnienie przedłużenia ziemskiego bytu w coś… W inny byt. I żeby tam nie być samemu. Bo na stare lata nie lubimy nowości, nowych miejsc ani twarzy. TAM powinni być nasi znajomi, którzy czekają i pomogą. I znane miejsca. Łąki, pokoje, balkony, plaże, wszystko znane już. Obłaskawione pamięcią. Być wśród życzliwych, tęskniących, bez bólu i cierpienia. Chyba tak to jest…

— Stasiu. To tylko zmiana stanu. Będzie dobrze, cokolwiek by to miało znaczyć.

Wierzę w to, co mówię. Tak głęboko jak nigdy. Chcę, żeby Staszek się nie bał, żeby czuł przebaczenie i umierał spokojny. Patrzy na mnie długo, uważnie. Uśmiecha się leciutko.

— Idź już — powtarza. — Bardzo ci dziękuję — dodaje szeptem.

Wychodzę zaryczana. Jadę taksówką, płacząc cicho. Dyskretny kierowca podaje mi paczkę chusteczek.

— Mogę w czymś pomóc? — pyta życzliwie.

Spoglądam na niego zaskoczona. Jest w garniturze, w niebieskiej koszuli i pachnie elegancko dobrym kosmetykiem. Przystojny, pyzaty i ma dobre oczy.

— Przepraszam. Do hotelu Solec proszę…

— To już wiem, ale pani płacze, może pomogę?

— Ja...

— Zapraszam na pyszną kawę. Tu, na Rondzie Waszyngtona jest taka miła knajpka. Odpocznie pani, bo widzę, wrażenia mocno dały pani w kość!

Pojęcia nie mam, czemu się zgodziłam, ale chyba nie chciałam być całkiem sama.

Siedzimy nad kawą. Rzeczywiście pyszna. Prawdziwe cappuccino. Nigdy czegoś takiego nie piłam. Zjadam szarlotkę. Nawet nie wiedziałam, jaka jestem głodna!

— Pani wybaczy, jak pani na imię?

— Barbara.

— Tadeusz. Tadeusz Jaworski — wstaje i szarmancko całuje w dłoń. — Skąd te łzy? — pyta. — Nieszczęście? Jeśli mogę spytać?

I znów nie wiem, dlaczego opowiedziałam mu z grubsza wszystko.

— Gadam jak najęta, a pan zdycha z nudów! — sumituję się.

— Pani Basiu, ja mam taki zawód jak psycholog! Wie pani, jak ludzie potrafią gadać? Najskrytsze tajemnice. Wysłuchałem, a pani się uśmiechnęła! No, jedziemy! Takie jest życie, ale powiem pani, że to piękny gest, takie pojednanie. Niejedna pozostałaby zacięta w żalu za takie wyrzucenie z życia!

— A po co? Trzeba umieć wybaczać. Dziękuję, panie Tadeuszu!

— Proszę, to moja wizytówka i telefon. Zawsze jak pani będzie w stolicy — proszę mną rozporządzać!

Jeszcze raz czy dwa byłam u Stacha rano. Wpuszczano mnie bez problemu, a siostry patrzyły bezradnie. Na ogół przysypiał. Przytomność opuszczała go już.

Trzymałam go za rękę, a on miał taki pełgający po twarzy uśmiech — nie uśmiech. Czasem otwierał oczy i patrzył. Ściskał mi rękę i znów zasypiał. Chciałam, żeby tak właśnie umarł, trzymając mnie za rękę! Byłoby mu lżej. Nie bałby się tak...

Do szpitala i ze szpitala woził mnie mój nowy znajomy — Tadeusz. Po południu sama jeździłam po Warszawie. Tramwajami. Po południu Gosia jest u taty. Widziałyśmy się krótko, w korytarzu, szła do Stanisława prawie biegiem.

Zobaczyła mnie i stanęła zdumiona.

— Witaj, Gosiu — powiedziałam serdecznie. — Do taty?

Idiotyczne. A do kogo?

— Tttak... dzień dobry — powiedziała i uciekła wzrokiem. Nie wiedziała, co powiedzieć, i zmieszała się.

Po co ją peszyć moją obecnością? To ich ostatnie chwile, nie powinnam się wcinać. Żegnam się i odchodzę. Czy mi się zdaje, czy jest w ciąży? Nie widziałam dokładnie, miała zarzucony niedbale fartuch. Nie zawołała mnie.

Chodzę po mieście, zamyślam się nad życiem, które już poza mną. Nie odwrócę biegu zdarzeń, ale ciekawe, jakby się potoczyło, gdybym została w Warszawie? Kim byłabym? Jak wyglądałby mój związek ze Stanisławem?

Bo że z Gosią byłabym w dobrej komitywie — wierzę. Ona ma taką pogodną buzię! Jest fizycznie podobna do ojca. Ładna. Jaka jest? Dlaczego nie próbowała mnie odnaleźć? A może to moja wina? Może powinnam zabiegać bardziej o spotkanie? Wyjaśnianie?

Co by to dało? Nie wiem.

Idę przez już nieznaną prawie Warszawę i zastanawiam się, jakby to było iść na zakupy z córką? Gosia wygląda na osobę otwartą. Pogodną. Jest zadbana i ładnie się ubiera. Kobieta, a wkrótce będzie mamą. Mój Boże! Będę babcią. Ile mi umknęło...

Idę Nowym Światem, skręcam w Rutkowskiego, mijam Bracką. Na jej końcu jest Dom Dziecka. Tam poszłybyśmy kupić ubranka dla dziecka.

Z nostalgii wybiła mnie Kapela z Chmielnej — stoją na tym chłodzie i grają — jak zawsze „od ucha"! Mam czerwony nos, bo „płaknęłam sobie", jakby powiedział Wańkowicz. Taki mam nastrój, a tu podchodzi do mnie starszy gość w czapce w kratkę, śpiewa wesoło, zaglądając mi w oczy:

> *Przy poleczce zgubisz smutki*
> *I tych smutków przykre smutki*
> *Przy poleczce się wyleczysz*
> *Z bólów oraz innych rzeczy*
>
> *Przy poleczce nawet na czczo*
> *Możesz wnet przekonać się*
> *Że to życie, jak nie patrząc*
> *Nie jest wcale takie złe!*

(słowa: J. WASOWSKI)

Stare dziadzisko, przemiłe! Wyczuł, że mi smutno, i zaraz cała kapela nas obstąpiła. Pod koniec frazy pocałował mnie w rękę i skłonił się z andrusowskim uśmiechem. Ma zmęczone, ale dobre oczy. Wszyscy oni zmęczeni i wklejeni w Rutkowskiego, dawniej Chmielną...

Wyjęłam portmonetkę i położyłam na banjo pieniążek. A co! Odchodziłam weselsza. „Że to życie, jak nie patrząc, nie jest wcale takie złe!".

Może tak? Może i to moje życie nie takie złe? Teraz nie mogę Gosi niepokoić, ale na pewno uda nam się spotkać, bo jak się zostaje mamą... Poczekam.

Idę do Domów Centrum

Ile zmian!

Chodziłam ciut oszołomiona. Hoffland w Juniorze, taki młodzieżowy, modny! Na pewno Gosia kupuje tu szmatki dla siebie. Mnóstwo świątecznych elementów, dekoracji, taki rejwach! Jakie towary! To nie to co u nas, w Szczytnie! Chociaż te buty, co mam na sobie — świetne, supermodne i z... Olsztyna!

Kupiłam sobie i Kasi kilka ciuchów. Kaśka lubi prezenty i niespodzianki.

Tadeusz pojawił się w dzień odjazdu i zadeklarował się odwieźć mnie na Dworzec Centralny.

Był miły, dyskretny i już nie chciał pieniędzy, więc zgodziłam się pójść z nim na obiad przed wyjazdem.

— Nie, Tadziu. Nie zostanę. Nie umówimy się, ale bardzo dziękuję.

Pomachałam mu. Miałabym takiego fajnego adoratora! „Fajne". To nowe słowo. Tadeusz tak powiedział: „Fajna jesteś". Jestem!

Profesor nic nie umiał mi powiedzieć.

— To może potrwać godzinę albo tydzień. Nie wiem! Nikt nie wie, droga pani.

Tydzień po moim wyjeździe Stanisław zmarł.

Pierwszy raz widziałam laicki pogrzeb.

Na wojskowych Powązkach, rzeczywiście zaraz na lewo od bramy, wybudowano dom pogrzebowy. Mnóstwo ludzi, jakaś drużyna harcerska, autokar. Na pewno to ten pogrzeb?

Wchodzę do ładnego budynku, za ludźmi. W środku, jasno. Ładna ściana centralna ozdobiona mozaiką, podest i katafalk z trumną. Tak, to mój mąż Stanisław. Widzę żałobników, ale robi się zamieszanie, bo wchodzi poczet sztandarowy i harcerze. Zdaje się, że widzę Annę. Jest wielka i oczywiście kieruje harcerzami. Jest po cywilnemu, ale jak zwykle — bez gustu. Wielka kurtka szara i bezkształtna, włosy bez ondulacji, siwe, spięte za uszami spinkami. Okulary sprzed stu lat. Gdzieś musi być Gosia... Nawał ludzi spycha mnie pod ścianę. Jestem mała i już widzę tylko tych, co zaciągnęli wartę honorową. Zapewne koledzy Stanisława z ministerstwa. W tle jakaś muzyka fortepianowa, z taśmy.

Na mównicę wchodzi wielki i tłusty jegomość. Wyciąga okulary i kartkę. Stuka w mikrofon. Sala się ucisza powoli. Boże!

Jegomość plecie jednostajnie o zasługach Stanisława dla kraju, blablabla...

Rozglądam się i zastanawiam, czy kogoś znam. Nikogo.

Facet skończył, bo wszyscy wstali i czczą zmarłego minutą ciszy. Tę ciszę przerywa głośne, miarowe tupanie. To żołnierze z jakiejś jednostki wchodzą ostro i mocno krokiem defiladowym do tej laickiej świątyni. Dopiero to mi się podoba. Ten krok, dziarski i mocny. Nie znoszę mękolenia i zawodzenia na katolickich pogrzebach, a już ciągnące się i fałszujące śpiewy budzą we mnie wstręt.

Ta żołnierska prostota. Co Stanisław miał wspólnego z wojskiem? Anna załatwiła kompanię reprezentacyjną, jakiejś jednostki. Ten stukot butów i dziarskie zakrzątnięcie się wokół trumny budzi respekt. Tak powinno być. Sprawnie, po męsku.

Jakoś też w miarę szybko docieramy do grobu. Znów przez tłum nie mogę niczego dostrzec. Ktoś znów przemawia, potem chyba układają trumnę w grobie, ale nic nie widzę. Nie pcham się. Myśmy się pożegnali w szpitalu. Wybaczenie było ważne, jego i moje łzy wzruszenia. A teraz... Patrzę na wiewiórkę. Kica obok i patrzy, czy nie sięgamy do kieszeni. Odchodzę za nią i spaceruję. Czytam tabliczki na grobach i wspominam Stanisława.

Widzę, że tłum się rozchodzi. Pewnie skończyli przemawiać i nadmiar ludzi odchodzi. Przepchałam się w końcu, i wrzuciłam Stasiowi, zanim jeszcze zamurowano do końca kryptę, małą różyczkę. Złowiłam zdumione spojrzenie Anny. „Postarzała się i okropnie utyła" — pomyślałam i wycofałam się w rozchodzący się już tłum. Nie rzucałam do grobu garstki ziemi. Nie wierzę w ten rytuał. Mam swój. Stach bał się piachu.

Wreszcie spostrzegam Gosię. Jaka dorosła! Stoi profilem — podobna do Stanisława. Jest ubrana na szaro, z białym kołnierzykiem — ładnie! Rozmawia z kimś, to zapewne mąż. Podobny do tego ze zdjęcia, jakie mi przysłała Anna jakiś czas temu. Po wszystkim już Gosia podeszła do mnie z niedowierzaniem.

— Dzień dobiy... — zawiesiła głos, bo „mamo" nie chce jej chyba przejść przez gardło.

— Dzień dobry, Gosiu! Przepraszam, bywałam u Stasia w szpitalu...

— Wiem, tatuś mi mówił. Ja...

— Który to miesiąc? — wyręczam ją, bo widzę, jak jej trudno.

— Ósmy! — uśmiecha się i dotyka brzucha. — A tam stoi mój mąż! — pokazuje mi nobliwego mężczyznę o dobrym wyglądzie. Kiwamy do siebie głowami, ale nie podchodzi do nas, bo stoi z jakimiś damami, ciotkami i Anną.

— Świetnie! Dobrze znosisz tę ciążę? Bez problemów?

— Bez! Zdrowa jestem! Przepraszam, muszę pożegnać rodzinę. Odezwę się! Napiszę!

— Pa, Gosieńko! — rzucam i odchodzę szybko. Łzy mi cieką same.

Na pogrzebie nikogo to nie dziwi. Nie chcę Anny, nie chcę ich spojrzeń. Idiotycznych żachnięć, rozmów. Chcę do domu!

Odchodzę, żeby nie stawiać Gosi w sytuacji, w której czułaby się przymuszona do kontaktu ze mną. Zna mój adres. Jak poczuje potrzebę... Teraz powinna myśleć o sobie i ciąży. Ja nie jestem ważna. Jaka dorosła jest i ładna! Kobieta się z niej zrobiła. O mój Boże! Ile mi umknęło! Odezwie się? Czy nie? No cóż. Zobaczymy.

Pociąg stuka miarowo i gna. Pogoda obrzydliwa. Pada. Ciężko mi na duszy. Te chwile poświęcam Staśkowi. Są jak modlitwa. Nie taka kościelna, której nie lubię.

Bezdusznie odklepana przez kapłana, który nie ma pojęcia, kogo chowa. Odwala sprawę elegancko i fachowo, ale jednak bezdusznie. Ja teraz tymi godzinami w pociągu, poświęcam moje myśli-wspomnienia Stanisławowi, modlę się za niego najprawdziwiej. Proszę mamę, tatkę i Pana Boga, żeby zajęli się nim, mimo że taki był z niego cynik, agnostyk.

Pewnie bardzo się boi. Mamo, pogłaszcz go, zanim się uspokoi! Zanim odnajdą go swoi! Wybaczyliśmy sobie. Ja mu wybaczyłam. To ważne.

Zdarzyło się jeszcze coś. Zupełnie niespodziewanie.

Szymon, po kolejnym rozwodzie, jeździ często za granicę z wykładami. We Włoszech złamał rękę i zadzwonił, prosząc, żeby przyjechać po niego na lotnisko.

W hallu czekaliśmy na samolot z Rzymu, gdy usłyszeliśmy, że się spóźni czterdzieści minut. Czekaliśmy znudzeni, aż wreszcie przyjezdnych wypuszczono. Wychodzili łapani w objęcia oczekujących, tłum napierał na barierki.

— Ma złamaną łapę — powiedział Tomasz. — Wygramoli się ostatni, zobaczysz! Odejdźmy, Basiu, bo mi cię rozdepczą.

Stanęliśmy z boku. Poczułam na sobie czyjeś spojrzenie. Opodal jakaś rodzina upakowywała na wózku wielkie walizki i pakunki. Rządziły kobiety i młody mężczyzna o ciemnych oczach, a obok, nieruchomo stał chyba ich ojciec, mąż — starszy mocno szpakowaty, lekko zgarbiony. Miał ciemne okulary i stał do nich wszystkich bokiem, jakby te walizy go nie dotyczyły. Kurczowo trzymał się wózka i z napięciem patrzył... Na mnie. Kilka razy rzuciłam okiem, ale nie wypadało mi się tak przyglądać. Poczułam się nieswojo. Staliśmy wystarczająco blisko, żebym czuła natarczywość spojrzeń tego pana. Odwróciłam się do niego w chwili, gdy jego żona zameldowała mu, że wszystko już gotowe i mogą iść.

Jej głos, dość mocny i zdecydowany, nie zrobił na nim wrażenia. Ponagliła go jeszcze głośniej i wtedy usłyszałam, że mówi do niego w jidysz.

Serce mi skoczyło do gardła i patrzyłam na niego z wysiłkiem, próbując w tej starej, zmęczonej twarzy odnaleźć znajome rysy. Dawid? Wydawał mi się niższy niż mój Goldbaum i na pewno utył.

Wtedy starszy pan zdjął okulary i ukłonił mi się nisko. Dawid...

Okulary drżały mu w dłoni, wypadła laska. Niezdecydowany uśmiech błąkał się po twarzy. Młoda panna, zapewne córka, podniosła laskę i popatrzyła na mnie, uśmiechając się uśmiechem Dawida sprzed lat.

W książkach piszą: „Stała jak rażona piorunem". Właśnie tak stałam, nie mając pojęcia, co zrobić. Przecież tu musi być jakaś kawiarnia, musimy pogadać! Wyjaśnić! Opowiedzieć sobie!

Dawid patrzył bezradnie, przeciągle, ponaglany przez rodzinę, która go po prostu odwróciła, podała laskę i zabrała. Spod drzwi odwrócił się jeszcze nerwowo, złapał mnie wzrokiem bolesnym, dramatycznym, poruszał ustami, jakby coś mówił, a potem odwrócił się bezwolnie i począłapał, utykając, za rodziną.

Nie wiedziałam, co robić, jak się zachować. Biec za nim? Niepokoić tę jego rodzinę? W końcu... żyje. Jest cały.

Przestałam się zastanawiać nad tym, bo wyłonił się Szymon w towarzystwie stewardesy, z łapą w gipsie, i zawołał głośno:

— Halo! Baśka, Tomek! Tu jestem!

W drodze powrotnej opowiedziałam chłopakom o tym, że chyba widziałam Dawida. Rozmawialiśmy, rozpatrując hipotetycznie różne scenariusze.

Ale jak było naprawdę? Nie wiem i nie dowiem się już nigdy. To już nieważne. A on? Miał widać inne plany na życie. Beze mnie.

To jakaś archaiczna przeszłość. Historia. Wracamy do domu. Do siebie. Mam swoje życie, Tomasza, spokój. Już nie jestem studentką z Warszawy. Jestem Baśka z Mazur. Zupełnie już inna — ja.

Rozlewisko odradza się każdej wiosny. Co roku wracają ptaki z zimowych ferii.

Kaśka i ja pracujemy w naszym obejściu dzielnie, bo dom nad rozlewiskiem, a wraz z nim — psy, koty, kaczki, kury, gęsi, okoliczne pola — to nasze miejsce na ziemi. Tomasz uważa, że jego miejsce na ziemi jest tam, gdzie ja jestem. Ładne...

Będzie się jeszcze działo i działo, ale już bez dramatów. Z miłością w tle. Spokojnie i powoli będzie się snuło nasze życie. Poznamy nowych ludzi, nowe miejsca, a życie zgotuje nam jeszcze niejedną niespodziankę. W takich sytuacjach pisze się: „Ale to już całkiem inna historia".

Nieprawda. Ciągle ta sama. Historia Domu nad Rozlewiskiem.

Słowniczek

flama — dawne niezbyt pochlebne określenie kobiety skłonnej do amorów, miłostek. Kochanka, dama do towarzystwa.

FWP — Fundusz Wczasów Pracowniczych.

Gaz 67, gazik (popularna w Polsce nazwa — **gazik** lub **czapajew**) — radziecki samochód terenowy z okresu drugiej wojny światowej i lat powojennych, produkowany na wzór amerykańskiego jeepa w Fabryce Samochodów im. W. Mołotowa w Gorkim.

heksenszus — (niem.) silny ból w okolicy lędźwiowej; postrzał, lumbago.

mimikra — przystosowanie ochronne występujące u zwierząt (zwłaszcza owadów), polegające na tym, że zwierzęta bezbronne upodabniają się do zwierząt zdolnych do obrony, przybierając ich kształt lub barwy. Mogą też przybierać kształty i barwy otoczenia tak, żeby być trudnym do wykrycia przez naturalnych wrogów.

ovomaltina — środek przysyłany w paczkach UNRRA, a potem pokątnie rozprowadzany, dodatek witaminowy w postaci rozpuszczalnego proszku do mleka.

poślad — pozostałość po młóceniu zboża; używany przeważnie jako pasza dla kur.

rozkładówka — brezentowo-metalowe rozkładane łóżko.

szlabanek — drewniana ławka używana przez biedną szlachtę i chłopów do siedzenia i spania. Miał wysuwaną częśc ze słomą, żeby miejsce sypialne było większe.

szpas — złośliwy żart, figiel.

Teatr Sensacji, „Kobra" — w czwartki Telewizja Polska, po dzienniku wieczornym, emitowała przedstawienia kryminalno- („Kobra" z czołówką animowaną w kształcie zwijającej się kobry) -sensacyjne („Teatr Sensacji" z pajakiem w sieci mającym na grzbiecie dwa rewolwery). Były to grane na żywo sztuki teatralne dobrych autorów — Joe Aleksa, Arthura Conan Doyle'a, Agaty Christie. Także innych pisarzy. Polscy aktorzy bardzo lubili grać w tych sztukach. Na miarę światową był ewenementem również poniedziałkowy Teatr Telewizji emitujący sztuki klasyków.

Notatki Bronisławy Matz

(fragmenty)
oraz drobne uzupełnienia moje, Barbary Jabłonowskiej.

Rosół „w ogóle"

Musiałam zrobić tę klasyfikację dla mnie samej, jako że moja mama była wielką admiratorką rosołów.

Tatko nie wyobrażał sobie niedzielnego obiadu bez rosołku, maminych kluseczek albo manny z masłem, wylanej na talerze do wystygnięcia i pokrojonej w kwadraty.

A sztuka mięsa i włoszczyzna na półmisku ze stojącą sosjerką pełną sosu chrzanowego — to widok, do którego z lubością się uśmiechał. Za kapustę z rosołu dałby się pokrajać!

Smutniał, gdy był to rosół kurzy, bo kurzyny z rosołu nie lubił, ale wtedy mama robiła na drugie danie bitki wołowe, baraninkę na ostro z pyzami czy coś, co mogło tatkę zadowolić.

Jakubowa — kucharka w Michałowym majątku — umiała jeden tylko rosół uwarzyć. No, to spisałam, co wiem o rosołach!

Rosół to bardzo stary wynalazek ludzkości

Gotując go, nie należy się spieszyć. On nie lubi pełnego ognia.

Mięso zanurzamy w zimnej wodzie i czekamy, aż zaszaleje. Z początku wrzątek porywa ku górze lekkie białka w postaci szumowin. Zdejmujmy je mimo różnych szkół gotowania. Tak robiły kobiety plemienne, czarownice ratujące rannych rycerzy pożywnym rosołem i nasze babcie nauczone tego od swoich z kolei babek... Widać tak trzeba! Coś złego jest w szumowinie!

Rosoły, a jest ich tak wiele jak plemion, kontynentów, stref klimatycznych i dostępnych surowców, są od zarania dziejów zupą zup. Bywały nieraz lekiem na chore ciało i duszę. Nazywane różnie: wywarem, rosołem, bulionem, smakiem, zależnie od sposobu przyrządzania, składu i celu, w jakim go robiono.

To cudowna i tajemnicza zupa. Ugotowana wedle zasad sztuki, powolutku i z miłością oddaje tę miłość, stanowiąc jedno z najbardziej uniwersalnych dań, lubianych prawie wszędzie. Nawet jarosze mają swoje rosoły z warzyw.

Nie bójmy się określenia „rosół lubi czas". Nie do końca o nasz czas tu chodzi. Wystarczy, że robiąc go, poświęcimy chwilę i uwagę na przygotowanie odpowiednich składników, odpowiemy sobie na pytanie, co gotujemy i po co, potem nastawimy garniec z zawartością, a możemy spiesznie uciec do innych zajęć.

Dajmy czas rosołowi (smakowi, bulionowi, wywarowi, czy co tam gotujemy). Jemu potrzeba długich godzin na łagodne rozpieszczanie się i rozpuszczanie w cieple swoich tajemnych składników.

Możemy więc niektóre rosoły zostawiać same sobie na długi czas, na takim ogniu, by powierzchnia ledwo tylko puszczała do nas oczko. Tak wywar, bulion, rosół czy smak — mówi się — „mruga". Dotyczy to głównie rosołów na ciężkim mięsie.

Wołowina, baranina, nawet jagnięcina czy cielęcina, a też czerwone mięso morskich ssaków czy dziczyzna, musi długo, jak najdłużej, pyrkotać w garnku. Nie jadłam wywaru z czerwonego mięsa ssaków morskich. Opowiadał mi o nim Teodor — wielki myśliwy, traper, przyjaciel rodziców, którego losy gnały po świecie i nawet takie rosoły jadał.

Dziczyzna ma swój specyficzny smak i świeża nie stanowi najlepszego surowca na rosół. Pewnie smakuje tak drwalom w lesie lub myśliwym na Czukotce, ja jednak nie zachwycam się wywarem z sarniny. Mimo pieszczot kulinarnych nie jest to smak, który bym ceniła bardziej od rosołu z wołowiny... Ale de gustibus, non est disputandum!

Rosoły i wywary z drobiu i ryb, a także z warzyw lub grzybów gotują się krócej.

Też wymagają starannego przygotowania, kolejności dodawania składników, ale gotują się prawie o połowę krócej.

Naturalnie wszystko też zależy od celu, jaki zamierzamy osiągnąć. Czy ma to być szybka zupka na drobiowych skrzydełkach, czy długo, godzinami gotowany wywar z giczek cielęcych lub wieprzowych, na studzieninę, czyli galaretę (a i gdzieniegdzie mówią: auszpik).

Rosół z kury

Kura powinna być z własnego kurnika albo od gospodyni, u której chodziła po podwórku. Zdrowiutka, z tłuszczykiem, którego po sprawieniu nie usuwajmy całego! Tłuszcz „niesie" smaki. Można po ugotowaniu schłodzić rosół i zdjąć wytopiony tłuszczyk łyżką.

Kurę porcjujemy i po opłukaniu wkładamy do wody. Niech lekko tylko gotuje się około godziny. Później dodajmy włoszczyznę, niech stanowi 1/4 objętości kury. Więcej marchewki sprawi, że rosół będzie słodszy, a przewaga białych warzyw — pietruszki i selera — że będzie bardziej wytrawny.

Przypalona na czarno na ogniu cebula zdziała cuda! Doda prawdziwie królewskiego aromatu. Gałązka lubczyku i zielonego liścia selera będzie bardzo miłym akcentem smakowym. Ziele i liść — raczej wykluczone, bo to smaki dla mocniejszych rosołów.

Węgrzy taki swój rosół z kury nazywany „rosołem Ujhazy", urozmaicają właśnie laurem i zielem angielskim, ale mało(!). Na dno talerza, przed polaniem makaronu wywarem, kładą plasterki rzodkiewki i pasemka surowej papryki.

Nasz kurzy rosołek swojsko zapachnie od odrobiny kopru i siekanej pietruszki, która w każdym rosole doskonale się czuje!

Po ugotowaniu każdy rosół lubi odpocząć. Choćby godzinę.

Bulion z grzybów prababci Henryki

Prababcia Henryka mieszkała na wsi i była znachorką. Lubiłam opowieści o niej. Wydawało mi się, że jest... czarownicą.

Zmarła, jak byłam malutka, więc była w moim życiu tylko jako Mamowe wspomnienie. Znakomicie przyrządzała dziczyznę, a o grzybach i ziołach wiedziała wszystko.

To powinny być na słońcu ususzone prawdziwki. No, mogą być oczywiście podgrzybki, ale nie mają one aż takiego bajkowego aromatu, więc choćby jeden kapelusz z prawdziwka, na okrasę, dorzućmy!

Unikajmy grzybów suszonych szybko — przy piecu lub co gorsza, w piekarniku! Tracą swój czar...

Susz grzybowy (rozpasaniem byłoby sugerować same kapelusze, ale byłoby doskonale!) włożyć do, najlepiej glinianego, garnka. Nie drobić. Zalać ciepłą wodą. Nakryć talerzem lub lnianą ściereczką i postawić w kuchni na noc. Grzyby muszą tak stać w ciszy i ciemności. Wtedy nabierają tajemnej mocy i są najlepsze.

Gdy tak pływają sobie w wodzie pod tą ściereczką, zaczynają jednoczyć się z tą wodą, puszczają zasuszone soki.

W południe dnia następnego, odkrywszy ściereczkę, jeśli uważnie spojrzymy na powierzchnię grzybowej wody, zobaczymy na niej oczka, jak na rosole. Małe i nie tak tłuste, ale jednak! To znaczy, że bulion jest gotów do dalszych czarów. Trzeba go gotować na maleńkim ogniu, tak godzinkę i ciut. Aż cała kuchnia utonie w aromacie. Dodać trochę soli i doprawdy prawie nic więcej, no, można malutki listek laurowy, kilka ziaren ziela angielskiego, cebulę. Jedną i niewielką, bo to tylko takie dodatki, bez których i tak ten bulion byłby pyszny. Pieprz jest lubiany przez grzyby, więc dajmy go trochę.

Grzybowy rosół, przez gatunek dobrych grzybów i ich mnogość, powinien być po ugotowaniu i lekkim osoleniu esencją smaku grzybnego! Domowe łazanki lub diablotka z francuskiego ciasta z kminkiem lub czarnuszką są właściwym towarzystwem dla grzybnego rosołu.

Bez sensu dodana śmietana przeobraża go w zwykłą zupę grzybową...

Rosół z ryb, czyli rosół rybny Adeli

Adelę pamiętam z dzieciństwa, gdy jeździłam z rodzicami na letnisko. Mieszkaliśmy w ładnym, drewnianym rzeźbionym domu na wsi położonej w sercu Puszczy Kozienickiej. Syn Adeli jeździł daleko po ryby i przywoził je — pamiętam to — w koszach obłożonych topniejącymi bryłami lodu (z ziemianki) i nakrytych pokrzywami.

Do tej zupy potrzeba ryb słodkowodnych. Będzie bardzo dobra, jeśli ugotujemy ją z rybich głów i kręgosłupów pozostałych po filetowaniu. Oczywiście, jak każdy rosół, musi być dość długo gotowana, ale wrzeć nie może, bo zmętnieje. Małą ilość włoszczyzny wkładamy wraz z rybimi łbami, laurem i zielem. Lubczyk też może być. Mała gałązka. Ryby w dużych kawałkach do zjedzenia w rosole, filety lub dzwonka, wkładamy pół godziny — czterdzieści minut przed samym finałem.

Ogień bardzo mały, ledwo-ledwo. Nie jestem zwolenniczką zbyt wielu pachnących ziół. Rosół ma pachnieć rybą, a cebula, ziele, pieprz i liść mają tylko lekko podkreślać i „uformować" aromat.

Moim zdaniem do rybnego rosołu najlepiej pasują ziemniaki. Również grzanki z kromek chleba z serem jak do zupy cebulowej. Jednak ziemniaki „z wody", w rybnym rosole, to moja „pierwsza miłość" dziecięcych lat. Tak jest dobrze.

Mama mi zawsze przypominała, żeby u łbów usuwać skrzela (fuj!).

Dodatek o rybnych zupach

Bardzo podobnie gotuje się rosół z ryb morskich. W ostatnich minutach można dodać ciuteczkę czosnku, kminku, więcej ziela, pieprzu i lauru.

A więc — inne zupy z rosołu rybnego.

Po kaszebsku

Jeśli rosół ugotowany jest z węgorza, to trzeba wyjąć włoszczyznę i ją zmiksować. Wlać do zupy dla zagęszczenia. Rosół taki zaciągnąć zakwasem żurkowym, dodać

majeranku i śmietany. Wyszedł nam fantastyczny rybny, biały barszcz! I!
„Nie wierz gębie, póki nie położysz na zębie!".

Po wschodniemu

Jeśli zaś do takiego wywaru z węgorza i karpia (jazia, karasi — które są
fantastyczne na zupę) zamiast włoszczyzny damy dużo cebuli i korzeń pietruszki
(pasternaku), ziele, liść laurowy i pieprz (dużo), a także pokrojone ziemniaki, wtedy
wyjdzie z tego coś, co przypomina nadwołżańską uchę. Niektórzy dodają śmietany.

Po węgiersku

Na dnie garnka na smalcu podsmażamy paprykę w strużkach (odrobinę), cebulę,
pomidory i czosnek. Jak już warzywa będą miękkie, uduszone — wsypujemy sporą
garść słodkiej papryki w proszku i ciut ostrej, żeby rozpuściła się w tłuszczu.
Teraz zalewamy to rosołem z karpia (lub innych ryb słodkowodnych), dodajemy filety,
gotujemy 30 minut i podajemy z zacierkami. To węgierska halaszle (halászlé).

Po francusku

Jak rosół będzie z ryb morskich, to postępując podobnie — czyli po dodaniu papryki,
cebuli, czosnku, pomidorów — powstanie nam francuska buillabaisse — tyle że trzeba
siedmiu gatunków ryb i mnóstwa skorupiaków, a także ziarna ziela, laur, tymianek.
Postępujemy podobnie jak z rosołem Adeli, warząc zupę na łbach, kręgosłupach
i drobiazgu rybnym, a skorupiaki i większe dzwonka zagotowujemy pół godziny
przed samym końcem, w czystym, odcedzonym rosole.
Na koniec dajemy surowy czosnek zgnieciony z solą. Do tego francuskie
białe pieczywo i wino. Koniecznie.

Leśny bulion z ptactwa

Naturalnie przepis Teodora — wędrownika!
Jest rzeczą tajemną, co traperzy dodają do swoich kociołków. Jedno jest pewne
— pamiętają, by zabrać sól do plecaków, bo najbardziej rozgotowane mięso bez soli
ma okropny, dla nas, Europejczyków, smak.

Ważne jest, by na taki rosół ustrzelić coś z „kurowatych" lub gołębiowatych,
i ważne, by były to samice. Można bowiem trafić na starego samca, a jego ciało będzie
całe przesiąknięte okropnym, samczym zapachem. Potrawa będzie obrzydliwa.

Ptaka trzeba wyflaczyć ostrożnie, żeby nie uszkodzić jelit i by ich zawartość
i żółć z woreczka nie upaprała wnętrza. Całego zanurzyć we wrzątku, wtedy pióra
łatwo zejdą. (Da się oskubać. Do pieczenia w ogniu można nie skubać.
Jeśli jest pod ręką glina, można zaklajstrować tuszkę z piórami w gęstym „cieście",
jak w kokonie, i włożyć do ognia).

Ale mówimy o rosole lub bulionie... Mocne, aromatyczne zioła, czosnek dziko
rosnący lub zabrany z domu, takoż cebula, warzywa korzeniowe (dziki pasternak),
grzyby pięknie podkreślą smak leśnego ptaka, który nie miał czasu skruszeć
ani nie leżał w bejcy, więc i tak pachnie „wiatrem". Ma specyficzny smak dziczyzny.

Dobrze jest choć troszkę znać się na tym, co rośnie dookoła. Choćby ten pasternak,
roślina już nieuprawiana w ogrodach, wyparta przez pietruszkę, rośnie nikomu nieznana
na polach i znakomicie aromatyzuje potrawy z dziczyzny. To taka pietruszka
„do kwadratu". Wszelkie grzyby, świeże i suszone, i pieprz zawsze dobrze komponują
się w takim traperskim rosole.

Gdy tego wszystkiego brak, to musi wystarczyć czas... Wtedy długo gotowane
mięso tylko z solą lub jeszcze z grzybem da nam bulion. Im dłużej gotowany,
tym lepszy. Dobrze jest więc nastawić go tuż po znalezieniu miejsca na biwak
i zająć się swoją robotą: rąbaniem drew, rozbijaniem obozowiska, rozsiodłaniem koni,
szukaniem grzybów, kąpielą... Czymkolwiek, byle tylko dać bulionowi szansę.

Jarski rosół

Są ludzie niejadający mięsa w ogóle. Oto ich rosół, wcale nie gorszy! Jak każdy,
wymaga serdeczności i starannie dobranych składników.

Warzywa, czyli pełną włoszczyznę z kawałkiem włoskiej kapusty,
dobrze jest wybierać na targu lub w ogrodzie, pośród świeżutkich i jędrnych jarzyn.
Jarzyny owe obieramy. Trzeba pamiętać, żeby nie zaburzyć proporcji!

Marchew. Powinna tylko trochę przewyższać ilość pietruszki albo wcale.
Ile pietruszek, tyle marchewek. Selera objętościowo tyle, co pietruszki, i pora również.

Kapusta włoska, uwaga! Mało, tylko dla akcentu (1/3 objętości selera),
bo się zrobi kapuścianka! Jak nie ma kapusty, mogą być 2-3 główki brukselki
lub plasterek kalarepki (kalafior stanowczo nie!). Wody o wiele mniej
niż w „normalnym" rosole.

Gotować powolutku, aż zapach z warzywnego zmieni się w taki „rosołowaty".
Wtedy wrzucić gałązkę zielonego selera i wiązankę zielonej pietruszki, koperku

i lubczyku. Takie bukiety ziół można zrobić latem i zamrozić, każdy osobno
w zamrażalniku, owijając w woskowy papier.

Z „zielonym" pogotować jeszcze 10 minut, wyłączyć i dać rosołkowi wytchnienie.
W tym czasie zrobić kładzione francuskie kluseczki lub ugotować na gęsto maczek
krakowski (drobno zmielona kasza gryczana, niepalona, biała!), wylać na talerze,
a gdy zastygnie na gęsto, pokroić w kostkę. Podobnie można uczynić z manną.

Przygotować sklarowane masło: rozpuścić je na patelni lub w rondelku
i jak pojawi się piana, zaczekać jeszcze moment i zdjąć z ognia. Nie przypalić!
Odczekać 3 minuty, zdjąć kożuszek z góry i delikatnie zlać środkową warstwę
do kubeczka lub słoika. Na dnie powinna zostać biaława, ścięta „śmietana".
Wyrzucić. Żółte jak oliwa masło ma teraz piękny smak. Dodane do warzywnego
rosołu „zamknie", wykończy jego aromat.

Warzywa wyjąć łyżką cedzakową i zużyć do sałatki.

Rosół warzywny znakomicie zastępuje wywary mięsne i taki esencjonalny stanowi
świetną bazę dla innych zup. Szczególnie zalecany chorym na katar kiszek lub mającym
problemy z trawieniem białek zwierzęcych.

Każda zupa, a szczególnie rosół, lubi „uśmiech", czyli posiekaną zieloną
pietruszkę.

Rosół z wołowiny

Wołowina ma być z kością. Bardzo dobra jest „pręga", czyli goleń lub góra
przedniej nogi. Tam są grube, rurkowe kości. Można taką kość nabyć u masarza.
Nazywana jest „kością cukrową". W środku ma szpik, dawniej mówiono „tuk".
To on nadaje rosołowi „oprawy". Jego smak jest niezastąpiony, a taki gorący,
prosto z wnętrza kości, rozniesiony na chlebku, oprószony solą i pieprzem — mmmm!
Kto nie jadł, ten traci!...

Pięknie to nakręcił Jean Louis Malle
w Milou w maju, a tam pięknie jadł
to Michelle Picoli.

Bardzo dobry jest też szponder, czyli żebra z mięsem, bo w nich też jest siateczka kostno-szpikowa i trochę chrząstek, a rosół wołowy powinien być ciut kleisty. Najlepiej, gdy po wystygnięciu zastyga w lekką galaretkę. Gratulujmy sobie cierpliwości. Oczywiście proporcje są dowolne. Oby tylko włoszczyzny nie było więcej niż mięsa!

Ważne, aby po zagotowaniu mięso zszumować i by po zszumowaniu już się ostro nie gotowało, bo zmętnieje.

Godzinę po zszumowaniu wrzuca się włoszczyznę. Nie powinno być za dużo marchwi, niepotrzebnie zasłodziłaby rosół. Ostrzegam też przed nadmiarem selera i pietruszki, bo rosół zrobi się zbyt jarzynowy w smaku. Kapusta, włoska koniecznie, też w takiej ilości, by nie wyszedł kapuśniak. Włoska kapusta wspaniale komponuje się z wołowiną. Jeżeli ziele angielskie i listek laurowy, to mało, bo zrobimy wywar do flaków, a nie rosół.

Pieprz na samym końcu, razem z usiekaną pietruszką — do wazy.

Ten rosół dobrze jest ugotować i dać mu parę godzin wytchnienia. Wtedy puści wszystkie swoje smaki.

Do takiego rosołu doskonały jest domowy makaron.

Po staropolsku smakuje taki rosół z lanym ciastem, ale tak, by nie rozciapkać go jak budyniu. Ciasto musi być wystarczająco „jajeczne" (można ciasto włożyć do foliowego woreczka, zrobić małą dziurkę i lać.

Można kłaść na wrzącą wodę kluseczki z ciasta francuskiego (jajo, mąka, ciutka masła i tyle wody, by konsystencja była „budyniowa") małą łyżeczką. Bardzo atrakcyjny jest rosół, do którego robimy kluseczki wątrobiane lub szpikowe. Opisuje to szczegółowo Lucyna Ćwierciakiewiczowa w swoim słynnym dziele 365 obiadów.

Do takiego czystego rosołu w bulionówkach pasuje też podane osobno w kieliszku do jajek żółtko.

Opowiadała mi Maria, kobieta spotkana kiedyś w pociągu, że gdy była w partyzantce, pod Kampinosem, oddział obozował w pobliżu pola minowego. Krowy z pobliskiej wsi same się porcjowały, włażąc na miny, i mięso dosłownie latało w powietrzu. Kucharz gotował ogromne ilości rosołu na przemian z krupnikiem, a latającego mięsa było tyle, że każdy dziennie dostawał go po 80 dag. Szczęście tylko pozorne, bo chleba nie było w ogóle. Przejedzeni tym mięsem płakali po nocach za suchą skórką zwykłego chleba....

Rosół – bulion z jagnięciny

Przepis naturalnie od Teodora, z wyprawy do Azji

Są takie regiony świata, gdzie smak baraniny, jagnięciny to najnormalniejszy smak pod słońcem. To nie tylko Bałkany, Azja, Afryka i Australia, to też Podhale, Karpaty...

W Polsce walczy się ze specyficznym zapachem tego mięsa przez bejcowanie w ziołach, czosnku, cebuli i kwaśnych płynach — wodzie z octem, winie, miodzie z octem owocowym (np. żurawinowym lub malinowym), zsiadłym mleku.

Jagnięcina upieczona nie ma prawie wcale tego charakterystycznego zapaszku, bo z reguły jest chuda, a ów zapach gromadzi się głównie w tłuszczu (który wszak odkrajemy).

Kiedy gotuje się bulion, wywar, rosół z jagnięcia, owszem, ma on ciut inny smak niż cielęcina, lecz po dodaniu odpowiednich przypraw zyskuje „pełen wymiar" czegoś nowego. Oczywiście czosnek bardzo harmonizuje z baraniną, a zagotowany nie dominuje w rosole. Pod koniec zasypuje się taki rosół liśćmi świeżej kolendry, tymianu.

Świeża kolendra ma fantastyczny wpływ na dziczyznę i baraninę, ale też estragon, rozmaryn i pietruszka. Do tej zupy pasuje jedynie ryż. Zamiast siekanej natki polecałabym, za Teodorem oczywiście, siekaną kolendrę z koprem zwykłym lub najlepiej włoskim.

Bulion z gołębia, uzdrawiający

Już starożytni wiedzieli, że rosół z gołębi, synogarlic, sierpówek, to potrawa dla ozdrowieńców. Dostawali ją ci wszyscy, którzy wracali do zdrowia po chorobie lub ciężkich zranieniach.

Potrzebna jest sprawiona gołębia tuszka i cokolwiek z roślin leczniczych: korzeń pietruszki, gałązki kopru, fenkułu, seler naciowy, ciut tartej marchwi, kilka ziarenek, (3-5, nie więcej), kminku lub lepiej kminu.

Gotujemy to na maleńkim ogniu. Bardzo długo. Szczególnie gdy chcemy, jak to się robi na Wschodzie, by ptaszek był w całości, a w środku miał zaszyte zioła. Wody — litr. Ponad połowa odparuje. Wtedy zostanie sama esencja zdrowia. Można podać go z bułką, groszkiem ptysiowym, ryżem. Żadnych klusek.

Rosół z indyka i inne

Pełen aromatu i smakowity jest rosół z indyka czy perliczki. Z koniny (sic!) jest nieco słodkawy, więc wymagający włoszczyzny z małą ilością marchwi oraz ziół. Rosół najczęstszy to rosół mieszany z różnych mięs: wołowiny, drobiu, cielęciny. To odmiany tego samego. Nie będę ich szczegółowo opisywać.

Rosoły — wywary (z jarzynami) lub buliony (bez jarzyn) z kaczki (tradycyjny — do czerniny), a także z gęsi — pyszny jako wyjściówka do pomidorowej, a także sam z większą ilością lubczyku, tymianku i odrobiny czosnku, to też rosoły!

Smak

Smak to prostsza odmiana rosołu. Stanowi podstawę potrawy. Też wymaga czasu, by rozpuścić w wodzie wszystkie swoje smaczki i aromaty.

Można robić smak bez warzyw. Ja zawsze dodaję warzywa, choćby trochę. Najczęściej bierze się mięso z kośćmi (żebra, ogony, nóżki, ryje z uchem).

✗ Z wieprzowiny, warzyw, listka laurowego, ziela angielskiego robi się dobry smak do flaków, zarzutki, żurku, grzybowej.

✗ Z wołowiny i drobiu, też z tymi dodatkami, będzie dobry smak do barszczu z buraczków, ogórkowej, szczawiówki, krupniku.

✗ Bez liści i ziela, z drobiu, cielęciny lub samych warzyw robi się podstawę do zup delikatnych: wszelkich cytrynowych, szparagowych, kalafiorowych i wiosennych, warzywnych. Korzenne i ciężkie smaki są tu dysonansem.

✗ Wywary z kiełbas i wędzonek stanowią z cebulą, maleńką włoszczyzną lub bez, podstawę do żurków, białego barszczu, kapuśniaków, fasolówek i grochówek.

Czasem można sam smak zrobić z wody i skwarek. Na przykład do zalewajki... Bez smaku mięsnego gotujemy zacierkę i wodziankę. Bieda-zupy, których podstawą jest... woda po prostu. Smakiem — smażona cebula, kiszona mąka, czosnek...

Inne zupy z biedy wzięte

(inne są u Ćwierciakiewiczowej, 365 obiadów)

Zupa cebulowa

W czasach takiego kosmopolityzmu trudno nie wspomnieć o niej, bo już polubili ją z dawna Polacy tak jak swojski żur albo ogórkową.

Cebulanka należy do „bieda-zup", ale też stopniowo awansowała na salony i królewskie stoły. Powstała tak, że lekko zrumienioną cebulę posolono i zalano wodą. Do tego, jak były skórki chlebowe, dodawano je do środka i oszukiwano głód.

Obecnie rozróżnia się kilka jej wersji – biedniejsze i bogatsze.

Trzeba cebuli. Powinna być ta zwykła. Nie czosnkowa, cukrowa, nie czerwona ani żadna inna. Jednocześnie – może być każda!

Cebulę trzeba pokroić w kosteczkę. Chociaż ortodoksi lubią, żeby była pokrojona w piórka. (Połówkę cebuli skrajamy po „bocznej" krawędzi w półtalarki. To są piórka właśnie). Na jedną osobę cebula wielkości sporej mandarynki – wystarczy.

Cebulę wrzucamy na parujący tłuszcz. Powinna być to oliwa z masłem. Inni wolą samą oliwę, inni olej, reszta samo masło. Mieszanka ma lepszy smak i już! Smalec – stanowczo nie!

Trzeba ją zeszklić. To znaczy smażyć, aż stanie się szklista.

I znów są zwolennicy lekkiego zbrązowienia brzegów, i są tacy, co ją rumienią. Ja lubię pośrodku. Już nie szklista, jeszcze nie rumiana.

Teraz zalewamy cebulę rosołem lub wodą. Jeśli wywar z jarzyn, to bardzo wytrawny.

Jeśli bulion albo rosół, to może być nawet... z papierka.

Z przypraw jedynie tarta gałka muszkatołowa. Żadnych liści, ziela itp. Szklanka białego wytrawnego wina, jeśli ma być bogato. Sok z cytryny – jeśli tak sobie, blisko prawdy, czyli jeśli to typowa bieda-zupa. Nie zakwaszać jednak! Tylko tyle, ile do smaku, do złamania cebulowej słodkości.

Na dno talerza kładzie się grzankę.

Obecnie moda jest na grzankę z razowca ze stopionym serem, robiona dietetycznie „na sucho". W kombiwarze lub piecyku. Kiedyś była to bułka bagietka lub nasza – paryska, też z serem tartym, smażona na maśle – na patelni.

De gustibus!

Żadnych zielenin.

Mama miała rację! Sprawdziłam!

Zalewajka

Kocha ją południe Polski.

To bieda-zupa. Potrzebny jest zakwas.

W glinianym garnku zalać ciepłą wodą mąkę żytnią, grubo mieloną z otrębami.

Dodać czosnek, mało. Skórkę razowca, ziele angielskie — kilka ziaren, i liść laurowy, małą łyżkę cukru. (Wersja bogata)! Niech to się kisi, „burzy", cudnie pachnąc, co najmniej tydzień pod lnianą ściereczką.

Opowiadał o niej Franek Dolas w legii cudzoziemskiej
— Jak rozpętałem drugą wojnę światową.
Cudna scena! Świetny film!

Sama zupa

Do gotowanej wody, wsypać pokrojone w kostkę ziemniaki. Niech się ugotują do miękkości. Oczywiście sól i dużo lauru... Teraz wlać zakwas — na litr wody z ziemniakami — szklankę, dwie zakwasu, jeśli słaby. Jak mocny i kwaśny — jedną. Do smaku skwareczki najlepiej z czystej słoniny. Pieprz. Powinna być ostra.

Wszelkie wędzonki, kiełbasa itp., to zawracanie głowy i to już nie jest czysta zalewajka.

Zalewajka na bulionie grzybowym

Przepis Oli Jenin

To litewska odmiana zalewajki, a przynajmniej tak twierdziła Ola, Litwinka z krwi i kości.

Gotuje się bulion z grzybów suszonych, namoczonych przedtem (około osiem godzin) w letniej wodzie. W tej samej gotujemy grzyby powoli, jakąś godzinę, dwie... Pozwalamy wystygnąć i kroimy grzyby w paseczki. Teraz wlewamy zakwas żurkowy — aromatyczny i kwaskowaty z czosnkiem, zielem i liściem. Trochę skwarek ze słoninki i pieprz. Ziemniaki podawać osobno. Ta kwaskowa zupa wspaniale pachnie grzybami i jest mało znana. Siekana pietruszka, owszem!

Żur na wędzonce

Zakwas, zrobiony jak wyżej, wykorzystuje się do innych podobnych zup.

Ugotować wywar z wędzeniny, kiełbasy, wykorzystać wodę po gotowaniu wędzonej szynki, po dodaniu pokrojonej w piórka cebuli, pieprzu, ziela, liścia laurowego i koniecznie majeranku, mamy podstawę żuru. Wlewamy zakwas podobnie, posługując się własnym smakiem. Pamiętajmy, że na początku nie wyda się dostatecznie kwaśny.

Po godzinie osiągnie prawdziwy smak. Dopiero!

Skwarki z wędzonego boczku wskazane. Rumiana cebulka też. Do tego gotowane ziemniaki. Można po odlaniu wody całe wrzucić do żurku, można też utłuc i podać na oddzielnym talerzu.

Ślązacy formują kule z tłuczonych ziemniaków i delikatnie kładą na talerzu, przed nalaniem żuru, i jak jest bogato, to ze skwarkami i rumianą cebulą.

Jeśli taką zupę, gotowaną na białej kiełbasie, zaciągnie się zasmażką i doda śmietanę — będzie biały barszcz (mniej mi znany). Ponoć też zakwaszają ją nie zakwasem, a wodą spod kapusty kiszonej.

Kiedy w obu tych zupach pływa jajo na twardo, sprawdźmy, czy to nie Wielkanoc.

Zupa cytrynowa zwykła

Teodor przywiózł też wersję grecką

To smaczna, kwaskowata zupa, wprowadzająca pewne urozmaicenie do kuchni polskiej. Idealna na lato.

Kiedy zostanie nam rosół z poprzedniego dnia, i będzie to rosół wegetariański albo drobiowy, to trzeba ugotować w tym rosole ryż. Tak, żeby nie zrobić zaprawy murarskiej. Na litr — mniej więcej filiżanka ryżu. Ma być dobrze wypłukany.

Jak już się ugotuje, dodać sok z cytryny tak, aby nie zakwasić za bardzo.

(No, chyba że to zupa na wielkiego kacenjamera!).

Pamiętać, żeby nie wkładać do gotowania krążków cytryny ze skórką. Zupa zrobi się gorzka.

Teraz mocno mieszając trzepaczką, dodać dość tłustej śmietany. Chuda sklaczy się. Zetnie. Na koniec może być i powinna — siekana pietruszka.

Naturalnie, jeśli gotujemy zupę bez ryżu, można go podać na końcu, ugotowany osobno, na sypko. Jednak wersja powyższa jest bardziej zawiesista. Na wierzchu kładziemy krążek obranej cytryny i gałązkę koperku lub pietruszki.

Grecy rozmącają rosół żółtkiem po dodaniu cytryny, nie dają śmietany i posypują świeżą kolendrą. O, taka różnica.

Zacierka na wodzie

Kolejna w galerii bieda-zup
Trzeba umieć robić zacierki.

Małe, wrzecionowate kluseczki z mąki zagniecionej z wodą. Bez jajka.

Zagotować wodę, do której dodajemy pokrojone w kostkę ziemniaki. Jak już są miękkie, wrzucamy smażoną na skwarki słoninę z rumianą cebulą. Koniecznie zrumienioną, choć ciut. Także zacierki razem z ziemniakami. Ma być dość pieprzna. Doskonała z garścią świeżego kopru.

Zacierka — wersja węgierska

To gęsta odmiana polskiej zacierki
Na dno garnka kładziemy łyżkę smalcu ze skwarkami i jak się stopi, wrzucamy zacierki i posiekaną cebulkę. Sporo. Jak się zaczną rumienić i kluseczki, i cebulka, wsypujemy garść słodkiej papryki. Jej kolor i aromat „wydostają się" tylko w tłuszczu!

Szybko mieszamy, żeby papryka nie upaliła się w gorącym smalcu, i wrzucamy pokrojone w kostkę ziemniaki. Wody albo wody z białym winem tyle, żeby zakryć ziemniaki. Odrobinka kminku, sól. Ma się lekko gotować, aż zmiękną ziemniaki i wchłoną wodę. Pod przykryciem! Sól, oczywiście.

Na talerz wykładamy gęstą masę i możemy chlapnąć na nią kwaśną śmietaną. Nie jest to konieczne. Pieprz dopiero na talerzu — świeżo mielony.

Zielenina — naturalnie!

Rosół — galareta z giczek cielęcych

To prosta zupa-rosół lub zimne danie. W wodzie zanurzyć giczkę cielęcą. Przepołowioną. Zalać wodą i gotować do zawrzenia. Zszumować. Koniecznie. Teraz zmniejszyć ogień do minimum i niech tylko mruga, tyle, ile się da! Nawet sześć godzin... Dodać sól, warzywa — mało, także ziele angielskie, liść laurowy i zielony lubczyk. Jak nie ma, to trudno. Może jest seler naciowy? Ciut tymianku?

Rosół z samej cielęciny ma dziwny aromat. Taki... Chemiczny. Cielęcina tak ma, dlatego dobrze łączyć ją z indyczyną.

Taki wywar to cudowny lek dla wszystkich, co złamali kość. Pomaga w zrastaniu. Podawać z lanymi kluskami lub drobnym, domowym makaronem. Stanowi znakomitą podstawę do wiosennych zup.

Wystudzony zastyga w smakowitą galaretkę, tylko trzeba mięso i warzywa posiekać, dodać surowy czosnek, utarty z solą. Mało! Tylko ciut! Zielsko siekane — dużo! I pietruchę, i koperek, i kilka kropel cytryny... Na dno miseczki położyć krążki jaja na twardo. Jeść skropione cytryną lub po staropolsku - octem.

Zupy-kremy

Wykwintne bieda-zupy, bo podane w bulionówkach

Każdą zupę można utrzeć na krem, ale tylko niektóre są tylko po to, aby właśnie w takiej formie być atrakcją.

Zawsze podstawą jest woda i gotujący się w niej ziemniak. On sprawia, że zupa jest po utarciu lekko zawiesista. Jeśli nie ziemniak, to szczytem finezji jest dodany na końcu lekki krochmal. Leciutki, żeby się kisiel nie zrobił, a zupa stała się aksamitna. Zuchelek masła wskazany.

Hiszpański krem Katarzyny

(dawna znajoma matki mojej)

Ugotować dużo soczystej marchewki pokrojonej w krążki. Oczywiście z ziemniakiem. Gdy miękka, dodać oskórowanego i pokrojonego dużego pomidora. Tak, żeby stanowił 1/3 część reszty. Zagotować, aż i on się „rozejdzie". Wsypać garść siekanej bazylii (nie znam tego ziółka, ja daję pietruszkę i też jest dobrze!).

Teraz przetrzeć całość i dodać klarowane masło albo ciut śmietanki. Sól, pieprz... Oczywiście. Dekorować listkami bazylii (pietruszki lub szałwii). Ta akurat zupa ma bajeczny kolor!

Takie zupy podaje się z grzankami albo groszkiem ptysiowym.

Biały krem

Ugotować ziemniaka, pietruszkę i selera w równych proporcjach. Dość długo, żeby zniknął zapach świeżych warzyw. Utrzeć, dodając sól i biały pieprz. Kilka kropel cytryny, dla złamania smaku. Wlać zupę do miseczek i delikatnie wbić jajko, tak, żeby się utopiło. Wstawić na dwie minuty do pieca lub „duchówki", na mały pacierz. Można też osobno zrobić jajka w koszulkach:

Do wrzącej wody z solą i octem (sporo) wlewać jajko ze skorupki tak, żeby się nie rozlazło po całym garnku. Potrzeba wyczucia — niewielki gaz, sporo octu (na litr wody — mała filiżanka). Gotować na miękko. Około minuty. Wyjmować jajo bardzo delikatnie i „przechlupnąć" do miseczki z kremem.

Przez owo (jajko) w środku zupa ta jest ogromnie... finezyjna.

Białą zupę krem można też serwować z zielonym groszkiem.

Krem ze szpinaku

Oczywiście ugotować ziemniaka prawie na „miękko" i dodać szpinak rozdrobniony. Na jedną osobę dwa ziemniaki wielkości jajka i szpinaku — filiżankę. Może być koper, jako dodatek i odrobina świeżego lubczyku. Troszkę słodkiej śmietanki po zagotowaniu, sól i żadnych zakwaszaczy! (cytryna), bo zupa straci szmaragdowy kolor!

Szpinak chłonie sól, więc uwaga z nią!

Zupę przetrzeć. Zaciągnąć leciutkim krochmalem, żeby się zrobiła „aksamitna".

Podawać z jajem w koszulce lub kilkoma jajkami przepiórczymi na twardo, przepołowionymi ślicznie.

Krem z buraczków

Zagotować ziemniaka na „miękko" i dodać starte drobno buraki.
Najlepiej ugotowane osobno w całości w skórupie.

One nie lubią być długo gotowane, bo tracą kolor, więc gotujemy je w całości „na miękko".

Przetrzeć i dodać kilka kropel zakwasu z buraczków – gdy jest pod ręką. Spróbować. Zakropić kroplą octu lub cytryną. Koniecznie.

Do takiego kremu można zrobić kuleczki mięsne z mięsa drobiowego.

Kulki

Mielone, białe mięso drobiowe zmieszać z bułką namoczoną w mleku i odciśniętą, z jajkiem, solą, pieprzem białym i majerankiem. Najlepszy — świeży.

Mają być pikantne! Formować maleńkie kuleczki wielkości orzecha laskowego i gotować w lekkim bulionie lub słonej wodzie. Podać osobno lub wsypać tuż przed podaniem, inaczej kuleczki brzydko się przebarwią.

Zielona pietruszka zwieńczy dzieło.

Krem z pieczarek

Także z innych grzybów
Nietrudno zgadnąć: ugotować ziemniaka, razem z podduszonymi pieczarkami.
Im więcej, tym lepiej. Przetrzeć i dodać śmietany ciut-ciut lub do smaku.
Sporo czarnego pieprzu.
  Wskazany groszek ptysiowy, diablotka z kminkiem z francuskiego ciasta.
Zupę posypać posiekanymi w cieniutkie paseczki świeżymi pieczarkami i już!

A teraz to są moje zapiski – Basi Jabłonowskiej

Mortadela na ciepło

  Grube plasterki mortadeli pozbawić skórki. Obtoczyć w ostrej panierce
(dodać ciut ostrej papryki), to znaczy jajo roztrzepane i potem bułka tarta z papryką
lub majerankiem. Smażyć na ostrym tłuszczu. Smalec z olejem jest najlepszy!

Sałatka z dorsza wędzonego

  Bardzo prosta. Dorsza obrać ze skóry i ości. Dokładnie! Sporo cebuli
(cukrowa najlepsza, ale pół na pół z ostrą). Pokroić w półpiórka, skropić octem,
posolić i dodać pieprz. Wymieszać razem wszystko z oliwą, olejem, co tam kto ma.
Odstawić na kilka godzin do lodówki. I już!

Sałatka szwedzka (robiona w domu)

  Kapustę (ćwiartkę) białą poszatkować, a także paprykę (2 sztuki), może być
konserwowa, nawet lepiej! Także cebule (ze 2 spore) w piórka i ogórek konserwowy
(5 sporych sztuk) w ukośne plasterki. Wszystko zasypać łyżeczką cukru, solą
i skropić octem. Zalać zalewą od papryki konserwowej, dodając świeży liść bobkowy
i ziarenka ziela angielskiego. Odstawić na co najmniej dwa dni. Przed podaniem
odsączyć z nadmiaru zalewy.

Pielmieni — sybirskie pierożki

Przepis Lary
Dzisiaj to się idzie do sklepu w Moskwie i kupuje zamrożone na kamień.
Bardzo różnorodne. Sama jednak receptura jest stara i prosta. Wołowe (najczęściej)
mięso się sieka, ale teraz — miele. Dodaje też posiekaną drobno cebulę, sól i pieprz.
Nic więcej. Robi się maleńkie pierożki i gotuje kilka minut. Podaje w rosołach,
barszczu, zalewa śmietaną, i posypuje siekanymi warzywami — pomidorami
albo ogórkami kwaszonymi. Bardzo różnorodnie!
Ja podałam kiedyś z podsmażonymi kurkami, opieńkami. Poemat!

Bliny

Przepis Lary
Najpopularniejsze są z mąki pszenno-gryczanej, pół na pół.
Najpierw się rozczynia drożdże, 3-4 dag, z garścią mąki pszennej i lekko
ciepłym mlekiem. I niech sobie rośnie. Resztę mąki pszennej i mąkę gryczaną mieszamy
i dodajemy nieco stopionego masła, kilka żółtek (nie za dużo, bo ciasto będzie
za twarde), ciepłe mleko i mieszamy. Jak rozczyn podwoi objętość — łączymy oba
ciasta i nakrywamy ściereczką w ciepłym miejscu. Trzy godziny powinno rosnąć.
Ma być lekkie. W tym czasie dobrze jest ubić pianę i połączyć z ciastem
(niekoniecznie, ale bywa i tak w przepisach). Lara nie daje białek. Na małej patelni
żeliwnej, lekko natłuszczonej, kładzie się łyżką ciasto (nie za cienko, to nie naleśniki)
i nadaje kształt, rozlewając boki. Smaży z obu stron i układa placuszki jeden
na drugim w nagrzanym, ceramicznym naczyniu. (Lara miała po babci taki jakby słój
gliniany, rozszerzany ku górze właśnie na bliny, żeby zachowały ciepło).
Bliny podaje się ze śmietaną, kawiorem, śledziową śmietaną i wszystkim,
co możliwe i co smakuje. Znakomite po powrocie z kuligu zimą.
Świeże grzyby z patelni, resztki sosów od mięs duszonych, bryndzą,
a także słodkie nadzienia.

Świeże grzyby z patelni

(w szczególności opieńki lub kurki, ale i każde inne, byle nie maślaki
— za mokre)
Na głębokiej patelni rozpuścić smalec. Wsypać dużą cebulę krojoną w piórka.
Zeszklić i wsypać prawie niekrojone grzyby.

Jeśli umyte, to osączone na gazecie porządnie. Dodać liście laurowe i ziele angielskie, bo grzyby bardzo to lubią. Smażyć na ostrym ogniu, mieszając delikatnie drewnianą packą. Nie mogą się udusić we własnym sosie. Musi go być bardzo mało. Ma odparować. Grzyby mają być podsmażone, a nie — uduszone. Żadnych śmietan! Solić i pieprzyć już po zdjęciu z ognia.

Podawać z chlebem. Zimne piwo, jako załącznik, zdecydowanie tak!

Kulebiaki

Przepis Mamowy z moimi ulepszeniami

Kulebiak to niezbyt słodkie ciasto, posolone, i w zależności od umiejętności, smaku — kruche, półkruche, drożdżowe.

Na proszku, na drożdżach — zależy od tego, co nam wychodzi najlepiej. Ogólnie mówiąc, jest to jakiś farsz zapakowany w ciasto.

Ja dodaję do ciasta kminku lub czarnuszki. Lubię!

Farszem może być wszystko. Tomasz uwielbia kapuściano-grzybowy albo z samych grzybów.

Kiszoną kapustę poszatkować mocno. Zrumienić dwie duże cebule, też drobno pocięte. Udusić w niej kapustę, a osobno drobno posiekane grzybki — suszone, uprzednio namoczone lub surowe (oby nie maślaki). Wody tyle, żeby się wchłonęła w trakcie duszenia. Schłodzony farsz nie może być wodnisty, więc wsypujemy tyle bułki tartej, żeby związała resztki sosu. Ciasto wałkujemy na cienki placek.

Możemy zrobić kilka kulebiaków w formie niewielkich pierogów. Możemy zawinąć farsz jak strucle makową. Możemy wyłożyć okrągłą blaszkę i po nałożeniu farszu przykryć go na krzyż szerokimi paskami ciasta.

Moje farsze

Z kurek duszonych i cebuli.

Z mięsa z rosołu, mielonego, i kapusty kiszonej.

Z kapusty włoskiej uduszonej pół na pół z porem, duuużo białego pieprzu i kilka kropel octu.

Mamy farsze

Z ryby drobno posiekanej (sandacz, sum), przesmażonej z cebulą i odrobiną marchewki.

Z grubo krojonych liści szpinaku i siekanego jajka na twardo.

Mięsny bigos

Potrawa bretońska, ulubiona przez Tomasza na jego urodziny

Potrzeba do tego sporej żeliwnej rynienki z przykrywą. Smalec, plastry słoniny i kilka gatunków mięsa. Warzywa sezonowe, nie za dużo. Baaardzo wskazane grzyby, liść laurowy, ziele angielskie, owoce jałowca. Z warzyw — przypalona cebula, kawałeczek selera, marchew.

W rynience posmarowanej po brzegi smalcem położyć płaty słoniny. Warstwami układać mięsa — różne — wołowinę, baraninę, króliczynę, co tam jest. Może być sama wołowina, sarnina (uprzednio bejcowana w occie) czy co innego.

Przekładać to marchwią, liściem, cebulą, nasionami jałowca. Można pół na pół z warzywami — krojoną grubo kapustą włoską, ziemniakami, papryką, — co jest w ogrodzie.

Popieprzyć, posolić. Zalać piwem albo czerwonym wytrawnym winem i szklanką wody. Na wierzch położyć liść kapusty i wstawić do chlebownika lub piekarnika, kominka, między żarzące się węgle — w ognisko żarzące się już tylko. Zasypać, zamknąć tak, żeby w żarze stało kilka godzin.

Gulasz transylwański

Przepis Tomasza od jakiegoś kolegi

Mięso wołowe lub mieszane, pokrojone w drobną kostkę, podsmażyć z cebulą krojoną w piórka, na smalcu. Dodać tyle samo kiszonej przesiekanej kapusty i garść kminku.

Dusić do miękkości. Teraz (uwaga!) zaciągnąć to kwaśną śmietaną z mąką. Podawać z francuskimi kluseczkami, których Tomasz nie umie zrobić, więc robię ja.

Z jaj i mąki ukręcić gęste ciasto jak na lane kluski, tylko mniej lejące. Konsystencja budyniu będzie dobra.

Na wrzącą i osoloną wodę kłaść kluseczki łyżką herbacianą lub większą (Tomasz lubi wielkie te kluski).

Ja wolę ten gulasz z chlebem, bo kluch nie cierpię.

Ziołówka Tomasza

W wódce (1 l) Tomasz rozpuszcza sporą łyżkę miodu lipowego.

Zatapia liście babki, młodej pokrzywy, kilka ziaren jałowca, miętę i spory bukiecik świeżego tymianku. To podstawa, bo on (Tomasz) zabawia się ziołami leśnymi i ciągle coś udoskonala.

Ta ziołówka nabiera od zielonych listków pięknej barwy i aromatu.

Gdy jest zielona i pachnąca, zlać ją trzeba do karafki i podawać do obiadu. Do tłustych potraw. Do śledzi, ryb — w żadnym wypadku. A na złe humory — owszem!

Smorodinówka

(Przepis tatki otrzymany onegdaj od przyjaciela ze studiów — Pawła Zielińskiego. Paweł przysłał go w liście a ja wkleiłam do swego kalendarza)

Kochany Michale!
Wydzieram z serca tajemnicę rodową, alem Ci obiecał,
To dziadkowy wymysł. I jak wiesz — znakomity.
Niechaj będzie Tobie i Twoim bliskim na zdrowie!

Paweł

Przygotowanie rozpoczynamy wczesną wiosną od zrobienia listkówki, która jest niezbędnym składnikiem Smorodinówki.

Listkówka

✗ 2 szklanki młodych świeżo rozwiniętych listków czarnej porzeczki z pędami (bez ugniatania)
✗ 1 litr żytniówki
✗ ½ łyżeczki do kawy kwasku cytrynowego
✗ 1 szklanka cukru drobnego

Listki opłukać, osączyć, włożyć do słoja, zalać przednią żytniówką i odstawić w chłodne miejsce na tydzień. Po tygodniu zlać nalew przez sito, przefiltrować przez sączek bibułowy i przechowywać w zamkniętej butelce. Liście ponownie zalać 2 szklankami żytniówki i pozostawić w chłodnym miejscu na 2 tygodnie. Tak jak poprzednio zlać nalew, a liście zasypać 1 szklanką cukru, wymieszać i zostawić w cieple na 4-5 dni, mieszając kilka razy dziennie, aż cukier się rozpuści. Zlać syrop przez sito i przefiltrować przez lejek z watą. Połączyć z poprzednimi nalewami, wsypać kwasek cytrynowy i wymieszać. Nalewkę szczelnie zamknąć i odstawić w ciemne chłodne miejsce.

Smorodinówka

X 2 litry czarnych porzeczek (bez szypułek i liści)
X 1 litr spirytusu 96%
X 1 litr listkówki
X 3 goździki
X 1 cm kory cynamonowej
X 2 laski wanilii
X 2 szklanki cukru drobnego
X 3 łyżki miodu

Porzeczki zmiksować, przełożyć do słoja, zalać spirytusem, włożyć goździki, cynamon i rozciętą wzdłuż na pół wanilię. Pozostawić w cieple na miesiąc, często mieszając. Po tym czasie wynieść w chłodne miejsce i zapomnieć na rok.

Po roku nalewkę zlać przez sito i przefiltrować przez sączek bibułowy, a owoce zasypać cukrem, dodać miód i pozostawić w cieple na 5-6 dni, często mieszając. Gdy cukier się rozpuści, zlać syrop i przesączyć go przez lejek z watą. Połączyć z nalewem i listkówką.

Pozostawić na 3 miesiące w chłodzie.

Owoce pozostałe po zlaniu syropu zawierają jeszcze sporo alkoholu i są bardzo smaczne. Można je wykorzystać do deserów, koktajli lub jako nadzienie do rogalików lub bułeczek drożdżowych.

Radzę od razu robić smorodinówkę z kilku porcji i tak na pewno zabraknie.

Robiłem smorodinówkę wiele razy, ale nigdy nie udało mi się uzyskać dwóch identycznych nalewek. Zawsze się nieco różnią. Czary czy co?

P.Z.

„Wykwintny piernik z marchwią"

(„bieda-ciasto", przepis Sary Cukier)
Stopić cukier na karmel — dwie, trzy łyżeczki. Rozprowadzić wodą. Zmieszać z mąką (kilo). Pół kilo obranej marchwi zetrzeć na drobnej tarce, pozostałe pół na grubej. Pół kostki margaryny stopić i wlać do miski z mąką, karmelem i drobno startą marchwią. Szklankę cukru ukręcić z żółtkami (jak są, to nawet 4-5), a pianę ubić na sztywno. Wsypać 2-3 łyżeczki proszku do pieczenia (sody). Dać garstkę przypraw do piernika — cynamonu, goździków, gałki muszkatołowej i czarnego pieprzu, drobno roztartych w moździerzu. Ciasto wyrobić starannie, na końcu dodając pianę. Upiec w prodiżu na brązowo.
Z marchwi grubo tartej i szklanki cukru — usmażyć rodzaj konfitury, nadmiar syropu wchłonąć łyżką bułki tartej i przełożyć tą masą przekrojony piernik. Zestudzać

Matka Lilki znała sporo takich potraw z byle czego. Podawała je bardzo wytwornie. W ładnej zastawie. Na przykład do zupy z pokrzywy robiła diablotki (rodzaj słonych paluszków) z ciasta takiego jak na macę. Mąka, woda, sól i lekko nadpieczone — zwijała jak kocie języczki.

Zupa z pokrzywy Sary Cukier

Młodą pokrzywę zebrać tak, żeby były to same listki. Posiekać drobno.
Do garnka z wodą wsypać drobno posiekaną cebulę (jak się ma) starkowany pasternak (jak się ma) — ogólnie jak jest, to jakieś warzywo, byle nie marchew (może być pietruszka albo seler, ale bywało, że i tego nie było). Zagotować wodę z cebulą i wrzucić pokrzywę. Zagotować do miękkości (krótko), można wsiekać kilka liści lubczyku. Zaciągnąć lekko krochmalem, wsypać garść zacierek z mąki pytlowej albo podać diablotki z ciasta macowego.
Jak jest — można zaciągnąć śmietaną. Oczywiście sól do smaku.
Ważne — jak się to podaje.

Rosół z prośnianek

Prośnianki, czyli gąski zielone, to późne grzyby. Powinno być ich dużo. Oczyszczone i pozbawione piachu. Zrobić lekki wywar z podrobów drobiowych (skrzydła, szyjki, żołądki) lub ochłapów wołowych. Włoszczyznę wyjąć

po zagotowaniu jej do miękkości. Oczywiście malutki listek bobkowy.
Wsypać pokrojone w paseczki prośnianki i gotować pół godziny na małym ogniu.
Zestawić i poczekać, bo aromat wchodzi w tę zupę powoli. Zrobić ją rano,
a podać odgrzaną na obiad z ziemniakami, osobno lub lanym ciastem.
Pietruszka koniecznie!